Robin Cook

MUTACIÓN

Robin Cook

MUTACIÓN

Título original: *Mutation*

Traducción: Daniel Zadunaisky

Diseño de la cubierta: Eduardo Ruiz

Emecé Editores, S.A.
Alsina 2048 - Buenos Aires, Argentina

ISBN: 950-04-1907-6
22.137
Depósito legal: B-37.774-1998

Printed in Spain

Impresión: Liberdúplex, S.L. Constitución 19-bloque 8, local 19
08014 Barcelona

Mi agradecimiento a Jean, que me proporcionó mucho alimento, tanto literal como figurativo.

A LOS ABUELOS
Mae y Ed, a quienes me hubiera gustado conocer más,
Esther y John, que me acogieron en su seno familiar,
Louise y Bill, que me adoptaron por pura generosidad.

> "CÓMO TE ATREVES A JUGAR ASÍ CON LA VIDA."

Mary Wollstonecraft Shelley
Frankenstein, 1818

Robin Cook
MUTACIÓN

La energía se acumulaba progresivamente en los millones de neuronas desde su gestación, seis meses atrás. Las células nerviosas hervían de energía eléctrica que se galvanizaba progresivamente hacia un umbral voltaico. La arborización de las dendritas neuronales y de las células de la microglia aumentaba en progresión exponencial: cada hora se formaban centenares de miles de conexiones sinápticas. Era como un reactor nuclear a punto de alcanzar la masa hipercrítica.

Y sucedió. El umbral fue alcanzado y superado. Las microcorrientes de energía eléctrica se extendieron como un reguero de pólvora a través del plexo de conexiones sinápticas hasta alcanzar toda la masa. Las vesículas intrasinápticas segregaron sus neurotransmisores y neuromoduladores hasta que la excitación alcanzó un nuevo nivel crítico.

De esta actividad celular microscópica surgió uno de los misterios del universo: la conciencia. Una vez más, la materia había engendrado a la mente.

La conciencia era la facultad que daba lugar a la memoria y la intelección; también al terror y al miedo. Traía consigo el peso adicional del conocimiento de la propia muerte. Pero en ese momento la conciencia creada carecía de conocimiento. El conocimiento era el paso siguiente, y no demoraría en llegar.

Prólogo

11 de octubre de 1978

—¡Ay, Dios! —gritó Mary Millman, aferrando las sábanas con las dos manos. El dolor se extendía desde el bajo vientre hacia el pubis y la base de la columna como una lanza de acero derretido.

—¡Déme algo para calmar el dolor! ¡Por Dios, no aguanto más! —Soltó un alarido.

—Todo está muy bien, Mary —dijo el doctor Stedman serenamente—. Respira hondo. —Se puso los guantes de cirujano y ajustó los dedos.

—No aguanto más —jadeó Mary. Torció su cuerpo para acomodarse mejor, pero no sintió alivio. El dolor se intensificaba. Contuvo el aliento, y sus músculos reaccionaron con una fuerte contracción.

—¡Mary! —El doctor Stedman le tomó el brazo con firmeza: —Mary, no hagas fuerza. No sirve de nada mientras no se dilate el cuello. ¡Y podrías hacerle daño al bebé!

Mary abrió los ojos y trató de relajarse. Con sólo respirar aumentaba su dolor.

—No puedo evitarlo —gimió entre lágrimas—. No aguanto más, por Dios. *¡Ayúdeme!* —chilló.

Mary Millman, de veintidós años, era secretaria en una

gran tienda de Detroit. Cuando leyó el aviso que pedía una madre sustituta, le pareció un regalo del Cielo: con el dinero podría cancelar las deudas que habían quedado luego de la prolongada enfermedad de su madre. Pero jamás había sufrido un embarazo ni había visto un parto fuera de la pantalla cinematográfica: no tenía la menor idea de lo que entrañaba. En ese momento ni se le ocurría pensar en los treinta mil dólares que recibiría después de que todo terminara, aunque era una cifra mucho mayor que la vigente en el "mercado" de madres sustitutas. Creía que iba a morir.

El dolor aumentó hasta alcanzar un nivel. Mary aprovechó el momento para respirar.

—Quiero una inyección para el dolor —dijo. Sentía la boca reseca.

—Ya te dimos dos —replicó el doctor Stedman. Se estaba quitando los guantes, que había contaminado al aferrar el brazo de la muchacha, para colocarse un nuevo par esterilizado.

—No me hicieron efecto —gimió Mary.

—En el momento de la contracción, no. Pero hace unos instantes estabas dormida.

—¿De veras? —Mary buscó la ratificación en los ojos de Marsha Frank, la madre adoptiva, que le humedecía la frente con un pañuelo mojado en agua fresca. Marsha asintió con su sonrisa cálida y comprensiva. Mary la quería, le gustaba tenerla a su lado durante el parto. Esa había sido una de las condiciones impuestas por los Frank, aunque a Mary no le gustaba el futuro padre, con su actitud hosca y autoritaria.

—Recuerda que lo que te inyectan a ti también se lo dan al bebé —decía Frank en ese momento—. No vamos a poner en peligro su vida sólo para aliviar tu dolor.

El doctor Stedman le echó una rápida mirada. La presencia de Victor Frank lo ponía nervioso. Era el peor futuro papá que jamás había admitido en su sala de parto. Lo más extraño era que Frank también era médico y se había especializado en obstetricia antes de dedicarse a la investigación. Si tenía alguna experiencia, no lo demostraba en la sala de parto. Mary

18

soltó un suspiro, y el doctor Stedman volvió a concentrarse en la paciente.

La mueca de dolor se borraba de su cara. Evidentemente, la contracción había pasado.

—Muy bien —dijo el médico, y le indicó a la partera que quitara la sábana que cubría las piernas de Mary—: Veamos cómo marcha esto. —Se inclinó y alzó las piernas de Mary a la posición ginecológica.

—¿Le parece que le hagamos ultrasonido? —sugirió Victor—. Esto no va muy rápido que digamos.

El doctor Stedman se enderezó:

—¡Doctor Frank! Si me permite... —dejó la frase inconclusa, pensando que su tono de fastidio lo decía todo.

Victor Frank alzó la mirada y en ese momento Stedman advirtió que estaba aterrado. Su rostro estaba lívido y le caían gotas de sudor de la frente. Tal vez el empleo de una madre sustituta generaba una tensión insoportable, aunque el futuro padre fuera médico.

Mary soltó una exclamación y un chorro de líquido fluyó sobre la cama. El doctor Stedman olvidó a Frank y se volvió hacia ella.

—Bueno, rompió bolsa —dijo—. Es normal, como le dije antes. A ver cómo viene el bebé.

Mary cerró los ojos al sentir los dedos hurgando en su cuerpo. Tendida sobre sábanas empapadas con sus propios fluidos, se sentía humillada, vulnerable. Se había autoconvencido de que no lo hacía sólo por ganar dinero, sino también para dar felicidad a una pareja que no podía tener su segundo hijo. Marsha había sido tan dulce y persuasiva. Ahora se preguntaba si había hecho lo justo. Pero entonces la nueva contracción le dejó la cabeza en blanco.

—¡Bien, muy bien! —exclamó el doctor Stedman—. Lo haces muy, pero muy bien, Mary. —Se quitó los guantes y los dejó a un lado. —La cabeza del bebé ya bajó y tu cuello casi está en máxima dilatación. ¡Perfecto! —Se volvió hacia la enfermera: —Bueno, vamos a la sala.

—¿No me dan algo para el dolor? —preguntó Mary.

—En la sala de parto —dijo el doctor Stedman. El momento de máxima tensión había pasado. Pero una mano le aferró el brazo.

—¿No es demasiado grande la cabeza? —preguntó Victor, atrayéndolo con brusquedad.

El doctor Stedman advirtió el temblor de la mano que aferraba su brazo. La apartó con suavidad.

—Le dije que la cabeza bajó. Significa que está alojada en el canal pelviano. ¡No lo habrá olvidado!

—¿Está seguro de que descendió?

Lo embargó la ira y estuvo a punto de estallar, pero se contuvo al advertir la ansiedad del otro:

—Sí, bajó, no hay duda. —Y añadió—: Ya que está tan tenso, sería mejor que esperara afuera.

—¡No puedo! —exclamó Victor—. Tengo que seguir hasta el final.

Los médicos se miraron cara a cara. Desde el comienzo, el doctor Stedman había advertido algo extraño en la actitud del otro. Al principio había atribuido la tensión al hecho de recurrir a una madre sustituta, pero había algo más. El doctor Frank no era el típico padre ansioso. "Tengo que seguir hasta el final": qué extraño oír esas palabras en boca de un futuro padre, a pesar de la situación. Como si se tratara de una misión, en lugar de una experiencia feliz —aunque traumática— para los seres humanos.

Marsha era consciente de la extraña actitud de su esposo. Pero al seguir la camilla de Mary hacia la sala de parto estaba tan concentrada en el alumbramiento que no pensó en ello. Deseaba de todo corazón haber sido ella la mujer tendida en esa cama de hospital. Habría soportado el dolor, aunque el parto de su hijo David, cinco años antes, le había provocado una hemorragia tan violenta que el obstetra practicó una histerectomía para salvarle la vida. Anhelaban tanto tener un segundo hijo que estudiaron diversas posibilidades y finalmente optaron por la de la madre sustituta. Marsha se sentía feliz, sobre todo porque el niño era legalmente suyo aun antes del parto, pero igualmente hubiera deseado llevar al bebé en su seno. Se preguntó cómo era posible que Mary aceptara que se lo quitaran. Justamente por eso estaba satisfecha con las leyes de Michigan.

Las parteras trasladaron a Mary a la mesa de parto.

—Todo está bien —dijo Marsha—. Falta muy poco.

—La quiero de costado —dijo el anestesiólogo, doctor Whitehead, a la partera. Tomó el brazo de Mary: —Voy a hacerle un bloqueo epidural, como le dije hoy.

—Me parece que no conviene hacerle un epidural —dijo Victor, que se había acercado a la camilla—. Sobre todo si piensa hacerlo por vía caudal.

—¡Doctor Frank! —dijo Stedman severamente—: Le doy a elegir. Deje de entrometerse o salga de la sala de parto. Usted decide.

El doctor Stedman estaba harto de lidiar con Frank. Se había sometido a sus exigencias, que incluían la batería completa de análisis prenatales, desde la amniocentesis hasta una biopsia de la microvellosidad coriónica. Durante las tres primeras semanas de embarazo, le administró un antibiótico llamado cefaloclor. Consideraba que nada de esto era necesario, pero lo había aceptado ante la insistencia del doctor Frank y en vista de las peculiaridades de la situación. Además, Mary no se oponía, decía que era parte de su acuerdo con los Frank. Pero el parto era otra cosa: el doctor Stedman no iba a alterar sus métodos sólo para complacer a un colega neurótico. ¿Qué clase de medicina había estudiado Frank?, se preguntó. Seguramente conocía las técnicas quirúrgicas usuales. Sin embargo, a cada paso interponía sus objeciones.

Victor y el doctor Stedman se miraron a los ojos, furiosos los dos mientras crecía la tensión. Aquél había crispado los puños y por un instante, Stedman pensó que el hombre iba a golpearle. Pero, pasado un instante, Victor se alejó a un rincón para seguir el proceso desde allá.

El corazón le latía con violencia y sentía el estómago revuelto. "Por favor, que sea un bebé normal", rogó para sus adentros. Miró a su esposa con los ojos llenos de lágrimas. Quería tanto ese bebé. Nuevamente empezó a temblar. "Hice mal —se dijo—. Pero, Dios mío, que sea un bebé normal." Miró el reloj en la pared. El segundero tardaba una eternidad en barrer el círculo completo. Se preguntó si sería capaz de soportar la tensión hasta el final.

Las manos hábiles del doctor Whitehead colocaron el analgésico caudal en cuestión de segundos. Marsha tomó a Mary de la mano y sonrió para alentarla mientras el dolor se disipaba. Después Mary sintió que la despertaban, porque había llegado el momento de pujar. La segunda etapa del parto fue rápida y sin tropiezos, y a las 18:04 nació un lozano bebé: Victor Frank hijo.

Parado detrás del doctor Stedman en el momento del alumbramiento, Victor contenía el aliento y trataba de ver lo más posible. Estudió rápidamente al niño mientras el doctor Stedman cortaba el cordón umbilical. El obstetra entregó el neonato al pediatra, quien lo llevó a la incubadora, de temperatura regulada por termostato. Victor lo siguió y observó cuando lo examinaba. Lo embargó una sensación de alivio. El bebé parecía normal.

—Apgar diez —dijo el interno. Era la máxima calificación para un neonato.

—Perfecto —dijo Stedman, ocupado con el postalumbramiento.

—Pero no llora —objetó Victor, con una sombra de duda en medio de la euforia.

El interno palmeó suavemente las plantas de los pies del bebé y le frotó la espalda, pero éste no lloró.

—Respira bien —dijo.

Tomó la jeringa succionadora para limpiarle la nariz. Casi cayó de espaldas cuando el bebé alzó la mano, le arrancó la jeringa y la arrojó al suelo.

—Bueno, no cabe duda —rió—. El chico no tiene ganas de llorar.

—¿Me permite? —preguntó Victor.

—Pero que no tome frío.

Victor se inclinó sobre la incubadora y tomó al bebé del tronco, alzándolo con las dos manos. Era hermoso, con su cabello rubio y mejillas regordetas y rosadas que le daban un aire de querubín. Pero lo más notable eran esos brillantes ojos azules. Al contemplarlos, Victor advirtió, atónito, que el bebé lo miraba.

—Qué hermoso, ¿no? —dijo Marsha, mirando sobre su hombro.

—Sí, es hermoso —asintió Victor—. ¿Pero de dónde le viene el pelo rubio? Los dos tenemos pelo castaño.

—Yo fui rubia hasta los cinco años —dijo Marsha, y rozó la piel rosada del bebé con un dedo.

Victor miró a su esposa, que estaba embelesada con el bebé. Su cabello era castaño oscuro con algunos mechones grises. Sus ojos eran de un color azul grisáceo y sus rasgos muy marcados, a diferencia de la cara regordeta del niño.

—Y qué ojos —dijo Marsha.

Victor miró nuevamente al bebé:

—Qué increíble, ¿no? Hace un momento me dio la impresión de que me estaba mirando.

—Parecen zafiros —dijo Marsha.

Victor giró el cuerpo del bebé para que mirara a Marsha. ¡Pero los ojos del niño siguieron clavados en los suyos! De profundo color turquesa, eran fríos y brillantes como el hielo. Sintió una punzada de miedo.

Victor Frank giró el volante de su Oldsmobile Cutlass para tomar el camino de ladrillo triturado que conducía a su casa, una vieja granja reacondicionada, de paredes de madera. Los Frank estaban eufóricos. Tantos planes, tanta angustia en los viajes a Detroit hasta hallar la madre adecuada, la tensión del proceso de fertilización in vitro, y finalmente el premio anhelado. Tenían un hijo. Acunándolo en sus brazos, Marsha agradeció en silencio la bondad de Dios.

Cuando el auto tomó la última curva, Marsha alzó al niño y le apartó la manta del rostro para que viera su hogar. Como si comprendiera, Victor Junior parpadeó al contemplar la casa, bonita aunque modesta, por la ventanilla del auto. Se volvió hacia Victor y sonrió.

—Parece que te gusta, ¿no, campeón? —rió el padre—. Aunque sólo tiene tres días, juraría que sería capaz de hablar.

—¿Qué te gustaría que te dijera? —preguntó Marsha al acomodar a VJ sobre su regazo. Le habían puesto ese sobrenombre para diferenciarlo de Victor senior, su padre.

—No sé —dijo éste mientras detenía el auto frente a la puerta—. Tal vez que le gustaría ser médico, como su viejo.

—Ay, por Dios —dijo Marsha al abrir la puerta del auto.

Victor corrió a ayudarla. Era un hermoso día de octubre, muy soleado y de aire diáfano. Los árboles detrás de la casa mostraban sus mejores galas otoñales: las hojas escarlatas del arce, las anaranjadas del roble, las amarillas del abedul. En ese momento se abrió la puerta y Janice Fay, la empleada doméstica, salió corriendo.

—Déjame verlo —dijo al precipitarse hacia Marsha. Se llevó la mano a la boca, asombrada.

—¿Te gusta? —preguntó Victor.

—¡Ay, es un ángel! —exclamó Janice—. Tan hermoso. ¡Y esos ojos azules! —Tendió los brazos: —Déjame tenerlo un poco. —Tomó al niño y lo acunó suavemente: —Qué extraño que sea rubio, ¿no?

—A nosotros también nos sorprendió —dijo Marsha—. Pero le viene de mi familia.

—Claro que sí —acotó Victor—. Entre los hunos de Atila había cualquier cantidad de rubios.

—¿Dónde está David? —preguntó Marsha.

—Adentro —dijo Janice, sin quitar los ojos de VJ.

—¡David! —exclamó Marsha.

El niño apareció en la puerta, cargando un osito de peluche que había dejado de lado tiempo antes. Tenía cinco años, era menudo, de cabello oscuro y ensortijado.

—Ven a conocer a tu hermanito.

David se acercó a regañadientes al grupo familiar que sólo tenía ojos para el bebé.

Janice se inclinó para mostrárselo. David lo miró y arrugó la nariz:

—Huele feo.

Victor rió, Marsha lo besó y le dijo que cuando VJ fuera más grande tendría lindo olor, como David.

Tomó a VJ en sus brazos y fue hacia la casa. Janice suspiró con placer. Era un día tan feliz. Le gustaba cuidar bebés recién nacidos. Sintió que David le tomaba la mano. Bajó la vista. El niño la miraba.

—No me gusta mi hermanito —dijo—. Liévenlo de vuelta.

—Vamos, no seas así —dijo Janice, abrazándolo—. Es un bebito, tú eres un chico grande.

Entraron en la casa tomados de la mano justamente cuando Marsha y Victor entraban en el flamante cuarto del bebé en la planta alta de la casa. Fueron a la cocina, donde Janice estaba preparando la cena. David se sentó en una silla y puso el osito en otra frente a él.

—¿A quién quieres más, a mí o al bebé?

Janice dejó las legumbres que estaba lavando, tomó a David en sus brazos y apoyó la frente contra la suya:

—Te quiero más que a nadie en el mundo —dijo, y lo abrazó con fuerza. David le devolvió el abrazo.

No sabían que les quedaban pocos años de vida.

Capítulo 1

19 de marzo de 1989
Domingo al atardecer

Las largas sombras de los arces, despojados de sus hojas, que bordeaban la entrada se extendían sobre el patio adoquinado que separaba la gran mansión de estilo colonial del granero. En el atardecer se había alzado el viento, y las sombras se agitaban suavemente como telarañas gigantescas. Aunque el calendario decía que faltaban pocos días para la primavera, el invierno aún reinaba en North Andover, Massachusetts.

Frente a la pileta de su gran cocina campestre, Marsha contemplaba el jardín a la luz del crepúsculo. La distrajo un destello en el camino de entrada: era VJ, que volvía a la casa en su bicicleta.

Por un instante sintió un nudo en la garganta. Desde la muerte de David, cinco años antes, la perturbaba cualquier pequeña demora del niño en volver a casa. Jamás olvidaría ese día horroroso cuando el médico le dijo que la ictericia de David se debía a un cáncer. Su rostro amarillo y demacrado estaba grabado en su corazón. Recordaba cómo se había aferrado a ella con el resto de sus fuerzas antes de morir. En ese momento había tenido la certeza de que él trataba de decirle algo, pero sólo se oían sus jadeos mientras se desesperaba por aferrarse a la vida.

Todo había cambiado entonces, y aun empeorado un año más tarde. La obsesión de Marsha por la seguridad de VJ se debía en parte a la muerte de David, pero también a las terribles circunstancias de la muerte de Janice un año más tarde. Los dos habían contraído un tipo sumamente raro de cáncer hepático, y aunque los especialistas excluían la posibilidad de un contagio, Marsha no conseguía librarse del miedo al "no hay dos sin tres".

La muerte de Janice era tanto más memorable por haber sido tan horrenda.

Era el otoño, poco después del cumpleaños de VJ, los árboles empezaban a perder las hojas y hacía frío. Antes de su enfermedad, Janice había comenzado a conducirse de una manera extraña. Se negaba a comer alimentos que no preparara ella misma y no provinieran de envases cerrados. Había abrazado con verdadero fanatismo una secta cristiana particularmente virulenta. Marsha y Victor sólo la aceptaban en la casa porque, después de tantos años de trabajar para ellos, era prácticamente un miembro de la familia.

Durante los meses finales y críticos de la vida de David su ayuda había sido providencial. Pero poco después de la muerte del niño, Janice empezó a llevar su Biblia a todas partes, apretada contra su pecho como un escudo para defenderse de males inenarrables. Sólo la dejaba de lado, con renuencia, cuando realizaba sus tareas. Además se había vuelto hosca y malhumorada y durante la noche cerraba la puerta de su cuarto con llave.

Lo peor de todo fue su actitud hacia VJ. Un día resolvió que no tendría nada que ver con el niño, que entonces tenía cinco años. Aunque era una criatura independiente en grado sumo, en ocasiones se requería la colaboración de Janice, pero ella la negaba. Evitaba cruzarse con él, y cuando le preguntaban por qué, deliraba sobre la presencia del demonio en la casa y otras sandeces religiosas.

La enfermedad de Janice llevó a Marsha al borde de la desesperación.

Fue Victor quien advirtió el tinte amarillo de sus pupilas y le comunicó el hecho a Marsha, quien recordó, aterrada, el color de los ojos de David. Victor la sometió a exámenes médicos en Boston. A pesar del color de sus ojos, el diagnóstico les perturbó profundamente: padecía un cáncer hepático, del mismo tipo virulento que había provocado la muerte de David.

Esa doble incidencia de un tipo raro de cáncer en el mismo hogar en menos de un año los llevó a iniciar una profunda investigación epidemiológica. Pero los resultados fueron negativos. No existían factores ambientales. Las computadoras determinaron que los dos hechos eran producto del azar.

El cáncer de hígado explicaba en cierta medida la extraña conducta de Janice, ya que, de acuerdo con los médicos, probablemente había hecho metástasis al cerebro. Después del diagnóstico, el curso de la enfermedad fue fulminante e inexorable. Perdió peso a pesar de la terapia y en menos de dos semanas quedó reducida a piel y huesos. Pero el suceso más traumático se produjo el día antes de su partida al hospital donde habría de morir.

Victor acababa de llegar y estaba en el baño contiguo a la sala de estar. Marsha preparaba la cena en la cocina cuando se alzó un grito aterrador que resonó por toda la casa.

Victor salió del baño:

—¿Qué es eso, por Dios?

—Vino del cuarto de Janice —dijo Marsha muy pálida.

Intercambiaron una mirada sombría y se precipitaron a la cochera para subir las escaleras al cuarto de la joven.

Antes de llegar, oyeron un segundo alarido, que hizo temblar las ventanas.

Victor llegó primero, seguido por Marsha.

Parada sobre su cama, Janice aferraba su Biblia contra su pecho. Su aspecto era lamentable. Parecía un demonio, con esa cabellera quebradiza y erizada, la cara demacrada, la piel amarilla estirada sobre los huesos y la mirada alucinada de sus ojos, amarillos como luces de neón.

Marsha quedó paralizada a la vista de la mujer transformada en harpía. Pero siguió su mirada: en la puerta de atrás del cuarto estaba VJ, que miraba a Janice serenamente y sin parpadear.

Marsha comprendió: el niño había subido por la escalera de atrás e inadvertidamente había asustado a Janice, quien, presa de su psicosis inducida por la enfermedad, había soltado ese terrible alarido.

—¡Es el demonio! —gruñó Janice entre dientes—. ¡Es un asesino! ¡Sáquenlo de aquí!

—Trata de calmarla —exclamó Marsha. Se precipitó hacia VJ, lo alzó en sus brazos y se lo llevó a la sala de estar, cerrando la puerta con el pie. Lo estrechó contra su pecho, pensando qué estúpida había sido al permitir que esa mujer trastornada permaneciera en la casa.

Finalmente lo soltó. VJ la apartó y la miró con sus ojos cristalinos.

—Janice no hablaba en serio —dijo Marsha. Rogaba para sus adentros que el horrible incidente no dejara huellas en él.

—Lo sé —dijo VJ con madurez asombrosa para sus años—. Está muy enferma. No sabe lo que dice.

Desde entonces, Marsha no pudo volver a disfrutar de la vida como antes. Temía que Dios volviera a castigarla y pensaba que no podría soportar la pérdida de VJ.

Como psiquiatra infantil, sabía que no cabía esperar que el niño evolucionara como uno quisiera, pero con frecuencia deseaba que VJ fuera más afectuoso. Desde su temprana infancia había sido independiente en un grado anormal. De vez en cuando permitía que lo abrazaran, pero a veces ella anhelaba que se sentara sobre su regazo y se apretara contra su seno como solía hacer David.

Mirándolo bajar de su bicicleta, se preguntó si siempre estaba tan absorto como parecía. Agitó el brazo para llamar su atención, pero él dejó caer las alforjas de la bicicleta sin alzar la vista. Abrió el portón de la cochera y guardó la bicicleta, luego salió, tomó las alforjas y se encaminó a la casa. Marsha agitó el brazo otra vez, pero él no respondió, aunque caminaba directamente hacia ella. Mantenía la cabeza gacha, caminando contra el viento frío que siempre soplaba en el patio.

Iba a golpear la ventana para llamar su atención, pero se contuvo. Últimamente la asaltaba una premonición horrible, de que algo estaba mal con el chico. Dios sabía que lo quería tanto como si hubiera salido de su propio seno, pero su frialdad e indiferencia le daban miedo. Genéticamente era su hijo, pero no manifestaba la naturaleza cariñosa y alegre que ella recordaba de su propia infancia. Por las noches, antes de dormir, la asaltaba la idea de que tal vez el hecho de haber sido concebido en una cápsula de Petri había congelado sus sentimientos. Sabía que era ridículo, pero la idea la obsesionaba.

Sacudió la cabeza y exclamó "llegó VJ". Victor, que leía frente a la chimenea en la sala de estar, gruñó, pero no alzó la vista.

La puerta de atrás se cerró con fuerza y poco después se oyeron ruidos en la entrada, donde el niño se quitaba las botas y el abrigo. Poco después apareció en la puerta de la cocina. Era un lindo chico, de un metro con cincuenta, un poco alto para sus diez años. Su pelo dorado no se había oscurecido como el de Marsha y aún conservaba sus facciones de querubín. Su rasgo más notable seguían siendo esos helados ojos azules, de mirada intensa, que hablaban de una inteligencia muy superior a su edad.

—A ver, jovencito —dijo Marsha con fingida irritación —. Cuántas veces tengo que decirte que debes volver a casa antes que llegue la noche.

—Pero todavía es de día —dijo VJ con su clara voz de soprano. Entonces advirtió que su madre bromeaba. —Estuve en casa de Richie —añadió. Dejó las alforjas y se acercó a la pileta.

—Qué bien —dijo Marsha, con evidente agrado—. ¿Por qué no llamaste por teléfono? Hubieras podido quedarte hasta más tarde y yo habría ido a buscarte.

—Tenía ganas de volver a casa —dijo VJ. Tomó una de las zanahorias que Marsha acababa de pelar y la mordió.

Marsha lo estrechó entre sus brazos y sintió la fuerza que había en ese cuerpo delgado y juvenil.

—Ahora que no tienes clases, pensé que querrías estar con Richie y divertirte un poco.

—Pero no —dijo VJ, desembarazándose de su madre.

—¿Otra vez estás haciendo enojar a tu madre? —preguntó Victor en tono burlón. Apareció en la puerta de la sala con una revista científica abierta en la mano y los anteojos de lectura en la punta de la nariz.

—¿Qué harás esta semana? —preguntó Marsha, pasando por alto la interrupción—. ¿Tienes planes con Richie?

—No. Voy a pasar la semana con papá en el laboratorio. Si papá está de acuerdo, ¿eh? —dijo, y miró a Victor.

—Por mí no hay problema —dijo Victor, encogiéndose de hombros.

—¿Se puede saber por qué te gusta tanto ir al laboratorio? —preguntó Marsha. Pero era una pregunta retórica, para la que no habría respuesta. VJ iba al laboratorio con su padre desde sus primeros años. El servicio de guardería de Chimera SA era excelente, pero además le encantaba jugar en el laboratorio. Se había convertido en una rutina, sobre todo después de la muerte de Janice Fay.

—¿Por qué no llamas a unos cuantos chicos del colegio y se van con ellos y Richie a explorar o a jugar?

—Déjalo en paz —dijo Victor—. Si VJ quiere venir conmigo, me parece perfecto.

—Está bien, está bien —capituló Marsha, derrotada por el frente del padre y el hijo—. Cenamos a las ocho —añadió, y dio al niño una palmada en las nalgas.

VJ tomó las alforjas que había dejado sobre la silla junto al teléfono y se dirigió a la escalera de atrás. Los viejos tirantes de madera crujían bajo sus treinta kilos de peso. VJ fue directamente al escritorio de la planta alta, un cuarto acogedor, revestido de caoba. Se sentó ante la computadora de su padre y la encendió. Aguzó el oído para asegurarse de que sus padres seguían conversando en la cocina y luego efectuó una serie de pasos complejos para llamar un archivo al que había denominado STATUS. La pantalla se llenó de datos. VJ abrió las alforjas en orden, contempló su contenido y efectuó una serie de cálculos. Luego ingresó una serie de cifras en la computadora. Toda la operación insumió pocos minutos.

Terminado el procedimiento, VJ volvió al menú principal e ingresó el Pac-Man. Sonrió cuando la bola amarilla empezó a recorrer el laberinto, devorando sus presas.

Marsha se escurrió el agua de las manos y las secó con la toalla colgada de la puerta de la heladera. Su preocupación por VJ aumentaba a pesar suyo. No es que hubiera algún problema concreto que señalar. Sus maestras jamás tenían quejas. A pesar de que no acertaba a definir el problema, crecía en ella la convicción de que algo andaba mal. Alzó a Kissa, la gata negra, que se frotaba parsimoniosamente contra sus piernas, y fue a la sala de estar. Tendido en el sofá, Victor leía revistas científicas, como siempre hacía antes de acostarse.

—¿Podemos hablar? —preguntó Marsha.

Victor la miró por encima de sus anteojos de lectura. Era un hombre de cuarenta y tres años, menudo y esbelto, de pelo oscuro y revuelto a la manera académica y rostro inteligente. Había sido buen jugador de squash en la universidad y todavía practicaba ese deporte tres veces a la semana. Chimera SA poseía canchas propias gracias a Victor.

—Me preocupa VJ —dijo Marsha. Se sentó en el sillón junto al sofá sin dejar de acariciar a Kissa, que se acomodó sobre su regazo.

—No me digas —dijo Victor, sorprendido—. ¿Algún problema?

—En concreto, no —dijo Marsha—. Es como una suma de pequeñas cosas. Por ejemplo, que tiene muy pocos amigos. Hace unos minutos, cuando me dijo que había estado con ese chico Richie, me sentí tan contenta como si fuera una hazaña. Y ahora dice que no quiere pasar más tiempo con él durante la semana de vacaciones. Un chico de su edad tiene que tener amigos. Es un aspecto importante de su desarrollo.

Victor la miró con fastidio. Lo irritaban esas discusiones psicológicas, aunque ella era psiquiatra. No tenía paciencia. Además, el tema del desarrollo de VJ parecía suscitar en él ciertas ansiedades que aparentemente se esforzaba por evadir. Suspiró, pero no respondió.

"¿No te preocupa? —insistió Marsha ante el silencio de Victor. Acarició la gata, que parecía soportarlo con resignación.

Victor meneó la cabeza:

—La verdad, no. VJ me parece uno de los chicos mejor adaptados que conozco. ¿Qué cenamos?

—¡Victor! —exclamó Marsha—. Es importante.

—Bueno, está bien —replicó él y cerró la revista.

—Se lleva muy bien con los adultos —prosiguió Marsha—, pero nunca está con otros chicos de su edad.

—En la escuela, sí.

—Es cierto, pero ese es un ambiente estructurado.

—Bueno, te diré lo que pienso —dijo Victor. Sabía que iba a herirla, pero la ansiedad que VJ suscitaba en él —una ansiedad muy distinta de la de su esposa— le impedía discutir el tema. —Me parece que estás un poco neurótica. VJ es un chico extraordinario. Es normal en todo sentido. Tu problema sigue siendo la muerte de David. —Le desagradaba decir esas cosas, pero no lo dejó traslucir. Después de todo, un buen ataque seguía siendo la mejor defensa.

Para Marsha, fue como una bofetada en pleno rostro. Sin embargo, hizo un esfuerzo para contener las lágrimas y seguir la discusión.

—No es sólo la falta de amigos. No necesita nada ni a nadie. Cuando compramos a Kissa, le dijimos que la gata era suya, pero ni siquiera la mira. Y ya que hablamos de David, ¿no te parece extraño que VJ nunca hable de él? Cuando se lo dijimos, reaccionó como si se tratara de un extraño.

—Pero Marsha, tenía sólo cinco años. Si alguien está perturbado, eres tú. Ya llevas cinco años llorándolo. Tal vez deberías consultar a un psiquiatra.

Marsha se mordió los labios. Victor era un hombre atento y cariñoso, pero cada vez que ella hablaba de VJ, la trataba así.

—Sólo quería que supieras lo que pienso —dijo, y se fue a la cocina a terminar de preparar la cena. Al escuchar los sonidos del Pac-Man provenientes del escritorio, se sintió un poco más tranquila.

Victor se desperezó y la siguió a la cocina.

Capítulo 2

19 de marzo de 1989
Domingo al anochecer

Sentado frente al tablero de ajedrez, el doctor William Hobbs
contemplaba arrobado a su hijo, como lo hacía casi todos los
días, cuando los profundos ojos azules se volcaron hasta que-
dar en blanco y el niño cayó de espaldas. William no vio cómo
el cuerpo de su hijo se golpeaba contra el suelo, pero oyó el
ruido sordo.

Chilló "¡Sheila!" y se precipitó hacia él. Aterrado, vio que
Maurice agitaba los brazos y las piernas convulsivamente. Era
un ataque de epilepsia gravior.

William era doctor en filosofía, no en medicina. No sabía
qué hacer, sólo recordaba que era necesario insertar algo
entre los dientes de la víctima para evitar que se mordiera la
lengua.

Se arrodilló junto al niño, que iba a cumplir tres años, y
nuevamente llamó a su esposa a los alaridos. El cuerpo de
Maurice se agitaba con gran fuerza; era difícil sostenerlo.

Sheila quedó paralizada al ver a su hijo agitándose en brazos de su esposo. Maurice se había mordido la lengua, y al agi-

tar con violencia la cabeza, lanzaba espumarajos de baba sanguinolenta sobre la alfombra.

—¡Llama una ambulancia! —gritó William.

La voz de su esposo la hizo reaccionar y corrió al teléfono. Maurice no se sentía bien esa tarde, cuando lo retiró de la guardería de Chimera. Se quejaba de una jaqueca, o más precisamente de un latido en la cabeza, como una migraña. Los chicos de tres años no utilizan esos términos para describir un dolor de cabeza, pero Maurice, aunque tenía tres años, no era un chico cualquiera. Era un auténtico prodigio, un genio. Caminaba a los ocho meses, leía al año y a esa altura jugaba con su padre al ajedrez todas las noches y casi siempre le ganaba.

—¡Quiero una ambulancia! —chilló Sheila cuando por fin alguien atendió el teléfono. Dio su dirección y rogó a la operadora que se diera prisa. Luego se precipitó a la sala.

La crisis había pasado. Maurice estaba tendido sobre el sofá. Había vomitado la cena y una buena cantidad de sangre roja y brillante. Había revolcado la cabeza en el vómito y aún le caía un hilillo de baba de la boca. Además había perdido el control de sus esfínteres.

—¿Qué puedo hacer? —gimió William en su impotencia. El niño respiraba normalmente y empezaba a recuperar su color normal luego de haberse puesto cianótico.

—¿Qué pasó? —preguntó Sheila.

—Nada. Me estaba ganando, como siempre. De repente, puso los ojos en blanco y cayó para atrás. Creo que se golpeó la cabeza sobre el piso.

—¡Dios mío! —exclamó Sheila, mientras limpiaba la boca del niño con su delantal—. Hiciste mal en jugar al ajedrez esta noche con él, si le dolía la cabeza.

—Él lo quiso —dijo William, a la defensiva. Lo cual no era del todo cierto. Maurice había aceptado con renuencia. Pero a William le fascinaba poner a prueba ese cerebro excepcional. Maurice era la niña de sus ojos.

Después de ocho años de matrimonio, William y Sheila habían terminado por aceptar la infertilidad de su pareja. Pero Chimera poseía un centro de fertilización in vitro, y puesto que William era empleado del laboratorio, los atendieron sin cargo. No fue fácil para ellos. Tuvieron que reconocer su infertilidad, aceptar una madre sustituta y la donación de gametos. Finalmente, llegó el niño tan anhelado: Maurice, una maravilla de bebé, con un nivel de inteligencia que superaba todos los límites.

—Voy a traer una toalla para lavarlo —dijo Sheila, pero William la detuvo:

—Mejor no moverlo.

Contemplaron a su hijo, impotentes y desesperados, hasta que oyeron el alarido de la ambulancia y Sheila se precipitó a la puerta.

Momentos más tarde, William se hallaba sentado precariamente en el vehículo que recorría las calles a gran velocidad, seguido por Sheila en el automóvil familiar.

En el hospital general Lowell, la pareja aguardó angustiada hasta que los médicos les dijeron que la condición de Maurice era estable y que podían trasladarlo. William quería llevarlo al Hospital de Niños de Boston, a media hora de distancia en auto. Una voz interior le dijo que el niño agonizaba. Tal vez se habían mostrado demasiado orgullosos de la inteligencia excepcional de Maurice, y ahora Dios los castigaba por ello.

—¡VJ! —gritó Victor desde el pie de la escalera—. ¡Vamos a nadar!

Su voz retumbó en las paredes de la casona. La había construido un terrateniente en el siglo XVIII. Victor la adquirió y refaccionó poco después de la muerte de David. Las acciones de Chimera habían subido meteóricamente desde que la empresa comenzó a atender al público, y Victor pensaba que Marsha se sentiría mejor si no tuviera que vivir en la misma casa donde había crecido David. La muerte del niño la había afectado mucho más que a él.

—Vamos a la piscina —insistió Victor. Era en esos momentos cuando le volvía la idea de instalar un sistema de teléfonos internos.

—No, gracias —dijo la voz de VJ desde la cima de la escalera.

Victor permaneció un instante donde estaba, con una mano sobre la baranda y un pie sobre el primer escalón. La conversación con Marsha de unas horas antes había vuelto a despertar todos sus temores sobre el niño. El desarrollo extraordinariamente temprano, la inteligencia que a los tres años le permitía jugar al ajedrez como un maestro, la brusca caída de ese nivel de inteligencia antes de los cuatro años: el desarrollo de VJ no coincidía en absoluto con las pautas normales. La sensación de culpa que lo había embargado luego del nacimiento del niño fue tan fuerte, que Victor casi sintió alivio cuando VJ perdió sus extraordinarios poderes. Pero ahora se preguntaba si un chico normal no aceptaría gustoso la oportunidad de nadar en la piscina familiar. Había decidido construirla para poder hacer ejercicio. Estaba instalada en una especie de invernadero detrás de la casa. La habían terminado el mes anterior.

Resuelto a no aceptar una respuesta negativa, subió la escalera de a dos peldaños, descalzo y sin hacer ruido. Recorrió el largo pasillo hasta la habitación de VJ, que tenía vista al patio del frente. Como siempre, reinaba el orden en el cuarto, con la *Enciclopedia Británica* en un anaquel sobre una de las paredes y la tabla de los elementos químicos sujeta a otra. Tendido boca abajo sobre la cama, VJ leía un grueso tomo. Estaba totalmente absorto.

Victor trató de leer sobre su hombro, pero sólo vio una maraña de ecuaciones matemáticas. No era lo que esperaba.

—¡Te agarré! —rió, aferrando la pierna del chico.

VJ se paró de un salto, alzando las manos para defenderse.

"¡Epa! ¿Estabas muy concentrado?

Los ojos color turquesa de VJ se clavaron en los de su

40

padre. Su expresión era fría.

—No vuelvas a hacerlo —dijo.

Por un instante Victor volvió a sentir el miedo que le causaba su criatura. Pero VJ suspiró y se dejó caer sobre la cama.

—¿Qué diablos estás leyendo? —preguntó Victor.

VJ cerró el libro como si fuera algo pornográfico:

—Nada, es un ensayo sobre los agujeros negros.

—¡Genial! —exclamó Victor, haciéndose el moderno.

—No tanto —contestó VJ—. Está lleno de errores.

Nuevamente Victor se estremeció. Parecía que su hijo recuperaba su inteligencia precoz. Se encogió de hombros para calmar sus propios temores y dijo con firmeza, "vamos a nadar".

Fue a la cómoda, sacó un pantalón de baño y se lo arrojó a su hijo:

"Vamos, veremos quién de los dos es más rápido.

Victor fue a su propio dormitorio, se cambió y llamó a VJ. El chico apareció en el pasillo. Su padre lo miró con orgullo: era un muchacho bien formado, con cuerpo de atleta.

En el recinto de la piscina, el aire estaba húmedo e impregnado del típico olor del cloro. Las paredes y el techo eran de vidrio y reflejaban el interior; el invierno no existía. Victor arrojó su toalla sobre una reposera de aluminio, cuando apareció Marsha.

—¿Vienes a nadar? —preguntó.

—No, diviértanse ustedes, muchachos. Tengo frío.

—Vamos a correr una carrera —dijo Victor—. ¿Quieres dar la largada?

—Pa, no quiero correr —gimió VJ.

—Claro que sí —dijo Victor—. Dos largos. El perdedor saca la basura.

Marsha tomó la toalla de su hijo con una mirada de fingida resignación.

"¿Quieres el andarivel interior o el exterior? —preguntó Victor para entusiasmarlo.

—Da lo mismo —replicó VJ. Se colocó junto a su padre,

41

frente a la piscina. La bomba de circulación agitaba suavemente la superficie.

—Danos la largada —dijo Victor a Marsha.

—A sus marcas, listos —dijo Marsha e hizo una pausa para mirar, cómo hacían equilibrio en el borde de la piscina. —¡Ya!

Dio un paso atrás para evitar que la salpicaran y se sentó en una reposera a mirar la carrera. Victor no era buen nadador, pero le sorprendió que VJ le sacara ventaja durante el primer largo y el giro. Luego pareció frenarse en el segundo largo y el padre ganó por medio cuerpo.

—Otra vez será —jadeó Victor con una sonrisa triunfal—. A sacar la basura, ¡carrera marrrr!

Perpleja por lo que creía haber visto, Marsha contemplaba a VJ, que salía de la piscina. Para su mayor confusión, cuando sus miradas se encontraron su hijo le guiñó el ojo.

VJ tomó la toalla y se secó con fuerza. En verdad, hubiera querido ser la clase de hijo que su madre anhelaba, un chico como David. Pero él no era así. A veces trataba de fingir, pero sabía que no lo hacía bien. Pero bueno, si esos momentos en familia hacían felices a sus padres, ¿quién era él para negárselos?

—Mamá, me duele más que antes —dijo Mark Murray a Colette. El niño estaba tendido en su cuarto, en la planta alta de la casa de los Murray en Beacon Hill, y aferraba su cabecita con sus manos de bebé, en agudo contraste con su terminología adulta. —Cada vez que me muevo, siento la presión detrás de los ojos y en los senos frontales.

—¿Te duele más que antes de cenar? —preguntó Colette, acariciando sus dorados rulos. A ella ya no la sorprendía el vocabulario de su bebé. Aunque sólo tenía dos años y medio, el niño dormía en una cama adulta. A los trece meses se había negado a seguir durmiendo en la cuna.

—Mucho más —dijo Mark.

—Veamos la temperatura otra vez —dijo Colette, y le introdujo el termómetro en la boca. Estaba asustada, aunque se tranquilizaba pensando que era un principio de resfrío o posiblemente de angina. Los síntomas habían comenzado a manifestarse una hora después de que su esposo, Horace, trajera al niño de la guardería de Chimera. Mark le dijo que no tenía hambre, lo cual en él era una señal grave.

Luego, cuando se sentaron a la mesa, empezó a sudar. Aunque dijo que no sentía calor, sudaba profusamente. Poco después vomitó, y entonces Colette lo llevó a la cama.

Horace era contador, de estómago tan débil que ni siquiera había podido cursar biología en la universidad. Dejó la tarea de cuidar al niño enfermo en manos de Colette, aunque ella no tenía mucha experiencia. Era abogada, con una gran clientela, lo que la había obligado a recurrir a la guardería cuando Mark tenía apenas un año. Adoraba a su hijo, que era un verdadero genio, pero jamás supuso que para tenerlo debería sufrir una experiencia tan traumática.

A los trece años de casados, Colette y Horace decidieron tener su primer hijo. Después de un año de intentos infructuosos consultaron a un especialista y se enteraron de la trágica verdad: Colette era estéril. Finalmente recurrieron a la fertilización in vitro y a una madre sustituta. Había sido una pesadilla, sobre todo en medio de las polémicas generales por el caso de Baby M, pero ahora tenían a Mark.

Colette tomó el termómetro y lo giró en busca de la columna mercurial: temperatura normal. Suspiró con desaliento.

—¿Tienes hambre? —preguntó—. ¿Sed?

Mark meneó la cabeza:

—No veo bien —dijo.

—¿Qué quieres decir? —preguntó, asustada. Le cubrió un ojo, luego el otro—: ¿Puedes ver con los dos?

—Sí, pero veo todo borroso. Fuera de foco.

—Bueno, tranquilízate —dijo Colette—. Voy a hablar con tu padre.

Halló a Horace encerrado en su escritorio, mirando un partido de básquetbol en el minitelevisor.

Al ver a su esposa en la puerta se sobresaltó y apagó el aparato.

—Los Celtic juegan hoy —dijo, como si eso explicara la situación.

Colette lo pasó por alto:

—Está peor —anunció, ronca—. Estoy asustada. Dice que no ve bien. Hay que llamar al médico.

—¿Te parece? Es domingo.

—¡No es culpa mía! —exclamó ella con fastidio.

En ese momento se oyó un alarido espantoso y se precipitaron a la escalera.

Mark se agitaba convulsivamente en la cama, aferrándose la cabeza como si agonizara y gritando con todas sus fuerzas. Horace lo tomó de los hombros para sostenerlo mientras Colette corría al teléfono.

El niño poseía una fuerza sorprendente. Horace tuvo que esforzarse para impedir que se arrojara de la cama.

Bruscamente el ataque pasó. Cesaron los alaridos, y Mark se llevó las manecitas a las sienes y cerró los ojos con fuerza.

—¿Mark? —susurró Horace.

El niño se relajó, abrió sus ojos azules y miró a su padre. Pero evidentemente no lo reconoció, y cuando abrió la boca sólo salió una retahíla de balbuceos incomprensibles.

Sentada ante su tocador, Marsha se cepillaba su larga cabellera y contemplaba a Victor en el espejo. Él se lavaba los dientes con energía. VJ se había dormido mucho antes. Marsha había pasado por su dormitorio, y al ver su rostro angelical recordó lo sucedido en la piscina.

—¡Victor!

Se volvió hacia ella, la boca llena de espuma dental, como un perro rabioso. Lo había sobresaltado.

"No sé si te diste cuenta de que VJ te dejó ganar la carrera.

Victor escupió en la pileta:

—Un momento —dijo—. Fue casi un empate, pero gané bien y con justicia.

—Te llevó ventaja durante casi toda la carrera —insistió Marsha—. Se frenó a propósito para dejarte ganar.

—Es ridículo —dijo Victor, indignado.

—No lo es. Su conducta no es propia de un chico de diez años. Como cuando empezó a jugar al ajedrez a los dos años y medio. A ti te encantaba, pero a mí me molestó. Mejor dicho, me asustó. Y cuando su nivel de inteligencia bajó y se estabilizó, para mí fue un alivio. Sólo quiero un chico feliz y normal. —Sus ojos se llenaron de lágrimas: —Como David —añadió.

Victor se secó la cara rápidamente, dejó la toalla y fue a abrazarla.

—No tienes por qué preocuparte. VJ es un buen chico.

—Tal vez es un chico raro porque lo dejé tanto tiempo a solas con Janice cuando era bebé —dijo Marsha, tratando de dominarse—. Nunca estaba en casa con él. Debería haber pedido licencia en mi trabajo.

—Veo que tienes ganas de echarte la culpa de todo, aunque no pasa nada.

—Es que su conducta es rara. Si fuera sólo un episodio, vaya y pase. Pero no. Su manera de actuar no es normal para un chico de diez años. Es tan furtivo, tan... tan adulto. —Estalló en llanto—: A veces le tengo miedo.

Victor abrazó a su esposa y recordó el terror que había sentido cuando nació VJ. Había deseado un hijo excepcional, no anormal ni atípico.

Capítulo 3

20 de marzo de 1989
Lunes a la mañana

El desayuno en casa de los Frank era siempre informal. Fruta, cereales, café con leche y jugos. La gran diferencia esa mañana era que VJ estaba de vacaciones y no debía correr para alcanzar el ómnibus. Marsha fue la primera en salir, alrededor de las ocho: visitaba a los pacientes en el hospital antes de abrir el consultorio. Cuando salía, llegó Ramona Juárez, la empleada de los lunes y jueves.

Victor contemplaba a su esposa, que ponía en marcha su camioneta Volvo. El aliento formaba nubes de vapor en el aire fresco de la mañana. Aunque el calendario indicaba que al día siguiente comenzaba la primavera, el termómetro indicaba una temperatura de dos grados bajo cero.

Victor enjuagó la taza de café en la pileta y se volvió hacia VJ, que dividía su atención entre el televisor y una revista científica de su padre. Victor frunció el entrecejo. Tal vez Marsha tenía razón, el chico recuperaba su inteligencia primitiva. Los artículos de esa revista eran muy técnicos. Se preguntó si su hijo los comprendería.

Iba a decir algo, pero se contuvo. El chico era normal, no tenía problemas.

—¿De veras quieres venir al laboratorio? Tal vez te divertirías más con tus amigos.

—El laboratorio es entretenido —contestó VJ.

—Tu madre dice que deberías pasar más tiempo con chicos de tu edad —dijo Victor—. Así aprenderías a cooperar y compartir y cosas por el estilo.

—¿Y con quién paso todo el día en el colegio?

—En eso estamos de acuerdo —convino Victor—. Es lo que le respondí a tu madre. Bueno, ahora que lo hemos aclarado, ¿cómo quieres ir al laboratorio? ¿En el auto conmigo o en tu bicicleta?

—En la bici —dijo VJ.

A pesar del frío, Victor abrió el techo corredizo de su auto y dejó que el viento le agitara el pelo. Sintonizó la radio con la única emisora local de música clásica y cruzó rápidamente el antiguo puente del río Merrimack. El agua era un torrente de remolinos y espuma que crecía a diario debido al deshielo en los Montes Blancos de New Hampshire, ciento cincuenta kilómetros al norte.

Al llegar a la calle de Chimera SA, Victor giró a la izquierda, bordeando un edificio de ladrillo que se alzaba a la vera del camino. Al llegar al extremo giró nuevamente a la izquierda y redujo la velocidad al llegar al puesto de seguridad. El guardia uniformado reconoció su auto y lo saludó agitando la mano. Victor pasó el portón blanco y negro e ingresó en el gran complejo de la empresa, dedicada a la biotecnología.

Al entrar en el complejo fabril de ladrillo, construido en el siglo XIX, siempre lo embargaba el orgullo de ser uno de sus propietarios. Las instalaciones eran impresionantes. A muchos edificios les habían restaurado las fachadas en lugar de renovarlas.

Los edificios más altos del complejo tenían cinco plantas,

pero la mayoría tenía tres y se extendían en ambas direcciones como modelos en perspectiva. Eran rectangulares y encerraban un enorme patio interior, en el cual se alzaban diversos edificios de distintos tamaños y formas.

En la esquina occidental del complejo se alzaba una torre de ocho pisos coronada por un gran reloj, réplica del Big Ben londinense. La torre coronaba a su vez una estructura de tres pisos construida en parte sobre una represa de hormigón que cruzaba el Merrimack. Con semejante creciente del río, el embalse de la represa desbordaba en una atronadora caída de agua a través del vertedero central, alzando nubes de espuma.

Antiguamente, cuando la fábrica producía telas de algodón traído del Sur, el edificio rematado en la torre servía de usina. El complejo había empleado la energía hídrica hasta que llegó la eléctrica; entonces la compuerta se cerró y las inmensas ruedas de paletas y los engranajes del sótano quedaron inmovilizados. El Big Ben había dejado de marcar las horas, pero Victor quería restaurarlo.

En 1976, cuando Chimera adquirió el complejo abandonado, renovó menos de la mitad de los metros cuadrados disponibles; el resto quedaría para la futura expansión de la empresa. Sin embargo, equipó todos los edificios con agua corriente, sanitarios y energía eléctrica. Victor estaba seguro de que sería fácil poner en marcha el Big Ben. Lo propondría en la siguiente reunión de directorio.

Victor estacionó su auto en la cochera frente al edificio de la administración, cerró el techo corredizo y antes de bajar repasó mentalmente su agenda. A pesar de su orgullo de propietario, el éxito de Chimera le despertaba sentimientos encontrados. La pasión de Victor era la ciencia, pero, como uno de los tres socios fundadores de Chimera, debía asumir responsabilidades administrativas. Desgraciadamente, esas tareas le tomaban demasiado tiempo.

Victor entró en el edificio por el gran portal georgiano, con sus columnas y frontones. Los arquitectos habían restaurado el edificio con todos sus complejos detalles. Hasta los muebles eran de principios del siglo XIX. Ese vestíbulo no tenía nada en común con los salones desnudos del MIT, donde Victor era profesor. En 1973, él y su colega Ronald Beekman se habían entusiasmado con las oportunidades que parecía brindar el nuevo campo de la biotecnología. Eran una buena pareja, ya que Victor era biólogo y Ronald bioquímico. En 1975 se asociaron con un empresario, Clark Fitzsimmons Foster, para fundar Chimera. Los resultados superaron todas las previsiones. En 1983, bajo la presidencia de Clark, la empresa comenzó a atender al público y los tres se hicieron ricos.

Pero el éxito trajo consigo las responsabilidades que alejaban a Victor de su primer amor, el laboratorio. Como socio fundador, era miembro del directorio de la empresa matriz, Chimera. Era vicepresidente primero, a cargo de las investigaciones, de la misma empresa. Era director ejecutivo del Departamento de Biología Evolutiva. Además era presidente y director ejecutivo de la muy rentable subsidiaria Fertility SA, dueña de una cadena de clínicas para el tratamiento de la esterilidad.

Al llegar a la cima de la escalera, Victor se detuvo ante el ventanal abovedado para contemplar el gran complejo fabril que habían resucitado. Su satisfacción no tenía límites. La fábrica del siglo XIX había enriquecido a sus dueños mediante la explotación de una clase obrera inmigrante. El éxito de Chimera se sustentaba sobre bases más sólidas: las leyes de la ciencia, el ingenio de la mente humana que buscaba desentrañar los misterios de la vida. Victor sabía que la ciencia de la biotecnología era la onda del futuro y le satisfacía pensar que se hallaba en el epicentro del proceso. Sus manos sostenían una palanca que movería el mundo, tal vez el universo.

VJ silbaba al bajar por la calle Stanhope en su bicicleta. Se había cerrado la campera hasta el cuello debido al viento frío y enfundado las manos en guantes hechos del mismo material aislante que usaban los astronautas.

Puso el cambio más alto y pedaleó con fuerza. Con el silbido del viento y el zumbido de las ruedas, sentía que marchaba a cien por hora. Era libre. Adiós al colegio por toda una semana. Basta de fingir delante de las maestras y los chicos. Dedicaría su tiempo a la misión de su vida, para la cual había nacido. Su sonrisa era extraña y adulta, sus ojos relucían. Suerte que su madre no estaba ahí para verlo. Tenía una misión, igual que su padre. Y nada se interpondría en su camino.

Disminuyó la velocidad al llegar al pequeño casco urbano de North Andover, tomó la calle comercial central y al llegar al Banco se detuvo y dejó la bicicleta contra un poste, sujeta con cadena y candado. Alzó las alforjas sobre el hombro, subió los tres escalones y entró.

—Buenos días, señor Frank —dijo el gerente, girando en su asiento. Se llamaba Harold Scott. VJ trataba de evitarlo, pero era difícil, porque su escritorio estaba a la derecha de la entrada. —¿Me permite dos palabras, jovencito?

VJ se detuvo, estudió brevemente las posibilidades y se acercó al escritorio.

—Sé que usted es buen cliente del Banco —dijo Harold—, por eso quería explicarle algunos de los beneficios de operar con la institución. ¿Sabe qué es el interés, joven?

—Creo que sí —replicó VJ.

—En ese caso, debería tener una cuenta de ahorro para el dinero que gana distribuyendo los diarios.

—¿Los diarios?

—Claro. Hace tiempo me dijo que distribuía diarios. Supongo que todavía lo hace, ya que viene al Banco regularmente.

—Ah, sí, claro —dijo VJ. Recordó que el hombre lo había acorralado, quizás un año atrás.

—En una cuenta de ahorro, su dinero gana intereses. Es dinero que gana dinero. Le mostraré.

—Señor Scott —dijo VJ mientras el gerente tomaba unas hojas de papel—, tengo poco tiempo. Mi padre me espera en el laboratorio.

—No nos llevará demasiado tiempo —dijo Harold, y a continuación le demostró lo que sucedía si dejaba veinte dólares depositados en el North Andover National Bank durante veinte años. —¿Qué le parece? —preguntó en conclusión—. ¿Está convencido?

—Totalmente —dijo VJ.

—Muy bien —dijo Harold. Tomó unos formularios del cajón, los llenó y los puso delante de VJ, indicando una línea punteada al pie de la página: —Firme aquí.

VJ tomó la pluma y firmó.

"Muy bien —repitió Harold—. ¿Cuánto dinero quiere depositar?

VJ frunció la boca, luego sacó la billetera. Tenía tres dólares, que entregó a Harold.

"¿Nada más? ¿Cuánto gana por semana distribuyendo diarios? El ahorro es un hábito que conviene cultivar desde la más temprana edad.

—Después traeré el resto —dijo VJ.

Harold tomó los formularios y los billetes y tocó un timbre para que le abrieran la puerta de plexiglás del mostrador. Volvió y entregó a VJ una boleta de depósito:

—Este es un día importante en su vida, jovencito.

VJ asintió, guardó la boleta en el bolsillo y fue al interior del Banco. Se volvió: afortunadamente, el señor Scott estaba ocupado con un cliente.

Tocó el timbre para llamar al guardia de las cajas de seguridad. Poco después estaba encerrado en una de las cabinas privadas con la gran caja de seguridad. Abrió las alforjas, que estaban llenas de fajos de billetes de cien dólares. Los puso en la caja con el resto del dinero y después, con esfuerzo, la alzó y la introdujo en su lugar en el depósito.

Salió, tomó su bicicleta y se dirigió hacia el oeste, hasta Lawrence. Cruzó el Merrimack, en dirección a la entrada de Chimera. El guardia lo hizo pasar, saludándolo con el mismo respeto que reservaba para el doctor Frank.

Colleen, su hermosa y eficiente secretaria, lo aguardaba con una pila de mensajes.

Victor gimió para sus adentros. Los lunes eran así, a veces el trabajo administrativo lo mantenía alejado del laboratorio durante todo el día. El tema que lo apasionaba como investigador era la implantación del huevo fertilizado en el útero. No se conocía bien el mecanismo ni los factores que lo activaban. Victor había iniciado ese proyecto años antes, convencido de que el resultado sería de gran importancia, tanto científica como comercial. Pero, avanzando a su ritmo actual, tardaría varios años más en llevarlo a cabo.

—Creo que este es el mensaje más importante —dijo Colleen mientras le entregaba una hoja de papel rosado.

Ronald Beekman le pedía que lo llamara lo antes posible. Qué bien, pensó Victor. Ronald y él eran amigos íntimos en los años iniciales de Chimera SA, pero la relación había entrado en un cono de sombra debido a sus desacuerdos sobre el futuro de la empresa. El centro de las desavenencias en ese momento era la propuesta de Clark Foster de vender algunas acciones a fin de reunir capitales para la expansión de la compañía.

Ronald era intransigente: la venta de las acciones, decía, facilitaría la eventual adquisición de la empresa por intereses hostiles. Sostenía que la expansión debía depender sólo de las ganancias y la rentabilidad del momento. Nuevamente, Victor tenía el voto decisorio, lo mismo que en 1983, cuando resolvieron abrirse al público. Entonces Victor había votado con Clark, en contra de Ronald. A pesar de las enormes ganancias obtenidas, Ronald lo acusaba de haber traicionado su integridad académica.

Dejó el mensaje sobre el escritorio y preguntó si había algo más. Antes de que pudiera responder, VJ se asomó a la puerta y preguntó si habían visto a Philip.

—Lo vi hace un rato en la cafetería —dijo Colleen.

—Si lo ven, díganle que llegué —dijo VJ.

—Cómo no —replicó la secretaria.

—Estaré por ahí.

Victor agitó la mano con aire ausente. Pensaba en Ronald, en cómo convencerlo de que necesitaban capital ahora, no el año siguiente.

VJ salió y cerró la puerta.

—¿No va a la escuela? —preguntó Colleen.

—Vacaciones de primavera —dijo Victor.

—Es un chico excepcional —dijo la secretaria—. No da ningún trabajo. Si trajera a mi hijo, no me dejaría trabajar.

—No es lo que dice mi esposa —dijo Victor—. Piensa que VJ tiene algún problema.

—No puede ser. Es un chico tan atento y maduro.

—Ojalá la oyera Marsha —dijo Victor. Extendió la mano con impaciencia: —¿Qué más?

—Perdóneme —dijo Colleen—. Este es el teléfono de Jonathan Marronetti, el abogado de Gephardt.

—Ah, qué bien —dijo Victor. George Gephardt era el jefe de personal de Fertility SA y previamente, durante tres años, había sido supervisor de compras de Chimera. Estaba suspendido mientras se realizaba una investigación sobre la desaparición de una suma superior a los cien mil dólares de la cuenta de Fertility. La dirección de impuestos había descubierto, para vergüenza de la empresa, que Gephardt pagaba los sueldos de un empleado fallecido. Cuando se enteró, Victor encargó una auditoría de las compras efectuadas por Chimera bajo la supervisión del sospechoso entre 1980 y 1986. Victor suspiró y puso el mensaje del abogado debajo del de Ronald.

—¿Algo más? —preguntó.

—Esos son los mensajes más importantes —dijo Colleen—. Lo demás lo puedo manejar yo.

—¿De veras es todo? —preguntó Victor, incrédulo.

Colleen se paró y se desperezó:

—No hay mensajes, pero Sharon Carver quiere verlo.

—¿No puede atenderla?

—Podría, pero ella exige verlo a usted. Le traje su legajo.

El legajo no le daría nada nuevo, pero lo tomó y lo puso sobre el escritorio. Sharon Carver, encargada del cuidado de los animales del laboratorio de biología había sido "cesanteada por negligencia en el desempeño de sus funciones".

—Que espere —dijo Victor, y se paró—. Primero hablaré con Ronald.

Salió por la puerta trasera de su oficina y se dirigió a la de su socio. Tal vez Ronald se mostraría razonable en una conversación cara a cara.

Al doblar una esquina, Victor reconoció al hombre que salía por una puerta, empujando una carretilla. Era Philip Cartwright, una de las personas retardadas que Chimera empleaba para trabajos que estuvieran al alcance de sus facultades. Philip trabajaba en vigilancia y mensajería, y se había hecho querer por todos desde su primer día en la empresa. Además, se había encariñado con VJ y pasado mucho tiempo con él, sobre todo antes de que el niño fuera a la escuela. Eran una pareja despareja. Philip era un hombre alto, robusto, de escaso pelo, ojos muy juntos y un cuello robusto que empezaba detrás de las orejas y terminaba en los extremos de los hombros. Remataban sus largos brazos dos enormes manos cuyos dedos eran todos de la misma longitud.

Reconoció al doctor Frank y lo recibió con una amplia sonrisa que puso al descubierto sus dientes cuadrados. Su figura habría podido causar miedo, de no haber sido por su afabilidad natural.

—Buenos días, señor Frank —dijo. Su voz infantil era incongruente con su figura.

—Buenos días, Philip. VJ está aquí y preguntó por ti. Esta semana vendrá todos los días.

—Eso me gusta mucho —dijo Philip con sinceridad—. Iré a buscarlo ahora mismo. Gracias.

Se alejó con su carretilla y Victor, mirándolo, se preguntó

por qué todos los empleados de Chimera no eran tan responsables como Philip.

Al llegar a la oficina de Ronald, idéntica a la suya, Victor pidió a la secretaria que lo anunciara a su jefe. Lo hizo esperar unos minutos antes de hacerlo pasar.

—¿Viene Brutus a elogiar a César? —preguntó Ronald, alzando sus gruesas cejas. Era un hombre robusto, con una cabellera espesa y revuelta.

—Quería discutir contigo el problema de la venta de acciones —dijo Victor. Evidentemente, Ronald no estaba de ánimo para hablar de bueyes perdidos.

—¿Qué me vas a decir? —contestó, sin ocultar su ira—. Me han dicho que estás a favor de vender acciones.

—Estoy a favor de reunir más capital.

—Es lo mismo.

—¿No quieres conocer mis razones?

—Tus razones están muy claras. ¡Clark y tú conspiran contra mí desde que empezamos a atender al público!

—No me digas —replicó Victor con sorna. Era absurdo que Ronald se sintiera perseguido. Seguramente lo afectaba el estrés de las tareas administrativas. Sus responsabilidades en esa área eran tan grandes como las de Victor, y ninguno de los dos estaba preparado para asumirlas.

—No te hagas el inocente —dijo Ronald. Se alzó pesadamente y se inclinó sobre su escritorio: —Te lo advierto, Frank. Me voy a vengar de ustedes.

—¿De qué diablos estás hablando? —dijo Victor, incrédulo—. Ronald, soy yo, Victor. ¿Me recuerdas? —Agitó la mano frente a la cara del otro.

—Si quieres amargarme la vida, yo también puedo hacértelo a ti. Y te prometo que lo haré, si no dejas de presionarme para que venda mis acciones.

—¡Por favor! —dijo Victor—. Ronald, cuando despiertes, hazme el favor de llamarme. No voy a permitir que me amenaces.

Giró sobre sus talones y salió de la oficina. Ronald seguía

hablando, pero no se detuvo a escucharlo. Estaba asqueado. Por un instante pensó que lo mejor sería arrojar la toalla, vender sus acciones y volver a la universidad. Pero cuando llegó a su escritorio esa sensación se había disipado. No permitiría que las neurosis de Ronald lo alejaran de la industria biotecnológica. Además, la vida académica también tenía sus limitaciones, sólo que eran de otra clase.

En su escritorio lo aguardaba el número de teléfono de Jonathan Marronetti, el abogado de Gephardt. Victor discó el número con desgano. El abogado hablaba con un desagradable acento neoyorquino.

—Tengo buenas noticias para ustedes —dijo Jonathan.

—Me alegro de oír eso —dijo Victor.

—Mi cliente, el señor Gephardt, está dispuesto a devolver esos fondos que aparecieron misteriosamente en su cuenta bancaria, junto con los intereses. Con ello no reconoce culpa alguna. Sólo pide que se dé por terminado el incidente.

—Discutiré la propuesta con nuestros abogados —dijo Victor.

—Espere, hay algo más. A cambio de ello, mi cliente pide su reincorporación y el cese de todo hostigamiento. Eso incluye poner fin a la investigación de sus asuntos particulares.

—Eso está fuera de discusión —dijo Victor—. El señor Gephardt no pretenderá que lo reincorporemos antes de concluir la investigación.

—Está bien —dijo el abogado luego de una pausa—. Creo que puedo convencerlo de que renuncie a la pretensión de ser reincorporado.

—Eso no cambiaría la situación —dijo Victor.

—Oiga, seamos sensatos.

—La investigación proseguirá hasta las últimas consecuencias.

—Pero debe de haber alguna forma...

—Lo lamento. Cuando hayamos aclarado los hechos, volveremos a hablar.

—Si no está dispuesto a negociar —dijo Marronetti—,

me veré obligado a tomar represalias. Y le advierto que no está en situación de hacerse el inocente.

—Buenos días, señor Marronetti —dijo Victor, y cortó con violencia.

Se acomodó en la silla, llamó a Colleen por el interno y le indicó que hiciera pasar a la Carver. Aunque conocía el caso, repasó el legajo. La empleada había traído problemas desde el primer día. Era irresponsable y faltaba con frecuencia. El legajo contenía cinco cartas de otras tantas personas que se quejaban de su mal desempeño.

Victor alzó la vista. Sharon Carver vestía una minifalda ajustada y top de seda. Se sentó en la silla frente a Victor y cruzó las piernas.

—Gracias por recibirme —susurró.

Victor echó una mirada a la foto de cuerpo entero en el legajo. Ahí vestía vaqueros amplios y camisa leñadora.

—¿En qué le puedo servir? —preguntó, mirándola derecho a los ojos.

—De muchas maneras —dijo Sharon con una sonrisa seductora—. Pero lo que me interesa en este momento es mi trabajo. Quiero que me reincorporen.

—No es posible —dijo Victor.

—Yo creo que sí lo es —insistió Sharon.

—Señorita Carver, permítame recordarle que la echamos por no cumplir con sus tareas.

—¿Y por qué no echaron también al hombre que estaba conmigo cuando nos descubrieron en el depósito? —Se inclinó sobre el escritorio, desafiante: —A ver, ¿por qué no lo echaron a él también?

—Sus actividades sexuales de ese día no fueron la única causa de la cesantía —explicó Victor—. No lo consideramos causal de despido. Y el hombre en cuestión no descuidó sus responsabilidades en ningún momento. Era su media hora de descanso. Usted hizo abandono de su puesto de trabajo. Y bueno, lo hecho, hecho está. Estoy seguro de que encontrará trabajo en otra empresa. Ahora, si me disculpa... —Victor se puso de pie y le indicó la salida.

Sharon Carver no se movió. Lo miró furiosa:

—Si se niega a reincorporarme, le haré juicio por discriminación sexual, ya lo verá. Lo voy a hacer sufrir.

—Su presencia aquí me hace sufrir —dijo Victor—. Si me disculpa.

Sharon se paró lentamente, como una gata al acecho, mirándolo con odio, y salió chillando "ya tendrán noticias mías".

Victor esperó a que se cerrara la puerta, llamó a Colleen y le dijo que se iba al laboratorio, que no estaba para absolutamente nadie como no fuera el Papa en persona.

—Lo lamento —dijo Colleen—. El doctor Hurst está en la antesala y quiere hablar con usted. Está trastornado.

William Hurst era el jefe interino del Departamento de Oncología Médica. También él era objeto de una investigación. Pero su caso, a diferencia del de Gephardt, tenía que ver con un presunto fraude investigativo, una amenaza creciente en la comunidad científica.

—Que pase —dijo Victor con desgano. No tenía dónde ocultarse.

Hurst entró como una tromba y se plantó frente al escritorio:

—Acabo de enterarme de que usted encargó a un laboratorio independiente una investigación de los resultados publicados en mi último trabajo.

—No veo por qué se sorprende, después del artículo que apareció en el *Boston Globe* del viernes pasado —dijo Victor. Se preguntó qué haría si Hurst, que parecía fuera de sí, intentaba atacarlo.

—¡Al diablo con ese pasquín! —gritó Hurst—. Armaron una historia absurda con declaraciones de un técnico de laboratorio descontento. ¡No me va a decir que lo creyó!

—No importa lo que yo crea o deje de creer —dijo Victor—. El *Globe* dice que usted falsificó deliberadamente algunos datos que aparecen en el artículo. Las acusaciones de ese tipo pueden resultar perjudiciales para usted y también para la empresa. Tenemos que detener el rumor antes de que se difunda por todas partes. No comprendo por qué está tan furioso.

—Permítame explicarle —replicó Hurst bruscamente—. Yo esperaba su apoyo, no su suspicacia. El mero hecho de realizar una verificación de mi trabajo equivale a una presunción de culpabilidad. Además, en cualquier trabajo escrito en colaboración pueden aparecer estadísticas falsas que no tienen la menor importancia. Si hasta se ha descubierto que Isaac Newton solía alterar sus observaciones planetarias. Quiero que anule el pedido de verificación.

—Vea, lamento que lo tome de esa manera —dijo Victor—. Pero a pesar de Newton, no hay relatividad en la ética investigativa. La confianza de la opinión pública...

—¡No vine aquí a escuchar sermones sino a exigir que se anule el pedido de verificación!

—Entiendo muy bien lo que dice. Ahora trate de entenderme a mí: si no ha cometido fraude, no tiene nada que temer. La investigación lo beneficiará.

—¿Quiere decir que no la va a anular?

—Eso es exactamente lo que le quiero decir —replicó Victor, harto de mostrarse amable.

—Su falta de lealtad académica me deja atónito —dijo Hurst después de una pausa—. Ahora comprendo lo que Ronald piensa sobre usted.

—Entre el doctor Beekman y yo no hay discrepancias sobre la ética de la investigación científica —replicó Victor, ya sin tratar de ocultar su furia—. Buenos días, doctor Hurst. La conversación ha terminado.

—Le diré una cosa, Frank. Si insiste en enlodar mi nombre, le haré lo mismo a usted. ¿Está claro? Usted no es el santo patrón de la pureza científica que pretende ser.

—A mí nadie me ha acusado de publicar datos fraudulentos.

—Pero quiere hacernos creer que es un santo, y no lo es.

—Fuera de aquí.

—Con mucho gusto —dijo Hurst. Fue a la puerta, la abrió y se volvió un instante: —Recuerde lo que le dije: ¡No está a salvo!

Salió dando un portazo tal, que el diploma universitario de Victor estuvo a punto de caer de la pared.

Victor se sentó, trató de serenarse y recuperar el equilibrio emocional. Había recibido demasiadas amenazas en un solo día. Se preguntó a qué se refería Hurst cuando dijo que él no era un santo. ¡Qué circo!

Se paró, se puso su delantal blanco de laboratorio y abrió la puerta para decirle a Colleen que se iba al laboratorio. Tropezó con ella, que en ese momento entraba en su oficina.

—El doctor William Hobbs quiere verlo —anunció Colleen, y añadió rápidamente—: Está muy alterado.

Alzando la vista sobre el hombro de la secretaria, vio a un hombre sentado junto al escritorio, la espalda encorvada y la cabeza tomada con las dos manos.

—¿Cuál es el problema? —susurró Victor.

—Se trata de su hijo —dijo Colleen—. Creo que algo le sucedió al chico. Quiere una licencia.

Victor sintió que se le humedecían las palmas y se le formaba un nudo en la garganta.

—Que pase —articuló con dificultad.

Comprendía los sentimientos de ese hombre, ya que él mismo había tenido que recurrir a medidas extraordinarias para tener un hijo. La posibilidad de que el hijo de Hobbs tuviera problemas reavivó sus temores sobre VJ.

—Maurice... —dijo Hobbs, pero tuvo que contener las lágrimas antes de seguir—. Mi hijo iba a cumplir tres años. Usted no lo conoció. Era nuestra alegría, el centro de nuestra vida. Era un genio.

—¿Qué pasó? —preguntó Victor con temor.

—¡Murió! —dijo Hobbs, bruscamente furioso.

Victor quiso tragar saliva, pero tenía la garganta reseca como un papel de lija.

—¿Fue un accidente?

—No saben bien qué pasó. Primero tuvo un ataque. Cuando lo llevamos al hospital de niños, descubrieron un edema de cerebro, una inflamación. No pudieron hacer nada. Hizo un paro cardíaco y murió sin haber recuperado el conocimiento en ningún momento.

Se hizo un silencio tenso en la oficina, que fue roto por Hobbs para pedir unos días de licencia.

—Por supuesto —dijo Victor.

Hobbs se paró y salió lentamente.

Victor se quedó mirando la puerta durante más de diez minutos. Por primera vez en su vida deseó estar en cualquier parte menos en el laboratorio.

Capítulo 4

Lunes a media mañana

La alarma sobre el escritorio de Marsha señaló el final de la sesión con Jasper Lewis, un jovencito iracundo de quince años con una sombra de pelusa en el mentón. Repantigado en la silla frente a ella, trataba de mostrarse aburrido, pero la verdad era que tenía problemas graves.

—Todavía no hemos hablado de tu estada en el hospital —dijo Marsha. Tenía la historia clínica abierta sobre su falda.

Jasper señaló la alarma sobre el escritorio:

—Pensé que el timbre indicaba el fin de la sesión.

—Indica que nos quedan cinco minutos. Bueno, ¿qué me dices de los tres meses que pasaste en el hospital, ahora que volviste a tu casa?

Marsha tenía la impresión de que el ambiente altamente estructurado del hospital era beneficioso para el chico, pero quería conocer su opinión.

—No estuvo mal —dijo Jasper.

—¿Nada más que eso? —insistió Marsha. Era tan difícil hacerlo hablar.

—No, estuvo bien. —Jasper se encogió de hombros: —Usted sabe, no es lo mejor del mundo.

Evidentemente no sería fácil obtener su opinión. Marsha anotó en el margen de la historia clínica que iniciaría la sesión siguiente con ese tema. Cerró el legajo y miró a Jasper a los ojos:

—Me alegro de que hayas vuelto —dijo—. Nos veremos la semana entrante.

—Claro —dijo Jasper. Apartó la mirada y salió rápidamente del consultorio.

Marsha volvió a su escritorio y empezó a dictar los apuntes de la sesión. Repasó el resumen preliminar. Jasper mostraba problemas de conducta desde la edad preescolar. Cuando cumpliera los dieciocho, modificarían el diagnóstico: personalidad antisocial. Marsha pensaba que además de eso exhibía un trastorno esquizoide de la personalidad.

Al repasar los hechos salientes de la historia clínica, subrayó la mendacidad, las peleas frecuentes en la escuela y las numerosas ausencias, la conducta vengativa y las fantasías. Se detuvo al leer la frase: *incapaz de experimentar afecto o demostrar sus emociones.* La asaltó la imagen de VJ, que la miraba con ojos fríos como un lago alpino cuando trataba de abrazarlo. Prosiguió la lectura con esfuerzo. *Prefiere actividades solitarias, no desea relaciones estrechas, no tiene amigos íntimos.*

Sintió que se le aceleraba el pulso. ¿Acaso era la historia clínica de su hijo? Releyó la evaluación de la personalidad de Jasper con temor creciente. Había una serie de correlaciones molestas. Para su alivio, en ese momento entró Jean Colbert, su enfermera y secretaria, una bostoniana recatada de cabello castaño. Sin embargo, le llamó la atención una frase subrayada con tinta roja: *Jasper fue criado por una tía, ya que su madre tenía dos trabajos para mantener la familia.*

—¿Lista para recibir al que sigue? —preguntó Jean.

Marsha tomó aliento:

—¿Recuerdas los artículos que me interesaban sobre las guarderías y sus efectos psicológicos?

—Claro que sí —dijo Jean—. Los archivé.

—¿Puedes traérmelos por favor? —dijo Marsha con

fingida despreocupación.

—Por supuesto —dijo Jean. Hizo una pausa y añadió: —¿Se siente mal?

—No, no, estoy muy bien.

Tomó el legajo siguiente. Mientras repasaba las últimas anotaciones, Nancy Traverse, doce años, entró sigilosamente en el consultorio y se hundió lo más posible en una silla. Su cabeza prácticamente desapareció entre sus hombros, como una tortuga.

Marsha se sentó frente a Nancy, tratando de recordar cómo había concluido la sesión anterior, en la que la niña le había relatado sus experiencias sexuales.

La sesión prosiguió, interminable. Marsha trataba de concentrarse, pero no podía dejar de pensar en VJ. Se sentía culpable por haber seguido trabajando cuando él era pequeño. En realidad, él no parecía molesto cuando su madre salía a trabajar. Pero Marsha sabía que ése podía ser un síntoma psicopatológico.

Después de la partida de Hobbs, Victor trató de ocuparse de la correspondencia, en parte para evitar ir al laboratorio y en parte para dejar de pensar en las horribles noticias que había recibido. Pero sus pensamientos volvieron rápidamente a las circunstancias de la muerte del chico. La causa inmediata había sido un edema, una inflamación aguda del cerebro. ¿Pero cuál había sido la causa del edema? Hobbs no le había brindado detalles, y era la falta de un diagnóstico concreto lo que aumentaba sus temores.

—¡Carajo! —chilló, descargando la palma de la mano sobre el escritorio. Bruscamente se paró y fue al ventanal, desde donde veía la torre del reloj. Las manos se habían detenido en un pasado lejano, a las dos y cuarto.

"¡Qué idiota fui!", masculló. Descargó el puño derecho en la palma de la mano izquierda con furia. La muerte del hijo de Hobbs había reavivado todos los temores que sentía por

VJ, y que había logrado dominar. Mientras Marsha se preocupaba por el estado psicológico del muchacho, los temores
de Victor se centraban en el aspecto físico. Cuando el coeficiente de inteligencia de VJ se redujo bruscamente y luego se
estabilizó en un nivel que a pesar de todo era excepcionalmen-
te elevado, Victor sintió terror. Le llevó años superarlo, tranquilizarse. Y bruscamente, con la muerte del hijo de Hobbs,
los viejos temores volvían a aflorar. Lo peor era que las similitudes entre VJ y el chico de Hobbs no se limitaban a la concepción: los dos eran niños prodigio. Victor había sentido curiosidad de saber si el chico sufriría, como VJ, un brusco
descenso de su coeficiente intelectual. Pero ahora sólo le interesaba conocer las circunstancias de su trágica muerte.

Se sentó ante su terminal de la computadora, limpió la
pantalla y llamó su archivo sobre el hijo de Hobbs. No buscaba nada en particular, sólo pensaba que entre los datos encon-
traría una pista para esclarecer la muerte del niño. Pasaban
los segundos y la pantalla seguía en blanco. Volvió a oprimir
el mando de Execute. En la pantalla apareció la palabra SEAR-
CHING *, y a continuación, para su estupor, la computadora indicó que no existía ese archivo en su memoria.

"¿Qué diablos pasa?", murmuró Victor. Pensando que
había cometido un error, tipeó cuidadosamente las palabras
BABY-HOBBS y oprimió el mando. Hubo una pausa, mientras
la computadora recorría sus memorias, y finalmente apareció
la misma respuesta: FILE NOT FOUND.

Victor desconectó la computadora. La falta de archivo no
tenía justificación, ni siquiera en el hecho de que no lo hubiera consultado durante algún tiempo. Tamborileó con los dedos sobre la mesa, luego conectó nuevamente la terminal e ingresó el archivo BABY-MURRAY.

Nuevamente la pausa, y la misma respuesta que antes: FI-
LE NOT FOUND.

Se abrió la puerta de la oficina: era Colleen, que se afe-

* SEARCHING: buscando.

rraba al borde de la puerta.

—Este no es lo que se dice el día del padre —dijo—. Llama un señor Murray, de contaduría. Dice que su bebé está mal. El hombre está llorando.

—No puede ser —farfulló Victor, atónito. Era demasiada coincidencia.

—Créame que sí —dijo Colleen—. Línea dos.

Aturdido, Victor tomó el teléfono. El destello de la luz intermitente era como una alarma en su cerebro. No podía ser, si todo había marchado tan bien durante tanto tiempo. Tuvo que esforzarse para tomar la comunicación.

—Perdone que lo moleste —dijo Murray con voz ahogada—, pero usted nos ayudó tanto a tener el niño. Tuvimos que internar a Mark en el hospital de niños. Está agonizando. Los médicos dicen que no hay nada que hacer.

—¿Qué pasó? —preguntó Victor con dificultad.

—Nadie lo sabe —dijo Murray—. Empezó con un dolor de cabeza.

—¿Habrá sufrido un golpe?

—Que sepamos, no.

—¿Le molestaría que fuera a verlo?

Media hora más tarde, Victor estacionó el auto en la playa del hospital, entró y pidió indicaciones en la mesa de información. La recepcionista le dijo que Mark Murray se encontraba internado en la unidad de terapia intensiva quirúrgica. Se dirigió a la sala de espera, donde lo recibieron Horace y Colette, trastornados por la desesperación y el insomnio.

—¿Alguna novedad? —preguntó Victor.

Horace meneó la cabeza:

—Está en el pulmotor.

Victor les expresó sus condolencias y los Murray se mostraron conmovidos porque se había tomado la molestia de ir al hospital, ya que su relación era estrictamente laboral.

—Era un chico tan especial —dijo Horace—. Tan excepcional, tan inteligente... —Meneó la cabeza. Colette ocultó la cara en las manos. Sus hombros temblaban. Horace se sentó y la abrazó.

—¿Cómo se llama el médico que lo atiende? —preguntó Victor.

—Nakano —dijo Horace—. El doctor Nakano.

Victor se disculpó, dejó su sobretodo en la sala de espera con los padres angustiados y se dirigió a Terapia Intensiva Pediátrica, que se encontraba al final de un largo corredor, pasando una doble puerta electrónica. Al pisar la alfombra de caucho delante de la puerta, ésta se deslizó automáticamente.

El ambiente no era extraño para Victor. Recordaba de sus años de residencia los equipos electrónicos y las enfermeras que corrían de acá para allá. El zumbido de los pulmotores y las señales electrónicas de los monitores cardíacos generaban una atmósfera tensa. Aquí la vida estaba en el filo de la navaja.

La actitud natural de Victor hizo que nadie le preguntara qué hacía en el lugar, aunque no llevaba la tarjeta de identificación. Se dirigió al escritorio y preguntó por el doctor Nakano.

—Acaba de pasar por aquí —dijo una joven amable. Se inclinó sobre el mostrador para ver si aún estaba en el lugar, luego se sentó, tomó el teléfono y poco después los parlantes del techo agregaron el nombre de Nakano a la interminable lista de llamados.

Victor se paseó por la sala, tratando de localizar a Mark, pero las facciones de los niños parecían distorsionadas detrás de los respiradores. Volvió al escritorio. La empleada de turno dejó el teléfono y le dijo que el doctor Nakano volvería enseguida a la unidad.

Cinco minutos más tarde, le presentaron al apuesto médico de ascendencia japonesa. Victor dijo que era médico, amigo de los Murray y que quería conocer el estado de Mark.

—No es bueno —dijo el doctor Nakano con franqueza—. El chico agoniza. El problema no responde a ningún tratamiento, lo que no sucede con frecuencia.

—¿Tiene idea de lo que pasa?

—Sabemos qué tiene, pero no la causa —dijo Nakano—. Venga, le mostraré.

Con paso apresurado, propio de un médico muy ocupado, el médico se dirigió hacia el fondo de la unidad, donde había un cuarto pequeño, separado del resto de la sala.

—Tomamos algunas precauciones —explicó—. No hay señales de infección, pero nos pareció que por las dudas... —Ofreció un delantal con gorra y barbijo. Los dos se pusieron la vestimenta de protección y entraron.

Mark Murray ocupaba el centro de una cuna grande con barandas laterales. Su cabeza estaba envuelta en gasas. Nakano dijo que habían hecho una derivación para aliviar la presión sobre el cerebro, pero que no había tenido efecto.

—Observe —dijo, y le entregó un oftalmoscopio. Victor se inclinó sobre el bebé moribundo, le alzó un párpado y enfocó su pupila, dilatada y rígida. A pesar de su falta de experiencia, detectó la patología al instante. El nervio óptico estaba abultado, como si algo lo empujara desde atrás.

Victor se enderezó.

—Impresionante, ¿no? —dijo Nakano. Tomó el instrumento, examinó al niño y se enderezó. —Lo más frustrante es que su condición empeora minuto a minuto. Es una hinchazón progresiva del cerebro. Me sorprende que no le salga por los oídos. No hubo caso con la descompresión ni la derivación ni la dosis masiva de esteroides ni el manitol. Ya casi tiramos la toalla.

Victor advirtió que no había ninguna enfermera presente.

—¿Hubo hemorragia o señales de traumatismo?

—Nada en absoluto. Aparte de la inflamación, el chico no tiene nada. Tampoco es un caso de meningitis, como dije antes. No entendemos. Esto está en manos del director técnico, allá arriba —añadió, señalando el cielo.

En ese instante, como respuesta al lúgubre vaticinio, sonó

la alarma del monitor cardíaco; señal de que el latido se volvía irregular. La alarma sonó otra vez, pero el doctor Nakano no reaccionó.

—No es la primera vez que suena —dijo—, pero a esta altura no hay nada que hacer. —Al advertir la expresión perpleja de Victor, añadió: —Ahora que está descerebrado, los padres dicen que no tiene sentido prolongarle la vida.

Victor asintió, y en ese momento la alarma sonó otra vez, sin detenerse. El corazón de Mark entró en fibrilación. Victor miró sobre su hombro hacia el escritorio. Nadie se acercó.

Poco después, la onda irregular en la pantalla se enderezó, se volvió una línea recta.

—Terminó el partido —dijo Nakano. Parecía un comentario cruel, pero Victor sabía que era fruto de la frustración, no de la indiferencia. Recordaba muy bien sus años de residente.

Nakano y Victor volvieron al escritorio, donde aquél informó a la secretaria que el niño de Murray había muerto. Sin inmutarse la empleada tomó el teléfono e informó a la administración. La muerte era un hecho frecuente en aquel lugar: uno no podía trabajar si daba rienda suelta a sus emociones.

—Anoche hubo un caso similar —dijo Victor—. Familia Hobbs. Un bebé de la misma edad que éste, o tal vez un poco mayor. ¿Conoce el caso?

—De oídas —dijo Nakano, distraído—. No sé quién lo atendió, pero dicen que los síntomas eran bastante similares.

—Así parece —dijo Victor. Luego preguntó: —¿Harán una autopsia?

—Sin duda. Es un caso para el médico forense, pero nos lo dejarán. Allá en el centro tienen demasiado trabajo como para ocuparse de los casos raros. ¿Hablará con los padres o prefiere que lo haga yo?

Sorprendido por el brusco cambio de tema, Victor dijo que él lo haría y agradeció al doctor Nakano su atención.

—No es nada —dijo éste sin mirarlo. Una nueva crisis ya lo reclamaba.

Aturdido, Victor salió de terapia intensiva y las puertas electrónicas se cerraron silenciosas a su espalda. Cuando llegó a la sala de espera, los Murray vieron la mala nueva escrita en su cara. Le agradecieron su atención y él respondió con una palabras de pésame, pero en ese momento apareció ante sus ojos una imagen aterradora: VJ, pálido, tendido en la cuna que Mark había ocupado hasta unos momentos antes.

Victor se dirigió al departamento de patología y se presentó a su jefe, Warren Burghofen. El patólogo le aseguró que le haría llegar los resultados de las autopsias lo antes posible.

—Tenemos que saber qué pasa —dijo—. No podemos permitir una epidemia de edema cerebral idiopática en la ciudad.

Victor volvió lentamente al auto. Sabía que difícilmente habría una epidemia. La población de riesgo era muy pequeña: exactamente tres niños.

De vuelta en su oficina, Victor pidió a Colleen que llamara a Louis Kaspwicz, el jefe de informática de Chimera.

Louis era un hombre menudo y rechoncho, de lustrosa calva, que desconcertaba a sus interlocutores con sus gestos bruscos e impredecibles. Era sumamente tímido y rara vez miraba a su interlocutor de frente. Sin embargo, a pesar de su extraña personalidad, era un técnico de primera y manejaba todos los programas, desde investigación a contaduría, pasando por producción.

—Tengo un problema —dijo Victor, cruzando los brazos sobre el pecho—. Tengo dos archivos personales que no puedo encontrar. ¿Tiene alguna idea de a qué se debe?

—Puede haber distintas razones —dijo Louis—. La más frecuente es que el usuario olvida el nombre que asignó al archivo.

—Los busqué en la guía, pero no los encontré.

—Tal vez los introdujo en otra guía —dijo Louis.

—No se me había ocurrido —dijo Victor—. Pero recuerdo que cuando los usé, los llamé por la vía normal.

—Bueno, tendré que investigarlo —dijo Louis—. Déme los nombres de los archivos.

—Es estrictamente confidencial —dijo Victor en tono enfático.

—Comprendo.

El técnico se sentó ante la terminal y se puso a trabajar.

—¿No pasa nada? —preguntó Victor después de un rato. La pantalla seguía en blanco.

—Parece que no. Pero desde mi terminal puedo ordenar a la computadora que investigue todos los menús. ¿Está seguro de los nombres que me dio?

—Totalmente seguro.

—Bueno, si es importante lo haré ahora mismo.

—Es muy importante.

Louis salió y Victor se sentó nuevamente ante la terminal. Tenía una idea. Tipeó en la pantalla el nombre de otro archivo: BABY-FRANK. Vaciló un instante, temeroso de lo que aparecería, o dejaría de aparecer. Oprimió el botón de Execute y contuvo el aliento. Sus temores se vieron confirmados: ¡faltaba el archivo de VJ!

Estaba empapado en sudor frío. La desaparición de tres archivos con distintas referencias no podía ser casual. Bruscamente vio ante sí la cara furiosa de Hurst y recordó su amenaza: "Usted quiere hacernos creer que es un santo... No está a salvo."

Se levantó y fue a la ventana. Hacia el este empezaban a amontonarse las nubes, presagio de lluvia o de nieve. Contemplándolas, se preguntó si Hurst tendría algo que ver con la desaparición de los archivos. ¿Tenía alguna sospecha? En ese caso, su vaga amenaza tendría un fundamento. Meneó la cabeza. Hurst no podía estar al tanto de la existencia de esos archivos. Ni él ni nadie. ¡Nadie!

Capítulo 5

Lunes al anochecer

Sentada a la mesa, Marsha contemplaba a su esposo y su hijo.
VJ, absorto en la lectura del libro sobre los agujeros negros,
apenas levantaba la vista para comer. En otras circunstancias
la habría dicho que dejara el libro para después de la cena, pero Victor estaba tan malhumorado que no quería empeorar
las cosas. Y ella misma estaba preocupada por VJ. Lo amaba,
la mera idea de que tuviera algún problema le era difícil de soportar, pero sabía que no podría ayudarlo si no afrontaba la
verdad. Aparentemente había pasado el día entero en Chimera, y a solas, porque Victor confesó que no lo había visto desde la mañana.

Como si advirtiera su mirada, VJ dejó el libro y llevó el
plato al lavavajilla. Sus intensos ojos azules se cruzaron con la
mirada de Marsha. No había en ellos calidez ni afecto, sólo
una luz turquesa, penetrante como la lente de un microscopio.

—Estuvo muy rica la cena —dijo VJ maquinalmente.

Sus pasos se alejaron rápidamente por la escalera.
Marsha se volvió hacia la ventana al oír el silbido del viento.
A la luz que salía de la ventana sobre la cochera vio que la
lluvia se había vuelto nieve.

73

Se estremeció, pero no a causa del paisaje invernal.

—No tengo mucha hambre —dijo Victor. Era la primera vez que abría la boca desde que Marsha volvió a la casa desde el hospital.

—¿Estás preocupado por algo? —preguntó—. ¿Quieres que hablemos?

—No juegues a la psiquiatra conmigo —dijo Victor bruscamente.

Era una respuesta grosera. Marsha no estaba jugando a la psiquiatra. Pero decidió que era mejor pasarlo por alto. Si estaba preocupado, acabaría por hablar.

—Yo sí estoy preocupada —dijo Marsha. Decidió que lo mejor era mostrarse franca. Conocía bien a Victor, sabía que se sentía culpable por haberle hablado en ese tono.

"Hoy leí unos artículos —prosiguió—. Trataban sobre los posibles efectos de la ausencia de los padres para los niños criados por nodrizas o que pasan demasiado tiempo en la guardería. Creo que algunas de las conclusiones explican lo de VJ. Tal vez debería haber pasado más tiempo con él cuando era bebé.

—Un momento —interrumpió Victor con dureza, alzando las manos. Su expresión era de fastidio. —No quiero oír una palabra más. Yo a VJ lo veo muy bien. Las idioteces psiquiátricas no me interesan.

—Pero qué bien, me alegro de que te preocupes tanto por tu hijo.

—Bueno, basta. —Victor arrojó el resto de su cena a la basura. —No tengo ganas de seguir hablando.

—¿Y qué te gustaría hacer?

—Me parece que saldré a caminar —dijo Victor, mirando por la ventana.

—¿En medio de la nieve y el frío? No, me parece que algo te preocupa, pero que por algún motivo no puedes expresarlo.

Victor se volvió hacia su esposa:

—¿De veras es tan evidente?

—Me da pena ver cómo luchas contigo mismo —rió Marsha—. Bueno, dime qué te angustia. Soy tu esposa.

Victor se encogió de hombros y volvió a la mesa. Se sentó, entrelazó los dedos y puso los codos sobre el mantel.

—Es verdad que estoy preocupado —confesó.

—Es una suerte para mí que no sea tan difícil hacer hablar a los pacientes —dijo Marsha. Trató de acariciarle el brazo.

Victor se paró y fue al pie de la escalera. Escuchó un instante, luego cerró la puerta, volvió a la mesa y se inclinó hacia ella:

—Quiero someter a VJ a un chequeo físico-neurológico completo, igual que hace siete años, cuando bajó su nivel de inteligencia.

Marsha no respondió. Una cosa era el desarrollo de la personalidad del chico, pero su estado general de salud era mucho más grave. La idea de que fuera necesario realizar semejante examen la perturbó profundamente, tanto como el recuerdo de lo sucedido siete años antes.

—¿Recuerdas cómo bajó su coeficiente intelectual cuando tenía tres años y medio? —preguntó Victor.

—Claro, ¿cómo podría olvidarlo? —replicó Marsha, mirándolo fijamente. Él sabía que le hacía daño al hablarle así. ¿Por qué lo hacía?

—Quiero someterlo a la misma clase de exámenes —repitió Victor.

—Me estás ocultando algo —dijo Marsha, asustada—. ¿De qué se trata? ¿Qué le pasa a VJ?

—A VJ no le pasa nada, como dije antes. Pero quiero estar seguro, y sólo me sentiré seguro si le hacen esos exámenes. Y punto.

—¿Se puede saber por qué quieres que lo examinen justamente ahora?

—Ya te lo dije —replicó Victor bruscamente.

—¿Crees que permitiré que sometan a nuestro hijo a toda una batería de exámenes físicos y neurológicos sin saber más detalles? ¡No, señor! No voy a permitir que le hagan todas esas radiografías y demás cosas si no me das una explicación.

—¡Pero carajo, Marsha!

—Carajo, sí. Me estás ocultando algo, Victor. No sé qué es, pero no me gusta. Quieres hacer lo que te da la gana con el chico, sin pensar en mí. Así que te lo digo de una vez por todas: a VJ no le van a hacer ningún examen sin mi autorización, y para eso me tienes que dar alguna explicación. Así que empieza de una vez o dejémoslo.

Marsha se acomodó en la silla, tomó aliento y lo soltó lentamente. Victor la miró a los ojos, furioso, pero ella se mostraba más fuerte que él. Además, había explicado su posición con toda claridad, y difícilmente retrocedería. Al cabo de un minuto de silencio, su mirada empezó a vacilar. Finalmente bajó la vista a sus manos. El reloj de péndulo de la sala marcó las ocho.

—Bueno, está bien —cedió, exhausto—. Te diré todo lo que quieres saber. —Se pasó los dedos por el pelo y miró al techo, como un niño sorprendido en medio de una travesura. —El problema es que no sé por dónde empezar.

—¿Por qué no empiezas por el comienzo? —dijo Marsha, impaciente y a la vez angustiada, tal vez por alguna premonición.

Victor la miró a los ojos. Había ocultado el secreto de la concepción de VJ durante diez años. Al contemplar el rostro franco y honesto de Marsha se preguntó si lo perdonaría después de conocer la verdad.

—Por favor —rogó ella—. ¿Por qué no me lo dices de una vez?

—Por muchas razones —dijo Victor, apartando la mirada—. Una de ellas es que tal vez no me creerías. Además, para comprender bien tienes que venir conmigo al laboratorio.

—¿Ahora mismo? —preguntó Marsha, atónita—. ¿Hablas en serio?

—Si quieres saber la verdad, sí.

Marsha se sobresaltó cuando Kissa cayó sobre su regazo. Se había olvidado de darle su comida.

—Está bien —dijo—. Le daré de comer a la gata y hablaré con VJ. Saldremos en quince minutos.

VJ escuchó los pasos que se acercaban a su habitación. Sin apuro, cerró su álbum de sellos postales y lo dejó en el estante. Sus padres no sabían nada de filatelia y no hubieran comprendido el valor de ese álbum. Pero cuanto menos riesgos corriera, mejor. La colección era ya enorme y muy valiosa, pero ellos no comprendían: pensaban que su pedido de una caja de seguridad en la bóveda del Banco era sólo un capricho infantil. VJ no tenía motivos para desengañarlos.

—¿Qué hacías, hijito? —preguntó Marsha al entrar en el cuarto.

—La verdad, no estaba haciendo nada.

Sabía que ella se sentía mal, pero no podía remediarlo. Ya en sus primeros años había comprendido que su madre quería de él algo que otros niños daban a las suyas, pero que él no podía brindar. A veces sentía pena por ella.

—¿Por qué no invitas a Richie a dormir aquí una noche?

—Tal vez lo haga.

—Lo pasarían muy bien —dijo Marsha—. Y me gustaría conocerlo.

VJ asintió.

Marsha sonrió, incómoda:

—Tu padre y yo saldremos un rato. ¿Está bien?

—Claro.

—Volveremos temprano.

—No se preocupen, estaré bien.

Cinco minutos más tarde, VJ miraba el auto de su padre que salía de la cochera. Se preguntó por un instante si debería preocuparse. Sus padres habitualmente no salían de noche en mitad de la semana. Se encogió de hombros: si hubiera algo de qué preocuparse, ya se enteraría.

Tomó nuevamente el álbum para seguir clasificando el juego de viejos sellos norteamericanos que acababa de recibir.

El teléfono sonó varias veces antes de que VJ recordara que sus padres habían salido. Fue al escritorio, levantó el auricular y dijo "hola".

—El doctor Victor Frank, por favor —dijo una voz. Sonaba distante y asordinada, como si hubiera tapado la bocina con un pañuelo.

—El doctor Frank no se encuentra —dijo VJ amablemente—. ¿Quiere dejar algún mensaje?

—¿Cuándo volverá?

—En una hora, más o menos.

—¿Hablo con su hijo?

—Sí.

—Entonces te doy el mensaje a ti. Dile a tu padre que lo piense bien y se muestre más razonable: en caso contrario la va a pasar muy mal. ¿Entendido?

—¿Quién habla?

—Díselo a tu padre. Él comprenderá.

—¿Pero quién habla? —repitió VJ, atemorizado. Obtuvo por toda respuesta el chasquido de la horquilla.

VJ colgó el auricular lentamente. Aguzó el oído, bruscamente consciente de que estaba absolutamente solo en la casa. Nunca había prestado atención a los ruidos nocturnos de la casa desierta. El radiador siseaba en el rincón. Desde algún lugar venía un ruido metálico sordo, probablemente un caño de agua caliente. Afuera, el viento arrojaba la nieve contra la ventana.

VJ tomó el teléfono para efectuar una llamada. Cuando el hombre respondió, le dijo que estaba asustado. El hombre le aseguró que no tenía de qué preocuparse. Se sintió más tranquilo al cortar la comunicación, pero descendió a la planta baja para asegurarse de que todas las puertas y ventanas estaban cerradas. No bajó al sótano, pero cerró la puerta de acceso con llave.

Volvió a su cuarto y encendió la computadora. Hubiera

deseado que la gata se quedara con él, pero sabía que de nada le serviría salir a buscarla. Kissa le tenía miedo, hecho que él trataba de ocultar para que su madre no lo advirtiera. Había tantas cosas que debía ocultarle a su madre, que pasaba el día en tensión. Pero él no había elegido su destino.

Encendida la computadora, puso el programa del Pac-Man y trató de concentrarse.

Los tubos fluorescentes parpadearon un par de veces antes de inundar el salón con su luz despiadada. Victor abrió la puerta y entraron en el laboratorio. Ella había estado allí algunas veces, pero siempre de día. Le sorprendió el aspecto siniestro del lugar a la noche, sin seres humanos que le dieran vida. Era un salón de unos quince metros de largo por diez de ancho, con bancos y mesas alineados contra las paredes. Ocupaba el centro una gran mesa cubierta de instrumental científico, con aparatos de aspecto extraño. Había sintonizadores, tubos de rayos catódicos, computadoras, frascos y tubos de vidrio y una maraña de cables electrónicos.

La sala principal tenía varias salidas. Victor y Marsha pasaron por una de las puertas a un salón menor, en forma de L, ocupado por mesas de disección. Marsha se estremeció al ver los bisturíes y otros instrumentos de tortura. Más allá de esa sala, a través de una puerta de vidrio y alambre tejido, se veían perros y monos. Los animales medían los pasos detrás de los barrotes de sus jaulas. Marsha apartó la mirada. Era un aspecto de la tarea investigativa en el que prefería no pensar.

—Por aquí —dijo Victor, y la condujo al extremo de la L, rematado con una pared de vidrio. Al encenderse la luz, Marsha advirtió sorprendida que detrás del vidrio había una serie de acuarios ocupados por decenas de extrañas criaturas marinas. Parecían caracoles sin caparazón.

Victor acercó una escalera y contempló un instante los acuarios. Tomó una bandeja de disección, subió a la escalera y con una redecilla sacó dos criaturas de sendos tanques.

—¿Es necesario hacer todo esto? —preguntó Marsha. No comprendía qué tenían que ver esas criaturas horribles con la salud de VJ.

Victor no respondió. Bajó de la escalera con la bandeja en una mano. Marsha contempló los animales. Medían casi treinta centímetros, su piel era de color marrón y aspecto viscoso y gelatinoso. Tuvo que reprimir las náuseas. Detestaba esas cosas. Ese era uno de los motivos que la había llevado a elegir la psiquiatría: la terapia era limpia, prolija y muy humana.

—¡Victor! —exclamó Marsha, mientras él abría las aletas, o lo que fueran, de los animales, y las sujetaba con alfileres a la cera que cubría el fondo de la bandeja. —Por qué no me dices de qué se trata y nos ahorramos este espectáculo.

—Porque no me creerías —dijo Victor—. Sólo te pido un poco más de paciencia.

Tomó un bisturí y le puso una hoja nueva, filosa como una navaja. Abrió rápidamente los animales. Marsha apartó la vista.

—Estos son del género aplasia —dijo Victor. Estaba nervioso, pero trataba de disimularlo hablando en tono de conferencista. —Son de uso común para el estudio de las células nerviosas. Tomó una tijera y efectuó una serie de cortes precisos y prolijos: —Ya está. Separé el ganglio abdominal de cada uno.

Le mostró un plato playo lleno de un líquido transparente, en cuyo centro flotaban dos piezas diminutas de tejido animal.

—Vamos al microscopio —dijo Victor.

—¿Y esas pobres criaturas? —preguntó Marsha, mirando con esfuerzo la bandeja de disección. Los animales parecían debatirse, sujetos con alfileres a la cera.

—Los técnicos limpiarán todo a la mañana —dijo Victor, que la había interpretado mal.

Marsha echó una última mirada a los aplasia y se dirigió al microscopio de disección, de doble ocular, en el que Victor ya enfocaba los dos preparados.

Se inclinó para mirar. Los ganglios tenían la forma de una letra H, en la que el trazo transversal parecía una bolsa transparente llena de bolillas de vidrio. Los otros dos trazos de la H eran evidentemente fibras nerviosas seccionadas. Moviendo el puntero, Victor le indicó que contara las células nerviosas, o neuronas, a medida que él las señalaba.

Marsha obedeció.

—Bien, veamos el otro ganglio —dijo Victor.

Pasó el campo visual hasta que apareció otra H, similar a la primera:

—A ver, cuenta otra vez.

—Tiene el doble de neuronas que el primero.

—¡Exactamente! —dijo Victor. Se enderezó y empezó a pasearse por la sala. Su mirada era febril, y por primera vez Marsha sintió un poco de miedo. —Hace doce años empecé a sentir interés por el aplasia a causa de sus células nerviosas. Yo sabía, como todo el mundo, que las células nerviosas se desarrollan y proliferan durante los primeros estadios de desarrollo del embrión. Como el aplasia es relativamente menos complejo que los animales superiores, pude aislar la proteína que provoca el proceso. La llamé factor de desarrollo nervioso, FDN. ¿Hasta aquí está claro?

Victor dejó de pasearse y la miró a los ojos.

—Sí —dijo Marsha. Él parecía alterado, su actitud se volvía mesiánica. Bruscamente la asaltó una idea aterradora, como si anticipara la conclusión de la conferencia, que hasta el momento parecía no tener relación alguna con su hijo.

Victor empezó a pasearse otra vez, mientras su excitación parecía aumentar:

—Por medio de la ingeniería genética, reproduje la proteína y aislé el gen causante de todo. Y ahora viene lo más espectacular. —La miró otra vez, con un brillo extraño en la mirada: —Tomé un huevo fertilizado, una cigota, de aplasia y, luego de efectuar una mutación puntual en el DNA, inserté el gen FDN con un activador. ¿Y cuál fue el resultado?

81

—Mayor número de neuronas en el ganglio —replicó Marsha.

—Efectivamente —dijo Victor, muy excitado—. Y lo que es más, la capacidad de trasmitir esa característica a su descendencia. Volvamos al salón principal. —Le dio una mano para ayudarla a pararse.

Lo siguió en silencio a una mesa iluminada donde estaban exhibidas varias transparencias ampliadas de secciones microscópicas de cerebro de rata. No hacía falta contar para advertir que el número de neuronas era mucho mayor en algunas fotografías que en otras. Aturdida, se dejó llevar a la sala de las jaulas, donde él se calzó una par de gruesos guantes de cuero.

Marsha contuvo el aliento. El lugar apestaba a zoológico mal higienizado. Las jaulas alojaban a centenares de monos, perros, gatos y ratas. Se detuvieron ante las jaulas de éstas.

Marsha se estremeció al ver las innumerables narices rosadas que husmeaban sin cesar y las largas colas peladas.

Victor abrió una de las jaulas y sacó una gran rata, que trató de morderle los dedos.

—¡Tranquilo, Charlie! —dijo. Llevó la rata a una mesa con tapa de vidrio, alzó la tapa y dejó caer el animal en un pequeño laberinto, justo delante de la puerta de entrada.

—Mira bien —dijo Victor, y alzó la puerta.

Tras una breve pausa, la rata entró en el laberinto, lo recorrió equivocándose en sólo dos o tres vueltas y llegó al final, donde la esperaba el premio.

"Fue rápido, ¿no? —dijo Victor con satisfacción—. Esta es una de mis ratas inteligentes, inoculada con el gen FDN. Ahora viene lo mejor.

Volvió a colocar la rata en la posición inicial, pero en un sector sin acceso al laberinto. Volvió a la jaula, de donde trajo otra rata y la colocó en el dispositivo, de manera tal que los dos animales quedaron enfrentados, con un alambre tejido de por medio.

Esperó un par de minutos, luego alzó la puerta y la rata

recorrió el laberinto sin cometer un solo error.

—¿Comprendes lo que acabas de presenciar? —preguntó Victor.

Marsha meneó la cabeza.

"Comunicación entre ratas —dijo Victor—. Estas ratas son capaces de explicarse el laberinto unas a otras. Es increíble.

—Evidentemente, lo es —dijo Marsha sin entusiasmo.

—He repetido este estudio de proliferación de neuronas con centenares de ratas —dijo Victor.

Marsha asintió, indecisa.

"Lo repetí con cincuenta perros, seis vacas y una oveja —prosiguió—. Con los monos, no. Tuve miedo de que resultara demasiado efectivo. Recordaba la vieja película *El planeta de los simios*. —Rió, y el sonido de su risa repercutió en las paredes de la sala.

Marsha no podía reír. Se estremeció:

—¿Adónde quieres llegar? —preguntó, aunque su mente ya barruntaba la aterradora respuesta.

Victor evitó mirarla a los ojos.

"¡Contesta, por favor! —rogó Marsha, al borde de las lágrimas.

—Te explico todo esto para que puedas comprender —dijo Victor, aunque sabía que ella no lo entendería—. Créeme, lo que vino después no lo premedité. Acababa de concluir la experiencia de la oveja con todo éxito, cuando tú empezaste a hablar de tener otro hijo. ¿Recuerdas cuando resolvimos acudir a Fertility?

Marsha asintió, ya sin poder contener las lágrimas.

"Tu cosecha de óvulos fue muy abundante: ocho en total.

Sintió que sus piernas se aflojaban y tuvo que aferrarse al laberinto para mantenerse en pie.

"Yo mismo los fertilicé in vitro con mi esperma —prosiguió Victor—. Eso lo sabes. Pero lo que no te dije es que traje los óvulos fertilizados al laboratorio.

Marsha soltó la mesa y se tambaleó hacia un banco, a punto de desmayarse. Se sentó pesadamente. Le parecía imposible soportar el resto del relato, pero a esa altura era consciente de que Victor seguiría hasta el final. De alguna manera, él parecía creer que su pecado se volvía menos monstruoso si conseguía explicarlo en términos puramente científicos. ¿Era este el hombre con quien se había casado?

"Traje las cigotas —prosiguió—, elegí una secuencia sin sentido en el DNA y efectué una mutación puntual a nivel del cromosoma seis. Luego, por medio de una técnica de microinyección y un vector retroviral, inoculé el gen FDN con varios activadores. Entre ellos había un plásmido bacteriano codificado para ofrecer resistencia a un antibiótico cefalosporino llamado cefaloclor.

Victor hizo una pausa, pero no levantó la mirada.

"Por eso obligué a Mary Millman a tomar cefaloclor desde la segunda hasta la octava semana del embarazo. El cefaloclor activaba el gen productor del factor de desarrollo nervioso.

Entonces levantó la mirada:

—Dios me perdone, pero en ese momento me pareció una idea extraordinaria. Después comprendí mi error. Viví aterrado hasta que nació VJ.

Bruscamente embargada por la furia, Marsha se paró de un salto y empezó a golpearlo con los puños. Él no trató de protegerse, esperó a que ella bajara los brazos, llorando en silencio. Trató de abrazarla, pero ella no se dejó tocar. Salió al salón principal y se sentó. Victor la siguió, pero ella no lo miró.

"Perdóname —dijo—. No lo habría hecho si no hubiera tenido la seguridad de que todo marcharía bien. Jamás tuve problemas con los animales. Y la idea de tener un hijo superdotado era tan seductora...

—Todavía no puedo creer que hayas hecho algo tan horrible —sollozó.

—No es tan raro que un investigador experimente con su propio cuerpo —dijo Victor, sabiendo que era lo peor que podía decir.

—¡Con el suyo! —gritó Marsha—. ¡No con el de un niño indefenso! —Sollozó sin poder contenerse. Pero a pesar de todo, el miedo acabó por imponerse a la angustia. Con gran esfuerzo, logró dominarse. Lo de Victor no tenía perdón, pero no había manera de remediarlo. Tenía que afrontar la realidad por el bien de VJ. Trató de contener las lágrimas. —Está bien —dijo—, estoy enterada. Pero lo que no comprendo es por qué quieres que le hagan esos exámenes a VJ. ¿Tienes miedo de que sufra una nueva caída de su coeficiente intelectual?

En ese momento, recordó lo sucedido seis años antes. Todavía vivían en la casa pequeña. David y Janice estaban vivos y sanos. Era un época feliz, en la que VJ empezaba a desarrollar sus increíbles poderes mentales. A los tres años leía de todo y recordaba casi todo. Su coeficiente intelectual era de doscientos cincuenta.

El cambio fue muy brusco y repentino. Ella había pasado por Chimera a recoger a VJ de la guardería, donde pasaba la tarde. A la mañana lo llevaban a la escuela Crocker. Apenas vio la cara de la directora, supo que había algún problema.

Pauline Spaulding era una persona maravillosa, que a los cuarenta y dos años había descubierto que su verdadera vocación no era la escuela primaria ni la enseñanza de gimnasia aeróbica, sino la dirección de una guardería. Quería su trabajo, amaba a los niños y éstos la adoraban por el entusiasmo que ponía en su tarea. Ese día parecía molesta.

—VJ tiene un problema —dijo sin preámbulos.

—¿Está enfermo? ¿Dónde está?

—Aquí —dijo Pauline—. No está enfermo. Físicamente está bien, el problema es otro.

—¡Bueno, dígalo de una vez! —exclamó Marsha.

—Fue justo después del almuerzo. Cuando los demás chicos van a descansar, VJ va al taller a jugar al ajedrez con la computadora.

—Sí, lo sé —dijo Marsha. Le había dado permiso para ello porque VJ decía que no necesitaba dormir y que le molestaba perder el tiempo.

—Él estaba solo en el taller —prosiguió Pauline—, pero de repente oí un ruido fuerte. Fui corriendo. VJ estaba golpeando la computadora con una silla.

—¡No me diga! —exclamó Marsha. Los berrinches no formaban parte de la conducta de VJ. —¿Le dio alguna explicación?

—Lloraba, doctora Frank.

—¿VJ lloraba? —preguntó Marsha, atónita. VJ jamás lloraba.

—Lloraba como cualquier chico de tres años y medio.

—¿Adónde quiere llegar?

—Me parece que VJ destrozó la computadora porque de repente no supo usarla.

—Pero es absurdo —exclamó Marsha. VJ usaba la computadora desde que tenía dos años y medio.

—Espere —dijo Pauline—. Para tranquilizarlo, le di su libro sobre los dinosaurios. Lo hizo pedazos.

Marsha entró en el taller. Había sólo tres niños a esa hora. Sentado a la mesa, VJ coloreaba un libro, como cualquier otro niño de su edad. Al verla, dejó caer el lápiz y corrió a abrazarla. Llorando, dijo que le dolía la cabeza.

Marsha lo abrazó con fuerza:

—¿Es verdad que rompiste el libro? —preguntó.

VJ apartó la mirada:

—Sí.

—¿Por qué?

—Porque ya no puedo leer.

Durante los días siguientes lo sometieron a una batería exhaustiva de exámenes neurológicos para descartar ese tipo de trastornos. Los resultados fueron negativos en todos los casos, pero cuando Marsha lo sometió a una serie de test de inteligencia que el niño había realizado el año anterior, descubrieron horrorizados que su coeficiente había bajado a ciento treinta. Seguía siendo alto, pero de ninguna manera el de un genio.

Victor la devolvió al presente al asegurar que no había ningún problema con la inteligencia de VJ.

—Entonces, ¿por qué quieres hacerle los exámenes?

—Porque... bueno, porque me parece conveniente —dijo Victor sin convicción.

—Soy tu esposa desde hace dieciséis años —dijo Marsha después de una pausa—. Sé que no me estás diciendo la verdad.

Era difícil creer que Victor todavía no le había dicho lo peor.

Él se pasó los dedos por la espesa cabellera:

—Es por lo que sucedió con los bebés de Hobbs y de Murray.

—¿Quiénes son?

—William Hobbs y Horace Murray son empleados de la empresa —respondió Victor.

—No me digas que también convertiste a sus hijos en monstruos.

—Peor aún —dijo Victor—. Las dos parejas eran infértiles. Había que donarles las gametas. Yo había congelado las otras siete cigotas nuestras, y puesto que esas familias estaban en inmejorable situación para ofrecerles un buen hogar, les di dos de las nuestras.

—¿Quieres decir que esos bebés son hijos genéticos míos? —preguntó ella, nuevamente incrédula.

—Nuestros —asintió Victor.

—¡Dios mío! —exclamó Marsha, aturdida ante la nueva revelación. El hecho trascendía cualquier tipo de emoción.

—Es lo mismo que donar espermatozoides u óvulos. En realidad, es más eficiente, porque ya están unidos.

—Tal vez para ti es lo mismo —dijo Marsha—. Después de lo que le hiciste a VJ. Pero yo pienso distinto. No puedo concebir que un extraño críe a mis hijos. ¿Y las cinco cigotas restantes dónde están?

Aunque estaba exhausto, Victor se paró y se dirigió a un artefacto metálico cilíndrico, semejante a un lavarropa, instalado en el centro de la sala. Estaba conectado por medio de mangueras de caucho a un gran tubo de nitrógeno licuado.

—Aquí están, en animación suspendida por medio de congelamiento —dijo Victor—. ¿Quieres verlas?

Marsha meneó la cabeza. Estaba anonadada. Era médica y sabía de la existencia de esa tecnología, pero en las escasas ocasiones en que se le ocurría pensar en ello, era siempre en abstracto. Jamás había pensado que tendría que ver con su propia vida.

"Mi intención era revelarte todo, pero de a poco —prosiguió Victor—. Pero bueno, ya lo sabes. Quiero que examinen a VJ para estar seguro de que no sufre los efectos de la terapia inicial.

—¿Por qué? —insistió Marsha con amargura—. ¿Qué les pasó a los demás niños?

—Se enfermaron.

—¿Es grave? ¿Qué tienen?

—Sufrieron —dijo Victor—. Murieron de edema cerebral agudo. Todavía no se conocen las causas.

Otra vez sintió un mareo, y tuvo que agachar la cabeza para evitar desmayarse. Cada vez que empezaba a dominarse, Victor revelaba una nueva catástrofe.

—¿Fue repentino? —preguntó ella—. ¿O habían estado enfermos?

—Repentino.

—¿Cuántos años tenían?

—Tres años, más o menos.

La printer de una de las computadoras escupió rápidamente una serie de cifras. Al mismo tiempo una unidad de refrigeración se encendió y empezó a emitir un leve zumbido. El laboratorio se manejaba solo: los seres humanos sobraban.

—Y los niños que murieron, ¿tenían el mismo gen FDN que VJ?

—Sí.

—Y murieron a la misma edad en que VJ sufrió la pérdida de inteligencia.

—Sí, más o menos. Por eso quiero los tests, para asegurarme de que no se está gestando otro problema. Pero está sano. Si no hubiera sucedido lo de los Hobbs y los Murray, ni siquiera habría pensado en un examen para VJ. Confía en mí.

En otras circunstancias, Marsha habría reído. Victor acababa de destruir su vida, y ahora le pedía que confiara en él. Era inconcebible que un hombre utilizara a su propio hijo como cobayo de laboratorio. Pero no había forma de rectificar lo hecho. Había que ocuparse del presente.

—¿Crees que le puede suceder lo mismo a VJ?

—Lo dudo. Ya han pasado siete años desde lo que yo llamaría el momento crítico, cuando bajó su coeficiente intelectual. Tal vez los otros niños sufrieron un proceso en función del congelamiento previo de las cigotas... —Se interrumpió al ver la expresión de su mujer: a ella no le interesaba el aspecto científico de la tragedia.

—¿Y la pérdida de inteligencia de VJ? —preguntó Marsha—. Tenía casi la misma edad que estos niños: ¿habrá sufrido el mismo mal en una forma benigna?

—Puede ser, pero la verdad es que no lo sé —replicó Victor.

La mirada de Marsha se paseó lentamente por el laboratorio, con sus aparatos futuristas. Ahora los veía bajo una nueva luz. La investigación científica representaba la esperanza del futuro al derrotar la enfermedad, pero también abría avenidas potencialmente siniestras.

—¡Quiero salir! —exclamó Marsha bruscamente. Se paró con brusquedad, y su silla se deslizó sobre sus ruedas hasta estrellarse contra el refrigerador que contenía las cigotas. Victor la devolvió a su lugar. Marsha ya había salido y se alejaba resueltamente por el pasillo. Victor cerró con llave y la siguió. Logró subir al ascensor con ella cuando ya se cerraban las puertas. Marsha se apartó de él, asqueada y furiosa. Pero sobre todas las cosas estaba preocupada por VJ y quería volver rápidamente a la casa.

Salieron en silencio. Victor advirtió que sería inútil tratar de hablar. El suelo estaba cubierto de una capa resbaladiza de nieve que los obligaba a caminar con precaución. Marsha era consciente de la mirada de su esposo al subir al auto, pero se sentó en silencio. No abrió la boca hasta que cruzaron el río Merrimack.

—Tenía entendido que la ley prohibía los experimentos con embriones humanos —dijo. Sabía que el verdadero crimen de Victor era de tipo moral, pero todavía no estaba en condiciones de afrontar toda la verdad.

—La ley no es clara al respecto —dijo Victor, encantado de poder evitar la discusión sobre el aspecto ético de la cuestión—. Hubo un decreto de prohibición de esa clase de experimentos, pero se refería solamente a las instituciones que reciben subsidios del gobierno. No abarcaba a las instituciones privadas como Chimera. —No abundó más en el tema. Sabía que sus acciones eran inexcusables. Siguieron un trecho en silencio, hasta que él habló otra vez: —No te revelé la verdad antes porque quería que criaras a VJ como a un chico igual que cualquier otro.

Marsha se volvió para mirarlo, para ver su cara a la luz de los faros de los automóviles que avanzaban en sentido contrario:

—No me lo dijiste porque sabías que habías hecho algo horrible.

—Tal vez tengas razón —respondió, al doblar la esquina de la calle Windsor—. Creo que me sentía culpable. Durante tu embarazo estuve varias veces al borde del colapso nervioso. Y después, cuando perdió su inteligencia, otra vez estuve a punto de ir a parar al loquero. Sólo en los últimos cinco años me sentí más tranquilo.

—Entonces, ¿por qué usaste esas cigotas?

—Porque estaba convencido de que el experimento había resultado muy bien. Y además, porque eran familias perfectamente capacitadas para tener un hijo superdotado. Pero ahora soy consciente de que hice mal.

—¿Lo dices en serio?

—Juro por Dios que sí.

Al llegar a la casa, Marsha sintió por primera vez desde la experiencia con las ratas que tal vez algún día podría perdonarlo. Entonces, si VJ realmente estuviera bien, si resultara que sus preocupaciones eran infundadas, tal vez seguirían siendo una familia. Tal vez, tal vez y tal vez. Marsha cerró los ojos y oró. Había perdido un hijo y rogó a Dios que protegiera al otro. Le parecía imposible sobrevivir a una nueva pérdida.

La luz del cuarto de VJ estaba encendida. Siempre leía o estudiaba un poco por las noches. Porque aunque parecía solitario y distante, en el fondo era un buen chico.

Victor accionó el dispositivo automático de la puerta de la cochera. Apenas detuvo el auto, Marsha bajó y se precipitó a la puerta, ansiosa por comprobar si VJ se encontraba bien. Sin esperar a Victor, utilizó su propia llave para abrir la puerta de acceso directo a la casa. Pero la puerta estaba trabada. Victor trató de abrirla, también en vano.

—Está corrido el cerrojo —dijo Victor—. Habrá sido VJ.

Marsha golpeó la puerta violentamente con el puño. Los golpes resonaron en la cochera, pero no hubo respuesta desde el interior.

—¿Tendrá algún problema? —preguntó ella, angustiada.

—No lo creo —dijo Victor—. Pero los golpes no se oyen desde su cuarto. ¡Vamos! Entremos por la puerta de adelante.

Salieron y bordearon la cochera hacia la puerta principal. Victor trató de abrirla, pero también estaba trabada con el cerrojo interno. Tocó el timbre. No hubo respuesta. Lo hizo otra vez. Marsha empezaba a contagiarle su miedo. Cuando iban a ensayar otra puerta, oyeron la voz de VJ, que preguntaba quién llamaba.

Cuando la abrió, Marsha trató de abrazarlo, pero él la eludió.

—¿Dónde estaban? —preguntó en tono perentorio.

Victor miró su reloj: faltaba un cuarto de hora para las

diez. Habían estado ausentes una hora y media, más o menos.

—En el laboratorio —dijo Marsha. Le extrañaba que VJ hubiera notado su ausencia. Era muy autosuficiente.

—Te llamaron por teléfono —dijo VJ a Victor—. Dejaron un mensaje: que lo pasarás mal si no recapacitas y te muestras razonable.

—¿Quién era? —preguntó Victor.

—No quiso decir su nombre.

—¿Hombre o mujer?

—No lo pude descubrir. El que llamó, debe de haber tapado la bocina con un pañuelo, o algo por el estilo.

—Victor, ¿me quieres decir qué pasa? —terció Marsha.

—Celos de oficina —dijo—. No hay de qué preocuparse.

Marsha se volvió hacia VJ:

—¿Te asustaste? ¿Fue por eso que corriste los cerrojos?

—Me asustó un poco —asintió VJ—. Pero después me di cuenta de que no habrían llamado para dejar ese mensaje si hubieran tenido la intención de venir.

—Sí, tienes razón —dijo Marsha, impresionada por la capacidad de raciocinio de su hijo—. Bueno, vamos todos a la cocina. Una taza de té de hierbas nos vendrá muy bien.

—Yo no, gracias —dijo VJ, y se dirigió a la escalera.

—¡Hijo! —exclamó Victor, y VJ se detuvo con un pie en la escalera—. Mañana a la mañana iremos al hospital de niños en Boston. Quiero que te hagan un examen físico.

—Pero me siento bien, no me hace falta un examen —se quejó VJ—. Y no me gustan los hospitales.

—Te comprendo perfectamente, pero es necesario que te hagas un examen periódico, como hacemos tu madre y yo.

VJ miró a Marsha. Ella quería abrazarlo, asegurarse de que no le dolía la cabeza ni tenía ningún otro síntoma. Sin embargo, no lo hizo: se sentía intimidada por su propio hijo.

—No tengo nada —insistió VJ.

—Asunto terminado —dijo Victor—. Basta de discusiones.

VJ miró a su padre, los labios apretados en un rictus furioso, luego giró sobre sus talones y se fue a su cuarto sin decir palabra.

Marsha fue a la cocina, puso agua a hervir. Sabía que necesitaría varios días para digerir la información que había recibido y poner orden, un poco de orden en su cabeza. Después de dieciséis años de matrimonio, se preguntaba si realmente conocía a su esposo.

Azotadas por el viento y la nieve, las ventanas crujieron en sus marcos. Marsha rodó de costado y miró la hora en el reloj digital de su mesa de noche. Eran las doce y media y estaba desvelada. Tendido a su lado, Victor dormía serenamente.

Se levantó, buscó las chinelas y el salto de cama y salió al pasillo. Una violenta ráfaga de viento hizo crujir los maderos de la vieja casa. Iba a bajar a su escritorio, pero cambió de opinión y se dirigió al cuarto de VJ, en el otro extremo del pasillo. Abrió la puerta. VJ había dejado la ventana entreabierta, y las cortinas se agitaban al viento. Marsha entró sigilosamente y la cerró.

Contempló a su hijo dormido, sus bucles dorados y su cara de ángel. Reprimió el impulso de acariciarlo. Detestaba que lo abrazaran; a veces le parecía increíble que él y David fuesen hermanos. Se preguntó si su aversión a las caricias tenía alguna relación con los genes extraños que Victor le había inoculado. Nunca lo sabría. Pero ahora no cabía duda de que su preocupación por el desarrollo de la personalidad de VJ no carecía de fundamento.

Apartó la ropa de la silla y se sentó. Cuando era bebé, parecía un santo. Lloraba muy poco y dormía toda la noche. A los pocos meses de vida dejó a todos atónitos al comenzar a hablar.

Ahora comprendía que el orgullo le había impedido preguntarse si su desarrollo tan precoz no merecía una investigación. Desde luego, jamás se le había ocurrido pensar que pudiera obedecer a causas artificiales. Había sido ingenua. La inteligencia de VJ superaba el genio. Recordó que cuando él tenía tres años, un científico francés y su esposa habían venido a pasar seis meses trabajando en Chimera. Michelle, su hija de cinco años, pasaba el día en la guardería. En una semana había aprendido algunas frases en inglés. Pero en el mismo lapso, VJ había aprendido el francés a la perfección.

Cuando cumplió los tres años, ella lo sorprendió con una fiesta a la que había invitado a sus compañeritos de guardería. Ese sábado, cuando bajó a almorzar, se encontró con una sala llena de chicos y sus madres que le cantaban "que los cumplas feliz". No le gustó. Se apartó con su madre y preguntó: "¿Por qué los invitaste? Los veo todos los días en la guardería y los odio. ¡Me vuelven loco!"

Quedó atónita, pero justificó la actitud del niño pensando que, siendo él tan inteligente, prefería alternar con los adultos. Que jugar con niños de su edad era un castigo para él.

VJ murmuró en sueños, y Marsha volvió al presente y a todos los problemas que hubiera preferido olvidar. Era tan hermoso. Difícilmente se podía identificar ese rostro angelical con la monstruosa verdad revelada en el laboratorio. Ahora empezaba a comprender el motivo de su frialdad y su falta de afecto. E incluso por qué parecía sufrir algunos de los trastornos de la personalidad que exponía Jasper Lewis. Pensó con amargura que, después de todo, no podía atribuir el problema a su ausencia de la casa durante los primeros años de vida del niño.

Bueno, si Victor quería un examen médico y neurológico completo, ella lo sometería a una batería de tests psicológicos. En todo caso, no le haría daño.

Capítulo 6

Martes por la mañana

Fueron a Boston en sus respectivos automóviles, porque Victor quería volver directamente a Chimera. VJ optó por ir con Marsha.

Durante el viaje no sucedió nada. Marsha quería hacerlo hablar, pero él respondía a sus preguntas con un lacónico sí o no. Abandonó el intento hasta poco antes de llegar al hospital.

—¿Has sufrido dolores de cabeza últimamente? —preguntó, rompiendo el prolongado silencio.

—No —dijo VJ—. Estoy bien, ya te lo dije. ¿Por qué están preocupados por mi salud?

—Fue idea de tu padre —dijo Marsha. No había motivos para ocultarle la verdad. —Dice que es medicina preventiva.

—Yo digo que es una pérdida de tiempo.

—¿No has tenido problemas con la memoria?

—¡Por enésima vez te digo que no tengo nada! —replicó él bruscamente.

—Bueno, está bien. No te alteres. Nos alegramos mucho de que seas un chico sano. Queremos que sigas así. —Se preguntó cómo reaccionaría si le dijeran que era un ser quimérico, con genes animales en sus cromosomas.

—¿Recuerdas cuando tenías tres años y de repente fuiste incapaz de leer? —preguntó Marsha.

—Claro que lo recuerdo.

—Nunca hablamos de eso —dijo Marsha.

VJ volvió la cara hacia la ventanilla.

"¿Te sentiste muy mal cuando lo descubriste?

VJ se volvió para mirarla:

—Mamá, no juguemos al psiquiatra. Claro que me sentí mal. Era desagradable no poder hacer las cosas que hacía antes. Pero volví a aprender y ahora estoy muy bien.

—Cuando quieras hablar de ello, estoy dispuesta —dijo Marsha—. Me preocupa mucho, aunque nunca lo menciono. Para mí fue una época horrible. Tenía miedo de que te enfermaras. Pero cuando te recuperaste, traté de no volver a pensar en lo que pasó.

Subieron a la sala de espera del doctor Clifford Ruddock, jefe de neurología. Victor había llegado quince minutos antes. VJ se enfrascó en una revista, y Victor se apartó con Marsha para hablarle a solas.

—Hablé ya con Ruddock. Acepta comparar el estado neurológico actual de VJ con los resultados de los exámenes que le hicieron cuando bajó su coeficiente. Igual está un poco suspicaz. Evidentemente, no está enterado sobre el gen FDN y yo no le diré nada.

—Por supuesto —dijo Marsha.

Victor la miró con suspicacia:

—Espero que colabores con esto que quiero hacer.

—Voy a hacer algo más —dijo Marsha—. Cuando terminemos aquí, me lo llevaré a mi consultorio para hacerle una batería de tests psicológicos.

—¿Y para qué diablos lo vas a someter a esos tests?

—¿De veras no lo sabes?

El doctor Ruddock, un hombre alto y delgado de barba y cabellos rojizos, hizo pasar a los Frank a su consultorio para conversar brevemente antes de iniciar el examen. Preguntó al chico si lo recordaba. VJ dijo que sí, sobre todo que recordaba su olor. Victor y Marsha soltaron una risita nerviosa.

—Me refiero a la colonia —dijo VJ—. Hermès para después de afeitarse.

Desconcertado por la alusión personal, el doctor Ruddock presentó a su adjunto de neurología pediátrica, Chris Stevens.

El doctor Stevens realizó el examen. Permitió a Victor y Marsha, por ser médicos, que permanecieran en la sala. Fue un examen neurológico total. En menos de una hora se estudió el sistema nervioso de VJ desde todos los ángulos concebibles. Los resultados eran normales.

Luego comenzó el trabajo de laboratorio. Stevens tomó muestras de sangre para los análisis químicos de rutina. Victor hizo congelar una parte de la muestra para hacerla analizar en Chimera. Luego sometieron a VJ a exploraciones con haces electrónicos PET y NMR.

En el primer examen le inyectaron sustancias radiactivas inocuas que emitían positrones en su brazo mientras introducía la cabeza en un enorme aparato con forma de rosca. Los positrones chocaban con los electrones del cerebro y en cada colisión emitían energía en forma de rayos gamma. Los cristales del haz explorador PET recibían los rayos gamma y una computadora generaba una imagen a partir de la trayectoria de la radiación.

Para efectuar el NMR, lo introdujeron en un cilindro de dos metros de longitud rodeado de imanes superconductores enfriados con helio licuado. El campo magnético resultante, sesenta mil veces mayor que el de la Tierra, alineaba los núcleos de los átomos de hidrógeno del agua en el organismo. Cuando una longitud de onda de determinada frecuencia los desalineaba, volvían a alinearse y en ese momento emitían una débil señal de radio, receptada por los sensores del aparato y transformados por la computadora en una imagen.

Concluidos los exámenes, el doctor Ruddock se encerró en el consultorio con Victor y Marsha, mientras VJ los aguardaba en la sala de espera. Victor cruzaba y descruzaba las piernas y no cesaba de alisarse el pelo con las manos. Durante el examen, ni el doctor Stevens ni el técnico habían efectuado comentario alguno, y al final Victor estaba casi paralizado por la tensión.

—Muy bien —dijo el doctor Ruddock, ordenando los impresos sobre su escritorio—. Faltan algunos resultados, sobre todo de los análisis de sangre, pero tenemos algunos positivos.

Marsha se llevó la mano al corazón.

"Las dos imágenes, tanto del PET como del NMR, son anormales —explicó el neurólogo. Con su mano izquierda alzó una de las imágenes multicolores del PET y con la otra un marcador fino que utilizó a la manera de un puntero para indicar las distintas zonas: —En los hemisferios cerebrales vemos una ingestión muy elevada pero difusa de glucosa. —Dejó el papel y tomó otro. —En esta imagen formada por el NMR se advierten claramente los ventrículos.

Marsha se inclinó para ver mejor. Su corazón latía con fuerza.

"Es evidente —prosiguió Ruddock—, que los ventrículos son muy pequeños, mucho menores que lo normal.

—¿Qué significa eso? —preguntó Marsha con temor.

El doctor Ruddock se encogió de hombros:

—En mi opinión, nada. Según el doctor Stevens, el examen neurológico del niño es absolutamente normal. Y estas características son interesantes, pero lo más probable es que no afecten las funciones cerebrales. Lo único que se me ocurre decirles es que si el cerebro ingiere tanta glucosa, sería conveniente darle unas golosinas cuando lo vean muy pensativo. —El doctor Ruddock rió de su propia broma.

Victor y Marsha lo escucharon en silencio, aturdidos por la transición de la mala noticia esperada a la buena noticia recibida. Victor fue el primero en recuperarse.

—Seguiremos su consejo —rió—. ¿Recomienda alguna golosina en particular?

El doctor Ruddock rió otra vez, feliz de que su broma fuera bien recibida:

—La mejor terapia en mi opinión es un chocolatín cada veinticuatro horas.

Marsha le agradeció y se precipitó a la puerta. Corrió hacia VJ y lo abrazó con fuerza, sin darle tiempo a reaccionar:

—Todo está bien —le susurró al oído. —Estás sano.

—Eso ya lo sabía —dijo VJ fríamente—. ¿Nos vamos de una vez?

Victor vino desde atrás y le palmeó el hombro a Marsha:

—Tengo que atender un asunto aquí, después me voy a la oficina. Nos vemos esta noche en casa. ¿De acuerdo?

—Haremos algo especial para la cena —dijo Marsha, y se volvió nuevamente hacia su hijo: —Nos vamos, pero no a casa jovencito, sino a mi consultorio. Faltan algunos tests.

—¡Ay, ma! —gimió VJ.

Marsha sonrió al oír ese tono, igual al de cualquier otro chico de su edad.

—Hazle caso a tu madre —dijo Victor—. Hasta luego.

Besó a Marsha en la mejilla, revolvió el pelo de VJ y salió.

Victor cruzó de los consultorios externos al hospital propiamente dicho y subió en el ascensor a Patología, donde se hallaba la oficina del doctor Burghofen. No había secretaria a la vista, de modo que se asomó. Burghofen escribía a máquina, usando sólo los índices. Victor golpeó el marco de la puerta.

—¡Adelante! —gruñó el jefe de Patología. Aporreó las teclas de la máquina un poco más y finalmente se dio por vencido. —No tendría por qué hacer esto, sólo que mi secretaria falta por enfermedad tres veces a la semana y no me permiten despedirla. No sirvo para jefe.

Victor sonrió: la vida académica tenía sus limitaciones. Lo recordaría la próxima vez que tuviera que atender problemas burocráticos en Chimera.

—Quería saber si ya están hechas las autopsias de los niños que murieron de edema cerebral —dijo Victor.

El doctor Burghofen revolvió entre los papeles que atestaban su escritorio.

—¿Dónde diablos está la tabla? —masculló. Giró en su asiento y halló lo que buscaba en el estante a su espalda.

"A ver, a ver, aquí están. Maurice Hobbs y Mark Murray. ¿Se refiere a ellos?

—Así es.

—Los tiene el doctor Shryack. Debe de estar haciéndolas en este momento.

—¿Puedo asistir a la autopsia? —preguntó Victor.

—No hay problema —dijo, tras consultar la tabla—. Anfiteatro tres. —Y cuando Victor estaba a punto de salir: —Usted *es* médico, ¿no? —Victor asintió. —Bueno, que se divierta —dijo el patólogo, y se inclinó nuevamente sobre la máquina.

El departamento de patología era, como el resto del hospital, ultramoderno, equipado con tecnología de punta. Todo era de acero, vidrio o fórmica.

Las cuatro salas de autopsia parecían quirófanos. Sólo una estaba ocupada. Victor entró sin llamar. La mesa de disección, como el resto del mobiliario, era de acero inoxidable. Los dos hombres parados a cada lado de la mesa alzaron la vista. Entre ellos estaba tendido el cuerpo de un niño, abierto en dos como un pescado eviscerado. Había otro pequeño cadáver, cubierto por una sábana, sobre una camilla rodante.

Victor se estremeció. Después de tantos años se había desacostumbrado al impacto de la sala de patología. Impacto tanto mayor cuando se trataba de un niño.

—¿En qué le podemos servir? —preguntó el médico de la derecha. Llevaba barbijo de cirujano, pero el delantal no era de tela sino de caucho.

—Soy el doctor Frank —dijo Victor, tratando de contener las náuseas. Además del impacto visual, reinaba en el lugar un olor fétido que el acondicionador de aire no alcanzaba a disipar. —Me interesan los casos Hobbs y Murray. El doctor Burghofen me dio permiso para venir.

—Acérquese, entonces —dijo el patólogo, agitando el bisturí.

Victor entró con cautela, evitando mirar el pequeño cadáver eviscerado.

—¿Doctor Shryack? —preguntó.

—Soy yo —dijo el patólogo. Era un joven de voz cordial y ojos chispeantes. —Él es Samuel Harkinson, mi ayudante. ¿Los niños eran pacientes suyos?

—No, pero me interesa mucho conocer la causa de la muerte.

—Únase a nosotros —dijo Shryack—. ¡Una historia de lo más extraña! Mire este cerebro.

Victor tragó el nudo que se le había formado en la garganta. Los patólogos habían cortado el cuero cabelludo y lo habían estirado sobre la cara. Luego habían serruchado y retirado la tapa de los sesos. El cerebro, libre de su prisión, desbordaba la caja craneana, dándole al niño el aspecto de un ser extraterrestre. La mayoría de las circunvoluciones corticales estaban aplanadas, por haber sido aplastadas contra el interior de la bóveda craneana.

—Nunca vi semejante edema cerebral —dijo el doctor Shryack—. Sacar el cerebro me dio mucho trabajo. Tardé más de media hora con el otro. —Señaló el cuerpo cubierto por la sábana.

—Hasta que le encontró la vuelta —dijo Harkinson. Tenía un leve acento londinense.

—Así es, Samuel.

Harkinson tomó la cabeza del niño entre las manos y apartó el cerebro inflamado para que Shryack insertara el cuchillo entre el cerebro y la base del cráneo y seccionara la médula espinal.

Luego desgarró las meninges para sacar el cerebro de su caja, Harkinson seccionó los nervios craneales y el patólogo alzó la masa cerebral para colocarla sobre el platillo de la balanza. La aguja osciló unos instantes hasta detenerse en 1,6.

—Tres cuartos de kilo más de lo normal —dijo Shryack. Alzó el cerebro en sus manos enguantadas y lo llevó a una pileta, donde lo lavó para eliminar los coágulos de sangre y otros restos. Luego lo colocó sobre una tabla de madera.

Sus manos experimentadas palparon cuidadosamente la masa cerebral en busca de señales de patología macroscópica: —Aparte del tamaño, parece normal —comentó.

Tomó una cuchilla del cajón y cortó el cerebro en rodajas de algo más de un centímetro de espesor: —No hay hemorragia ni tumores ni infección. El NMR tenía razón, para variar.

—Quisiera pedirle un favor —dijo Victor—. ¿Sería posible que me diera una muestra para hacerla analizar en mi laboratorio.

El doctor Shryack se encogió de hombros:

—Supongo que puedo darle una muestra, siempre que no se sepa. Imagine los titulares: "Médicos regalan tejidos cerebrales". No nos darían una autopsia más.

—No se preocupe, seré una tumba.

—¿Quiere éste, que es del chico Hobbs, o el otro?

—Los dos, si no es problema.

—Bueno, creo que da lo mismo dos muestras que una.

—¿Ya hizo la patología macroscópica de las vísceras?

—No, es lo que voy a hacer ahora. ¿Quiere ver?

—Ya que estoy aquí...

VJ se mostró aún menos comunicativo en el viaje de vuelta a Lawrence que en la ida a Boston. Evidentemente estaba furioso. Marsha se preguntó si se sometería a los tests de buen grado. En caso contrario, perderían el tiempo.

Marsha estacionó el auto frente al edificio donde tenía su consultorio. Aunque era un solo piso, tuvieron que subir en ascensor porque las puertas de la escalera estaban cerradas con llave.

—Sé que esto no te gusta —dijo Marsha—. Pero me parece necesario hacerte unos tests psicológicos. Sin embargo, si no cooperas, será una pérdida de tiempo para ti y para Jean. ¿Está claro?

—Perfectamente claro —dijo VJ, mirándola fijamente

con sus deslumbrantes ojos celestes.

—Entonces, ¿cooperarás?

VJ asintió fríamente.

Jean estaba encantada de verlos. Había tenido problemas con algunos pacientes de Marsha, pero los había resuelto con su característica eficiencia.

Estaba encantada de ver a VJ, aunque él la saludó con escaso entusiasmo y se disculpó para ir al baño.

—Está un poco trastornado —dijo Marsha. Relató los hechos de la mañana y le dijo a Jean que preparara la batería de tests psicológicos.

—Con todo el trabajo que tenemos hoy, va a ser difícil —dijo Jean—. Usted no estaba y el teléfono no ha parado de sonar.

—Conecta el contestador automático —dijo Marsha—. Tengo que hacerle los tests hoy, es muy importante.

Jean asintió, sacó los formularios y preparó la computadora para calificar y correlacionar los resultados.

Cuando VJ volvió del baño, Jean lo sentó directamente frente al tablero y le preguntó por cuál de los tests quería empezar, ya que los conocía.

—Empecemos con los de inteligencia —dijo VJ, más animado que antes.

Durante una hora y media Jean lo sometió al tests de inteligencia WAIS-R, que comprende seis substest orales y cinco de ejecución. Sabía por experiencia que los resultados eran aceptables, pero muy alejados de los que obtenía VJ siete años antes. Advirtió también que el niño vacilaba antes de responder una pregunta o ejecutar una consigna, como si verificara mentalmente cada respuesta.

—¡Excelente! —dijo Jean al concluir—. Bueno, vamos al tests de personalidad.

—¿El MMPI? —preguntó VJ—. ¿O es el MCMI?

—Parece que has estado leyendo ciertos libros —dijo Jean.

—Y, si la madre de uno es psiquiatra...

—Bueno, haremos los dos, pero empecemos por el MMPI —dijo Jean—. No es necesario que yo esté presente. Es un *multiple choice*. Si me necesitas, llámame.

Jean dejó a VJ en la oficina y volvió a la recepción. Escuchó los mensajes del contestador automático, atendió los que pudo y cuando salió el paciente que Marsha estaba atendiendo, le transmitió los que ella debía contestar en persona.

—¿Cómo van los tests? —preguntó Marsha.

—Mejor, imposible.

—¿Muestra buena disposición?

—Sí, está hecho un amor —dijo Jean—. Casi diría que se divierte con esto.

Marsha meneó la cabeza, asombrada:

—Es mérito tuyo. Esta mañana estaba de un humor de perros.

Jean sonrió ante el elogio:

—Hicimos el WAIS-R, ahora está haciendo el MMPI. ¿Qué otros quiere que hagamos? ¿Le parece un Rorschach y un Test de Apercepción Temática?

Marsha se mordisqueó la uña del pulgar, pensativa:

—Hagamos el TAT y dejemos el Rorschach para otro día.

—No tengo problema en hacer los dos, si quiere.

—No, sólo el TAT —dijo Marsha, tomando la hoja clínica del paciente que la aguardaba—. No abusemos del buen humor de VJ. Además, sería interesante comparar los resultados del TAT con los de Rorschach si los hace en días distintos. —Llamó al paciente que la esperaba y se encerró en el consultorio.

Jean liquidó un poco más de papelerío y volvió a la oficina. VJ estaba absorto.

—¿Tienes algún problema? —preguntó Jean.

—Algunas preguntas son difíciles —rió el chico—. Ni siquiera tienen respuestas apropiadas.

—Se trata de elegir la mejor respuesta posible —dijo Jean.

—Ya lo sé. Es lo que trato de hacer.

A mediodía fueron a almorzar en la cafetería del hospital. Marsha y Jean pidieron sándwiches de atún, VJ una hamburguesa y un jugo con leche batida. Marsha estaba feliz de ver el cambio de actitud de VJ. Pensó que tal vez sus temores eran infundados, y que los tests revelarían un cuadro psicológico sano. Se moría por conocer los resultados, pero no podía hablar de eso con Jean en presencia del niño. Media hora más tarde, volvieron a sus respectivas ocupaciones.

Una hora después, Jean conectó el contestador automático y volvió a la oficina. En ese preciso instante VJ marcó la última respuesta, alzó la vista y dijo, "listo, terminé".

—Muy bien —dijo Jean. El chico había contestado las quinientas cincuenta preguntas en la mitad del tiempo promedio. —¿Seguimos o prefieres descansar un poco?

—No, quiero terminar lo antes posible.

Durante noventa minutos Jean le mostró las tarjetas del TAT, una después de otra. En cada tarjeta había un dibujo en blanco y negro de personas en actitudes que suscitaban respuestas con un trasfondo psicológico. El sujeto debía expresar lo que en su opinión ocurría en cada dibujo y los sentimientos de las personas. Así proyectaba sus fantasías, sentimientos, pautas de relación, necesidades y conflictos.

El TAT solía ser penoso con algunos pacientes, pero en este caso Jean disfrutó con VJ. El chico daba explicaciones interesantes y sus respuestas eran normales y racionales. Al concluir el test, Jean estaba segura que VJ era un muchacho emocionalmente estable, bien adaptado y maduro.

Cuando salió el último paciente, Jean fue al consultorio con los resultados impresos por la computadora. El MMPI sería evaluado luego por un programa con una base de datos más amplia, pero la PC les daba una evaluación preliminar.

Marsha echó una primera mirada a los resultados, mientras Jean le transmitía su evaluación clínica inicial:

—Me parece un chico modelo. No veo por qué se preocupa tanto.

—Me alegra oír eso —dijo Marsha, mientras estudiaba

rápidamente los resultados del test de inteligencia. El puntaje general era ciento veintiocho, una variación de dos puntos con respecto al resultado obtenido varios años antes. Por consiguiente, el índice no había variado. Era un puntaje muy bueno, sano y normal, muy superior a la media. Pero había una discrepancia que merecía atención: una diferencia de quince puntos entre el índice oral y el de ejecución, siendo aquél inferior a éste, lo que parecía indicar un problema cognitivo relacionado con alguna discapacidad en el área del lenguaje. Lo cual era absurdo, dada la facilidad con que VJ había aprendido el francés.

—Sí, me llamó la atención —dijo Jean en respuesta a la pregunta de Marsha—. Pero no le di importancia, en vista de que el puntaje general es tan elevado. ¿A usted le parece importante?

—No sé qué pensar —dijo Marsha—. Nunca había visto un resultado semejante. Bueno, veamos el MMPI.

Marsha ordenó los resultados del inventario de personalidad sobre su escritorio. La primera parte comprendía las llamadas escalas de validez. A primera vista, le llamaron la atención las escalas F y K, ambas situadas en el límite superior de lo que se consideraba normal.

—Pero están dentro de lo normal —insistió Jean cuando Marsha lo señaló.

—Es verdad —dijo Marsha—, pero recuerda que todo esto es relativo. ¿Por qué las escalas de validez son casi anormales?

—Lo hizo muy rápidamente —dijo Jean—. Tal vez se descuidó.

—VJ jamás es descuidado —dijo Marsha—. Bueno, tendré que estudiarlo. Sigamos.

La segunda parte del informe comprendía las escalas clínicas. Ninguna salía de los límites de la normalidad. Sobre todo, para satisfacción de Marsha, las escalas cuatro y ocho se situaban en los límites normales. Se referían a las desviaciones psicopáticas y la conducta esquizofrénica, respectivamente. Marsha suspiró aliviada, porque esas escalas tenían una elevada correlación con la realidad clínica, y temía los resultados a la luz de la historia clínica de VJ.

Pero a continuación advirtió que la escala tres era "alta normal", lo que indicaba una tendencia a la histeria y a buscar atención y afecto. Esto no tenía nada que ver con la experiencia de Marsha.

—¿Tuviste la impresión de que VJ cooperaba contigo durante este test? —preguntó.

—Sin ninguna duda —respondió Jean.

—Cualquiera estaría feliz de ver estos resultados —dijo Marsha. Juntó los papeles y los apoyó de canto sobre el escritorio para ordenarlos.

—Más que feliz —asintió Jean.

Marsha abrochó los papeles y los guardó en su portafolio.

—Sin embargo, tanto el Wechaler como el MMPI son un tanto anormales. O tal vez habría que decir inesperados. Hubiera preferido que fueran normales y punto. Dime, ¿cómo respondió VJ al TAT del hombre que alza el brazo frente al niño?

—Dijo que le estaba enseñando algo.

—¿Quién enseñaba el hombre o el niño? —rió Marsha.

—El hombre, sin duda.

—¿Había hostilidad en la situación?

—En absoluto.

—¿Por qué tenía el brazo alzado?

—Porque le enseñaba al chico a jugar al tenis. Más precisamente, a alzar la raqueta para el servicio.

—¿Al tenis? VJ nunca jugó al tenis.

Al llegar a Chimera, Victor advirtió que ya no había nieve en el suelo, a pesar de la tormenta de la noche anterior. Estaba nublado, pero la temperatura había ascendido.

Estacionó en el lugar habitual, pero no fue a la administración sino al laboratorio, con una bolsa de papel marrón.

—Tengo un trabajo urgente y prioritario que quiero que haga —dijo a Robert Grimes, el jefe de los técnicos.

Era un hombre delgadísimo y reconcentrado, cuyas camisas demasiado holgadas acentuaban su delgadez. Sus ojos saltones le daban un aire de perpetua sorpresa.

Victor sacó los tubos de ensayo con sangre congelada de VJ y los frascos con muestras de tejido cerebral de los niños muertos.

—Quiero análisis cromosómicos de estas muestras.

Robert tomó los tubos de ensayo, los agitó, y luego examinó las muestras de tejido.

—¿Quiere que deje todo lo demás y me ocupe de esto?

—Así es, y quiero los resultados lo antes posible. Además, quiero que haga la tinción neural estándar en las muestras de tejido cerebral.

—Tendré que abandonar la implantación uterina.

—Sí. Yo lo autorizo.

Victor salió del laboratorio y se dirigió al siguiente edificio, donde se encontraba la computadora central. Ocupaba el centro geométrico del patio, una ubicación ideal para efectuar las conexiones con las demás instalaciones. La oficina de Louis Kaspwicz ocupaba la planta superior. Victor halló al jefe de informática cuando supervisaba a un grupo de técnicos que revisaban una de las computadoras. El gran aparato estaba abierto, como un cuerpo humano en el quirófano.

—¿Tiene algo que informar? —preguntó Victor.

Louis asintió, dijo a los técnicos que prosiguieran la búsqueda del desperfecto y condujo a Victor a su oficina, donde tomó una carpeta que contenía los archivos de la computadora.

—Descubrí por qué no pudo llamar esos archivos desde su terminal —dijo, mientras hojeaba la carpeta.

· —Ah, ¿sí? —dijo Victor, mientras el técnico seguía buscando.

Al no hallar lo que buscaba, se enderezó, miró alrededor,

luego tomó una hoja de su escritorio y murmuró, "aquí está".

—No pudo llamar los archivos Baby-Hobbs y Baby-Murray porque fueron borrados el 18 de noviembre pasado —dijo, agitando la hoja.

—¿Borrados?

—Así es. El archivo de la computadora correspondiente al 18 de noviembre lo indica claramente.

—Qué extraño —dijo Victor—. ¿Puede determinar quién lo hizo?

—Claro —replicó Louis—. Tenemos la clave personal de acceso del usuario.

—¿Y bien? —preguntó Victor con fastidio cuando el técnico vaciló.

Louis lo miró, luego apartó la mirada:

—Fue usted, doctor Frank.

—¿Yo? —exclamó, sorprendido. Había esperado cualquier respuesta menos esa. Recordaba que en algún momento había pensado en borrar esos archivos, inclusive que había consultado el procedimiento para hacerlo, pero no que lo hubiera llevado a cabo.

—Lo siento —dijo Louis. Evidentemente se sentía incómodo.

—No, está bien —dijo Victor. Estaba avergonzado. —Le agradezco que se tomara el tiempo para hacerlo.

—No, al contrario —dijo Louis.

Victor salió del centro de computación, ensimismado y perplejo. Sabía que últimamente se había vuelto un tanto distraído y olvidadizo, pero no hasta el grado de borrar un archivo sin poder recordarlo. ¿Habría sido un accidente? Se preguntó qué había hecho el 18 de noviembre. Volvió al edificio administrativo y subió lentamente la escalera hasta el segundo piso, donde estaba su oficina. Al recorrer el pasillo hacia su oficina, resolvió verificar su agenda. Se quitó el sobretodo, lo colgó en el perchero y fue a hablar con Colleen.

—¡Doctor Frank, me asustó! —exclamó la joven cuando Victor le tocó el hombro. Estaba absorta en su trabajo de dactilografía y tenía colocados los audífonos del grabador. —No sabía que había llegado.

Victor se disculpó, dijo que había entrado por atrás.

"¿Qué pasó en el hospital? —preguntó. Victor le había dicho que llegaría tarde. —Espero que VJ esté bien.

—Está muy bien —sonrió Victor—. Las pruebas dieron todas normales. Faltan los resultados de algunos análisis de sangre, pero no hay problema.

—¡Gracias a Dios! —exclamó la secretaria—. Me asustó esta mañana. Un examen neurológico completo es cosa seria.

—Yo también estaba preocupado —asintió Victor.

—Querrá ver los mensajes —dijo Colleen, tomando varias hojas de papel de su escritorio—. Lo llamó medio mundo esta mañana.

—Que esperen —dijo Victor—. ¿Me busca la agenda de 1988? Me interesa especialmente el 18 de noviembre.

—Cómo no —dijo Colleen. Apartó el dictáfono, se paró y fue al archivador.

Victor volvió a su oficina. Mientras esperaba, se puso a pensar en la amenaza telefónica que había recibido VJ y en qué podría hacer al respecto. Llegó a la conclusión de que no había mucho que hacer. Si acusaba a las personas que tenían problemas con él, evidentemente lo negarían.

Colleen entró en la oficina con la agenda de 1988 abierta en la hoja del 18 de noviembre y la puso sobre el escritorio. Había sido un día bastante atareado, pero no había nada ni remotamente relacionado con los archivos borrados. La última anotación del día indicaba que esa noche había salido con Marsha a cenar y a un concierto de la Sinfónica de Boston.

Marsha se quitó el salto de cama y se deslizó bajo las cobijas tibias. Al mismo tiempo bajó el dial de la frazada eléctrica de máximo a tres. Victor se había alejado del calor: jamás encendía su mitad de la frazada. Se había acostado media hora antes y hojeaba una revista especializada.

Marsha se tendió de costado y estudió el perfil de Victor. La nariz fina, las mejillas y los labios delgados, le eran conocidos como su propio cuerpo. Sin embargo, le parecía un extraño. No terminaba de aceptar el experimento que había realizado con su propio hijo. Sus sentimientos oscilaban entre la incredulidad, la furia y el miedo. Sobre todo, el miedo.

—¿Te parece que los análisis indican que VJ está bien? —preguntó.

—Me siento mucho más tranquilo —dijo Victor sin alzar la vista—. Y tú parecías muy feliz en el consultorio del doctor Ruddock.

Marsha se tendió de espaldas.

—Fue sólo una reacción de alivio porque no apareció un tumor cerebral ni nada por el estilo. —Miró otra vez a Victor: —Pero todavía no se explica la brusca pérdida de inteligencia.

—Pero eso sucedió hace seis años y medio.

—Lo que me preocupa es que vuelva a suceder.

—Como quieras.

—¡Victor! —exclamó—. ¿Podrías dejar esa revista un momento? Tenemos que hablar.

Dejó caer la revista:

—Bueno, hablemos.

—Muchas gracias —dijo Marsha—. Claro que estoy feliz por los resultados del examen físico. Pero los exámenes psicológicos no fueron tan normales. Los resultados son inesperados y un poco contradictorios. —Hizo un breve resumen de los resultados obtenidos, dejando para el final el puntaje relativamente alto en la escala de histeria.

—VJ no es un chico emotivo —dijo Victor.

—Eso es justamente a lo que quería llegar.

—Me parece que si algo anda mal, es el test en sí. Los resultados son poco confiables.

—Al contrario, justamente estos tests son de los más confiables. Pero no sé cómo evaluar los resultados. Desgraciadamente, sólo consiguen aumentar mi preocupación. Tengo la sensación de que va a suceder algo horrible.

—Escucha —dijo Victor—. Llevé una muestra de sangre de VJ al laboratorio. Voy a aislar el cromosoma seis. Si no hay cambios, será la prueba de que todo está bien. Debes tranquilizarte. —Extendió el brazo como para palmearle el muslo, pero ella apartó la pierna. Victor dejó caer la mano sobre la cama —Si VJ tiene algún problema psicológico leve, es otra cosa. Irá a terapia. ¿De acuerdo? —Quería tranquilizarla, pero no sabía qué decir. De ninguna manera mencionaría los archivos borrados.

—Está bien —dijo Marsha, tomando aliento—. Trataré de tranquilizarme. Quiero saber el resultado del análisis de DNA cuando lo tengas.

—Por supuesto —sonrió Victor. Ella trató de devolverle la sonrisa.

Victor trató de reanudar su lectura, pero no podía dejar de pensar en los archivos borrados. Se preguntó si él mismo lo había hecho. Era posible. Como no había relación entre los tres, difícilmente los habría borrado otro.

—¿Averiguaste la causa de la muerte de los pobres bebés?

—Todavía no —dijo Victor, soltando otra vez la revista—. Falta una parte de la autopsia, sobre todo el estudio microscópico.

—¿Habrá sido un cáncer? —preguntó Marsha.

Recordó el día en que se enfermó David. 17 de junio de 1984: jamás olvidaría esa fecha. David tenía diez años, VJ cinco. Estaban de vacaciones y ese día irían a la playa con Janice.

Marsha estaba en su escritorio, preparando sus papeles y a punto de ir al consultorio, cuando David apareció en la puerta, con los brazos caídos a los costados.

—Mamá, me siento mal.

Marsha no alzó la vista. Buscaba un legajo que había traído del consultorio el día anterior.

—¿Qué te duele? —preguntó, abriendo un cajón después de otro. La noche anterior David había sentido un malestar estomacal, pero lo habían aliviado con un antiácido.

—Tengo cara fea —dijo.

—No, eres un chico de lo más lindo —dijo Marsha, de espaldas a él y revisando los anaqueles empotrados en la pared.

—Estoy todo amarillo.

Dejó de buscar sus papeles y se volvió hacia el chico, que corrió a hundir la cara entre sus senos. Era un niño muy afectuoso.

—¿Por qué dices que estás amarillo? —preguntó, ya con cierto temor—. Déjame verte la cara —insistió, tratando de apartarlo de sí. Seguramente habría una explicación cómica para el asunto.

Pero David se aferró con fuerza:

—Son los ojos —dijo—. Y la lengua.

—Si tienes la lengua amarilla, es porque estuviste comiendo pastillas de limón. Bueno, déjame ver.

Salieron del escritorio, donde había poca luz, y se pararon frente a la ventana. Al ver sus ojos a la luz del sol, Marsha contuvo el aliento, angustiada. Era una ictericia severa.

Ese día, una tomografía indicó la presencia de un tumor difuso en el hígado. Era un cáncer sumamente virulento, que destrozó el hígado del niño en pocos días.

—Ninguno de los dos parecía tener cáncer —dijo Victor, y Marsha se sobresaltó—. No aparecieron tumores en el estudio macroscópico.

Marsha trató de borrar la imagen de David, los ojos amarillos en medio de la cara demacrada. La misma piel había tomado un tinte amarillento. Carraspeó:

—¿Existe la posibilidad de que la muerte de los bebés fuera provocada por los genes extraños que les inoculaste?

—Prefiero creer que no hubo relación entre las dos muertes —dijo Victor después de una pausa—. He hecho centenares de experimentos con animales y jamás hubo problemas de salud.

—Pero no estás seguro.

—Efectivamente, no tengo plena seguridad —asintió Victor.

—¿Qué harás con las cinco cigotas restantes?

—¿Qué quieres que haga? Están almacenadas en estado de congelamiento.

—¿Son normales o mutantes?

—A todas las inoculé con el gen FDN.

—Destrúyelas.

—¿Pero por qué?

—Dijiste que lamentabas lo que habías hecho —exclamó Marsha, furiosa—, y todavía me preguntas por qué debes destruirlas.

—No voy a implantarlas —dijo Victor—. Lo prometo. Pero las necesito para descubrir qué pasó con los bebés. Recuerda que sus cigotas estuvieron congeladas. Esa fue la única diferencia entre ellos y VJ.

Marsha estudió el rostro de Victor. Era horrible saber que dudaba de su palabra. Y que esas cigotas eran viables.

Pero antes de que pudiera responder, se oyó un ruido de vidrios rotos seguido de un chillido agudo. El ruido venía del cuarto de VJ. Marsha y Victor se levantaron rápidamente y se precipitaron al pasillo.

Capítulo 7

Martes, avanzada la noche

VJ estaba acurrucado contra la cabecera de la cama, la cabeza entre los brazos. Sobre la alfombra del centro de la habitación había un ladrillo, al que estaba sujeta una hoja de papel por medio de una cinta roja, por lo que parecía un paquete envuelto para regalo. La ventana estaba rota y el piso regado de astillas de vidrio. Evidentemente, alguien había arrojado el ladrillo desde la entrada.

Marsha iba a precipitarse hacia su hijo, pero Victor la contuvo:

—¡Cuidado, el piso está lleno de vidrios rotos!

—VJ, ¿estás bien? —preguntó Marsha.

VJ asintió.

Victor tomó la alfombra oriental del pasillo y la arrojó sobre el piso. Luego corrió a la ventana. No había nadie abajo.

—Voy a salir —dijo.

—No te hagas el héroe —chilló Marsha, pero Victor ya bajaba la escalera. Se volvió hacia VJ: —No te muevas. Hay mucho vidrio, podrías lastimarte. Volveré enseguida.

Corrió al dormitorio principal, se puso las pantuflas y el salto de cama y volvió. VJ se dejó abrazar. "Agárrate fuerte", gruñó Marsha, alzándolo con dificultad. Era más pesado de lo que parecía. Lo llevó al pasillo y lo bajó con alivio.

"En unos meses más ya no podré levantarte —gimió—. Eres demasiado pesado.

—Voy a averiguar quién fue —gruñó VJ.

—¿Te asustó, mi amor? —dijo Marsha, acariciándole la cabeza.

Le apartó la mano con rudeza:

—Voy a descubrir quién fue. Lo voy a matar.

—Ya, ya está bien —dijo Marsha, tratando de calmarlo—. Sé que estás asustado, pero todo está bien. Nadie fue herido.

—Lo voy a matar —insistió VJ—. Ya lo verás. Lo voy a matar.

—Está bien —dijo Marsha. Trató de abrazarlo, pero él se resistió. Lo miró por un instante. La luz de sus ojos era intensa, penetrante y muy adulta. —Bajemos al escritorio. Voy a llamar a la policía.

Victor corrió hasta la calle y miró en ambas direcciones. A unos veinte metros arrancaba un auto. Iba a lanzarse hacia allá, cuando se encendieron los faros y el auto se alejó velozmente. No pudo verlo.

Furioso, le arrojó una piedra, pero ya era tarde. Volvió rápidamente a la casa. Marsha y VJ estaban en el escritorio. Habían estado conversando, pero callaron al ver a Victor.

—¿Dónde está el ladrillo? —jadeó Victor.

—En el cuarto de VJ —dijo Marsha—. Lo dejamos donde cayó. VJ me contaba cómo piensa matar al que lo tiró.

—¡Es verdad, lo haré! —dijo el chico.

Victor gimió: para Marsha sería una prueba adicional de que el chico estaba trastornado. Volvió a la habitación. El ladrillo seguía en el mismo lugar. Se inclinó y tomó el papel atado a la cinta. El mensaje, dactilografiado, decía "recuerde que tenemos un acuerdo". Victor hizo una mueca de disgusto. ¿Quién diablos haría una cosa así?

Volvió al escritorio con el ladrillo y el mensaje y se los mostró a Marsha, que los tomó en sus manos.

Iba a decir algo cuando sonó el timbre.

—¿Ahora qué pasa? —preguntó Victor.

—Es la policía —dijo Marsha, y se paró—. Yo los llamé mientras tú corrías por ahí. —Bajó.

Victor miró a VJ:

—Te asustaste, ¿verdad Tigre?

—Por supuesto que sí. Cualquiera en mi lugar se habría asustado.

—Sí, lo sé. Lamento que tengas que sufrir esto. Quiero decir, lo de la llamada de anoche, y ahora el ladrillo. Sé que no comprendes, pero tengo problemas con el personal del laboratorio. Veré qué hago para evitar que se repitan estos incidentes.

—No tiene importancia.

—Te agradezco que lo tomes así —dijo Victor—. Bueno, bajemos. La policía espera.

—¿Y qué puede hacer la policía? Nada —comentó VJ. Pero se paró y se dirigió a la escalera.

Victor lo siguió. Pensaba lo mismo, pero le sorprendía que VJ hubiera llegado a esa conclusión, si sólo tenía diez años.

La policía de North Andover era amable y solícita. Sus representantes en la ocasión eran el sargento Widdicomb y el agente O'Connor. Widdicomb tenía por lo menos sesenta y cinco años, piel rubicunda y un enorme vientre de bebedor habitual de cerveza. O'Connor era el polo opuesto: unos veinticinco años y físico de atleta. El primero hablaba por los dos.

Cuando Victor y VJ bajaron al vestíbulo, Widdicomb leía la nota mientras su compañero estudiaba el ladrillo. Devolvió la nota a Marsha.

—Es terrible —dijo—. Antes estas cosas sólo ocurrían en Boston, no en estos suburbios.

Sacó una libreta, lamió la punta del lápiz y empezó a tomar apuntes. Las preguntas eran las que cabía esperar. La hora del suceso, si vieron a alguien, si estaban encendidas las luces del dormitorio. Aburrido, VJ fue a la cocina.

Widdicomb concluyó sus apuntes y pidió permiso para investigar el terreno en busca de rastros.

—Por supuesto —dijo Marsha, y lo acompañó a la puerta.

Esperó a que salieran los agentes y se volvió hacia Victor:
—Anoche me aseguraste que no había de qué preocuparse, que te ocuparías de las amenazas.

—Sí, lo sé —dijo Victor. Estaba avergonzado. Marsha aguardó a que dijera algo más, pero no lo hizo.

—Una amenaza, vaya y pase —dijo ella—. Pero que tiren un ladrillo por la ventana de nuestro hijo... Te dije que no quería más sorpresas. Creo que tengo derecho a saber cuáles son esos problemas que tienes en el trabajo.

—De acuerdo —dijo Victor—. Pero antes, déjame preparar un trago. Me hace falta.

VJ había encendido el televisor de la sala para mirar el programa de Johnny Carson. Había apoyado la cabeza en el brazo y su mirada era vidriosa.

—¿Te sientes bien? —preguntó Marsha desde la cocina.

—Sí, muy bien —dijo VJ sin mirarla.

—Dejemos que se distienda —le dijo a Victor, que preparaba una mezcla con ron caliente.

Tazas en mano, se sentaron a la mesa de la cocina. Victor relató brevemente su controversia con Ronald, las negociaciones con el abogado de Gephardt, las amenazas de Sharon Carver y el problema con Hurst.

—Y ya lo sabes —dijo en conclusión—. Fue una semana de tantas en la oficina.

Marsha meditó un rato y llegó a la conclusión de que, con excepción de Ronald, cualquiera de ellos podía ser el culpable.

—¿Y la nota en sí? —preguntó—. ¿Qué es eso de un acuerdo?

Victor sorbió su bebida, dejó la taza y tomó la nota. La estudió en silencio unos instantes:

—No tengo la menor idea. No he hecho acuerdos con nadie. —Dejó la hoja sobre la mesa.

118

—Pero alguien está convencido de lo contrario.

—Cualquiera que sea capaz de arrojar un ladrillo a la ventana es capaz de tomar sus propias fantasías por realidad. Pero hablaré con cada uno de ellos y les haré saber que no me quedaré cruzado de brazos para que nos tiren ladrillos a las ventanas.

—¿Y si hablaras con una agencia de seguridad?

—No es mala idea. Pero antes llamaré a esta gente. Creo que con eso se resolverá el problema.

Sonó el timbre.

"Iré yo —dijo Victor. Dejó la taza sobre la mesa y salió de la cocina.

Marsha fue a la sala. El televisor seguía encendido, pero en lugar de Johnny Carson la pantalla mostraba una de esas series para insomnes. Era tardísimo. VJ dormía. Apagó el televisor y miró a su hijo. No quedaban rastros de esa intensa hostilidad que había expresado unas horas antes. Dios mío, pensó, ¿qué consecuencias tuvo el experimento de Victor sobre su bebé?

La puerta se cerró con estrépito y Victor volvió a la sala:

—La policía no descubrió nada. Dicen que van a vigilar la casa durante la próxima semana o diez días. —Miró a VJ: —Veo que se recuperó.

—Ojalá —dijo Marsha con tristeza.

—No empieces otra vez. No quiero escuchar una conferencia sobre la hostilidad del chico ni nada por el estilo.

—Debe de haber sido un golpe durísimo para él cuando cayó su coeficiente de inteligencia —dijo Marsha, siguiendo sus propios pensamientos—. La pérdida de sus facultades especiales le habrá significado una pérdida tremenda de su autoestima.

—Tenía tres años y medio —replicó Victor.

—Sé que no estamos de acuerdo —dijo Marsha, mirando al niño dormido—. Pero estoy aterrada. No puedo creer que tu experimento genético no tendrá consecuencias en el futuro.

A la mañana siguiente la temperatura había trepado hasta los dieciocho grados y el cielo estaba despejado. Victor abrió las ventanillas y el techo corredizo del auto. El aire estaba impregnado de aromas que permitían anticipar la llegada de la primavera. Victor apretó el acelerador y se lanzó a la carrera por las calles estrechas.

Miró a VJ, que aparentemente había olvidado el incidente de la noche anterior. El chico había extendido el brazo por la ventanilla y dejaba que el viento le acariciara la mano. Era un gesto sencillo y normal. A Victor le gustaba hacerlo cuando tenía la edad de VJ.

Sin embargo, Marsha le había contagiado sus temores. Físicamente estaba bien, pero todavía no se podía determinar si los genes extraños no habían afectado su desarrollo. VJ era un solitario. En ese sentido, era distinto del resto de la familia.

—¿Cómo es tu amigo Richie? —preguntó Victor sin preámbulos.

VJ lo miró con una mezcla de fastidio e incredulidad:

—Hablas como mamá.

—Sí, así parece —rió—. Pero dime, ¿cómo es ese chico? ¿Por qué no lo has invitado a casa?

—Es un buen chico —dijo VJ—. Nos vemos todos los días en el colegio. Pero en casa tenemos gustos distintos. Le gusta mucho la televisión.

—Si quieres ir con él a Boston, los haré llevar en un auto de la empresa.

—Gracias, papá. Hablaré con Richie.

Victor se acomodó en el asiento. Evidentemente, su chico tenía amigos. Esa noche hablaría de ello con Marsha.

En el momento en que Victor detuvo su auto en la playa de estacionamiento de Chimera, el corpachón de Philip apareció como por arte de magia. Sonrió al ver a VJ, aferró el paragolpes delantero del auto y lo sacudió.

120

—Cuidado que no lo vuelque —exclamó Victor.

VJ bajó del auto y le dio un puñetazo amistoso en el brazo. Philip se tambaleó y se aferró al brazo con una mueca fingida de dolor. VJ rió y los dos empezaron a alejarse.

—Esperen un momento —dijo Victor—. ¿Adónde van?

VJ giró y se encogió de hombros:

—No sé. A la cafetería, tal vez, o a la biblioteca. ¿Por qué? ¿Qué quieres que haga?

—Nada. Sólo que no quiero que te acerques al río. Con el calor está muy crecido.

Desde atrás de los edificios se alzaba el rugido del agua al pasar por el vertedero.

—No te preocupes —dijo VJ. —Hasta luego.

Bajo la mirada de Victor se alejaron hacia uno de los edificios, donde se encontraba la cafetería. En verdad, eran una pareja despareja.

Victor subió a su oficina y se puso a trabajar. Colleen le recordó los compromisos del día. Pudo delegar algunas tareas, luego ordenó sobre su escritorio los papeles que debía leer. Finalmente, sacó la nota que había estado sujeta al ladrillo.

—Recuerde que tenemos un acuerdo —repitió Victor en voz alta—. ¿Qué carajo quiere decir?

Bruscamente furioso, tomó el teléfono y llamó al abogado de Gephardt, a William Hurst y a Sharon Carver. No les permitió decir palabra. Le dijo a cada uno que no haría acuerdos con nadie y que la próxima vez que molestaran a su familia, llamaría a la policía.

Después se sintió avergonzado de su tontería, pero al menos tenía la esperanza de que el culpable lo pensaría dos veces antes de volver a actuar. A Ronald no lo llamó; era inconcebible que su viejo amigo cometiera un acto de violencia.

Resuelto el problema, Victor tomó el primer mensaje e inició las tareas administrativas del día.

Para Marsha, la mañana pasó en un desfile interminable de pacientes difíciles. Sin embargo, el del último turno antes del almuerzo llamó para cancelar la cita. Aprovechó esa hora libre para revisar los test de VJ. Recordó la intensa furia con que había reaccionado ante el incidente del ladrillo la noche anterior y consultó la escala clínica cuatro, en la que se debía de reflejar la hostilidad reprimida. El puntaje de VJ era muy inferior al que se podía esperar luego de su conducta de la víspera.

Marsha se paró, estiró los brazos y fue a la ventana del consultorio. Más allá de la playa de estacionamiento se veían prados y algunas colinas. Los árboles conservaban ese aspecto agónico, propio del invierno, y sus ramas se perfilaban como esqueletos contra el cielo azul.

Eso es lo que valen los tests psicológicos, pensó. Desgraciadamente no podía hablar con Janice Fay, la joven que había vivido con ellos hasta su muerte en 1985. Ella hubiera sido la más capacitada para comprender los cambios provocados en la personalidad de VJ por la pérdida de inteligencia. Aparte de Janice, la única persona adulta que había tenido contacto estrecho con VJ en esa época era Martha Gillespie, la directora del preescolar. El chico había empezado a asistir antes de cumplir dos años.

Impulsivamente dijo a Jean que no se quedaría a almorzar; que ella lo hiciera cuando tuviera ganas, sin olvidar conectar el contestador automático.

Absorta en su trabajo, Jean agitó la mano para indicar que había entendido.

Cinco minutos más tarde, Marsha se había lanzado a cien por hora por la autopista. Tomó la primera salida y siguió por los caminos vecinales.

El Instituto Preescolar Crocker era un lindo conjunto de casitas de paredes amarillas con persianas y molduras blancas en los terrenos de una gran propiedad. Marsha se preguntaba de dónde obtenía el instituto sus fondos, pero de acuerdo con el rumor, su propietaria, Martha Gillespie, había quedado viuda en su juventud y poseía una gran fortuna.

—Claro que recuerdo a VJ —dijo Martha con fingida indignación. Marsha la había hallado en la administración. Era una mujer de unos sesenta años, cabello blanco como la nieve, mejillas rosadas y sonrisa alegre. —Lo recuerdo muy bien desde el primer día que vino aquí. Un chico extraordinario.

Marsha también recordaba el primer día. Lo había traído muy temprano, preocupada porque VJ nunca había estado fuera de la casa sin ella o Janice. Sería su primera experiencia independiente. Pero el proceso de adaptación fue más penoso para la madre que para el hijo, quien, al ver un grupo de niños, corrió hacia allá sin una sola mirada atrás.

—Recuerdo que al final del primer día, todos los chicos hacían lo que él quería —dijo Martha—. ¡Y no tenía ni dos años!

—Recordará entonces lo que sucedió cuando sufrió esa caída de su inteligencia.

Martha hizo una pausa antes de responder:

—Sí, lo recuerdo.

—¿Y su conducta en esa época? ¿Puede decirme algo?

—¿Cómo está el chico en la actualidad?

—Bien. Al menos, eso espero.

—¿Tiene algún motivo para volver sobre este tema? Le pregunto, porque en el momento en que sucedió usted sufrió muchísimo.

—Es que me aterra la posibilidad de que vuelva a suceder. Entonces, me parece que si sé todo lo que pueda sobre el primer episodio, podré prevenir una recidiva.

—Espero serle de ayuda, pero no sé —dijo Martha—. El cambio de conducta fue notable y sobre todo repentino. VJ era un niño confiado, con una mente de capacidad aparentemente ilimitada. Pero después del incidente se convirtió en un chico introvertido, con pocos amigos. Pero no se volvió autista. Aunque se apartaba de los demás, no perdía conciencia de lo que sucedía alrededor. Todo lo contrario, diría yo.

—¿Interactuaba con niños de su edad?

—Muy poco. Cuando lo obligábamos a participar lo hacía sin oponer resistencia, pero cuando lo dejábamos librado a sus propios medios se limitaba a contemplar. Ah, y había una cosa extraña. Cuando lo hacíamos participar en un juego competitivo como el baile de la silla, dejaba ganar a los demás. Digo que era extraño porque, antes del problema, VJ ganaba casi todos los juegos, cualquiera que fuese la edad de los participantes.

—Eso sí que es extraño —dijo Marsha.

Más tarde, cuando volvía a su oficina, la acosaba la imagen de un chico de tres años y medio que se dejaba ganar en los juegos. Y también la del incidente del domingo anterior en la piscina. Marsha tenía mucha experiencia con infantes, pero jamás había observado un rasgo de conducta semejante.

—¡Perfecto! —exclamó Victor, alzando uno de los preparados microscópicos a la luz. El trozo de tejido cerebral, de escasos micrones de espesor, estaba sujeto por el cubreobjeto.

—Ese es el preparado Golgi —dijo Robert—. También hice un Cajal y un Bielschowsky. Si quiere otros preparados, avíseme.

—Perfecto —repitió Victor. En menos de veinticuatro horas, Robert había realizado una tarea que a un técnico menos idóneo le hubiera demandado varios días.

—Aquí tiene los preparados cromosomáticos. —El técnico le entregó una bandeja: —Todo está rotulado.

—Perfecto —volvió a repetir.

Victor tomó los preparados y cruzó la sala principal del laboratorio hacia los microscopios ópticos. Se sentó ante uno de los instrumentos y colocó en la platina el primer portaobjeto: rotulado *Hobbs lóbulo frontal derecho*.

Bajó la lente objetivo hasta que casi rozó el cubreobjeto. Luego se inclinó sobre el ocular y corrigió el foco.

—¡Dios mío! —exclamó cuando la imagen se volvió nítida. No había células malignas en el preparado, pero el efecto era el mismo. Los niños no habían muerto de edema cerebral ni acumulación de fluido. Lo que Victor vio fue la evidencia de una profunda actividad mitótica. Las células cerebrales se multiplicaban con la misma rapidez que en los dos primeros meses de desarrollo fetal.

Victor estudió rápidamente los preparados de otras zonas del cerebro de Hobbs y luego el de Murray. En todos vio lo mismo. Las células nerviosas se reproducían activamente y a gran velocidad. Dada la rigidez de la caja craneana, las nuevas células forzaban al cerebro a introducirse en el canal espinal. Los resultados eran fatales.

Aterrado y a la vez atónito, Victor tomó la bandeja de preparados y dejó el microscopio óptico. Cruzó el laboratorio hacia la sala del microscopio electrónico, que parecía el centro de mando de un moderno sistema armamentístico.

El instrumento en sí no se parecía en absoluto a un microscopio tradicional. Su tamaño era similar al de una heladera familiar. El alma del artefacto era un cilindro de unos treinta centímetros de diámetro por un metro de altura, con un gran generador de electrones en la parte superior. Los electrones eran alineados por imanes, que cumplían aquí la función de las lentes en el microscopio óptico. Junto al microscopio había una computadora de buen tamaño. Su función era analizar las imágenes de los planos múltiples del microscopio y transformarlas en imágenes tridimensionales sobre la pantalla.

Robert había preparado cortes delgadísimos de tejido con cromatina tomando algunas células que estaban en las etapas iniciales de la división. Victor colocó uno de los preparados en la platina y buscó el cromosoma seis. Buscaba el área de mutación donde había insertado genes extraños. La halló después de una hora de ardua búsqueda.

—Dios —susurró, atónito. Las histonas que envolvían normalmente el DNA estaban atenuadas o directamente ausentes de la zona del gen inserto. Además la cadena de DNA, que debía formar un rollo compacto, se había estirado. O sea que el proceso de transcripción estaba en marcha. ¡O sea que los genes insertos estaban activados!

El preparado del otro niño dio el mismo resultado. Los genes insertos estaban activados y producían FDN. No cabía la menor duda.

Luego tomó los preparados de la sangre de VJ. Estos le habrían exigido a Robert la mayor paciencia, ya que era mucho más difícil hallar las células apropiadas. Introdujo el preparado en el microscopio electrónico, buscó el cromosoma seis y a la media hora lo halló. Los estudió durante un largo rato y con extrema minuciosidad. Los genes estaban desactivados. La zona del gen inserto estaba rodeada de histona, como debía ser.

Victor se echó atrás en el asiento. VJ estaba bien, pero los otros dos niños habían sido víctimas de su experimento. ¿Cómo decírselo a Marsha? Ella querría separarse. Y él no sabía si sería capaz de asumirlo.

Bruscamente se paró y se paseó por la diminuta sala. El gen estaba activado, pero ¿cómo? Sólo se le ocurría pensar en el cefaloclor, el antibiótico que había suministrado a la madre sustituta de VJ durante la primera etapa del desarrollo embriológico. Entonces había que preguntarse quién había administrado la droga a los niños. No era fácil de obtener, y les habían advertido a los padres que sus hijos eran mortalmente alérgicos a ella. Victor estaba seguro de que ni los Hobbs ni los Murray habrían permitido que les recetaran cefaloclor a sus hijos.

La muerte simultánea de los dos niños obligaba a descartar la posibilidad de un accidente. Bruscamente aterrado, se preguntó si la zona del cromosoma seis donde había inoculado los genes extraños no era, como se creía, la de una secuencia sin sentido. Tal vez su ubicación con respecto a un catalizador interno había puesto en marcha un mecanismo desconocido de activación de los genes. En ese caso, VJ estaba en peligro. Tal vez el gen había sido activado durante un breve período cuando perdió su inteligencia.

Quiso tragar saliva, pero tenía la boca reseca. Recogió las muestras, fue al bebedero y bebió varios sorbos largos. Varios ayudantes trabajaban en el laboratorio principal, pero Victor no estaba de ánimo para conversar. Se encerró en su oficina. Trató de serenarse, pero cuando su pulso estaba por normalizarse, recordó las fotomicrografías de los cromosomas de VJ que había tomado seis años y medio atrás.

Se paró de un salto, abrió el archivador y hurgó nerviosamente hasta hallar las fotos tomadas cuando VJ sufrió la pérdida de su inteligencia. Soltó un suspiro de alivio. No había cambios en VJ. Su cromosoma seis conservaba el mismo aspecto que seis años atrás. El DNA no se había estirado ni perdido su envoltura proteínica.

Más sereno, Victor salió en busca de Robert. Lo halló en la sala de animales, supervisando el trabajo de la reemplazante de Sharon Carver, y se apartó con él.

—Tengo que encargarle otra tarea especial.

—Bueno, usted manda.

—Hay una zona del cromosoma seis en los preparados de cerebro donde el DNA perdió la envoltura y se estiró. Quiero que analice las secuencias lo antes posible.

—Me va a llevar bastante tiempo.

—Sé que es un trabajo tedioso, pero tengo sondas radiactivas que le servirán.

—Eso es otra cosa.

Fueron a la oficina de Victor a recoger el conjunto de frasquitos. Después de la partida del técnico, Victor siguió pensando en el problema. ¿Qué otro agente, aparte del cefaloclor, podía haber activado el gen FDN en los dos niños? Entre los treinta y los treinta y seis meses de edad se producía una desaceleración del proceso de desarrollo y no volvían a producirse cambios fisiológicos importantes antes de la pubertad.

El otro hecho extraordinario era la exacta coincidencia en el tiempo de la activación del gen FDN en los dos niños. No tenía sentido. Sus vidas no tenían otro punto de intersección que la guardería de Chimera. Era otro de los motivos por los que Victor había elegido esas dos parejas. Quería seguir el desarrollo de los dos niños. Se había asegurado de que los Hobbs y los Murray no se conocían antes de ser padres. En caso contrario, hablarían de sus hijos y tal vez sospecharían algo.

Victor llamó por teléfono a la oficina de personal para pedir las direcciones particulares de las dos familias. Las anotó, avisó a Colleen que volvería más tarde y salió.

Visitó primero a los Hobbs porque vivían más cerca, en una linda casa de ladrillo a la vista del pueblo de Haverhill. Detuvo el auto frente a la casa y llamó a la puerta.

—Doctor Frank —dijo William Hobbs, sorprendido. Abrió la puerta y lo invitó a pasar. —¡Sheila! ¡Tenemos visitas!

Victor entró en el vestíbulo. Era una casa amoblada con buen gusto, al estilo contemporáneo, pero reinaba un silencio pesado, triste.

—Adelante, por favor. Siéntese —dijo Hobbs, haciéndolo pasar a la sala—. ¿Puedo ofrecerle un café, o un té? —Su voz resonaba en el silencio.

Sheila Hobbs entró en la sala. Era una mujer dinámica, que llevaba el pelo sujeto en un rodete. Victor la había conocido en uno de los encuentros sociales que la empresa organizaba para los empleados jerárquicos.

Victor aceptó un café y poco después los tres se encontraban en la sala, sosteniendo las diminutas tazas de porcelana sobre las rodillas.

—Qué casualidad que haya venido —dijo William—. Justamente estaba por llamarlo.

—No me diga.

—Sí. Sheila y yo hemos resuelto volver a trabajar. —Hablaba sin apartar la vista de su taza—. Al principio pensamos tomarnos una licencia, pero decidimos que el estar ociosos nos hacía mal.

—Por favor, vuelvan cuando les parezca mejor. Los reci-

128

biremos con mucho gusto —dijo Victor.

—Se lo agradezco.

Victor carraspeó:

—Quiero hacerles una pregunta —dijo, y vaciló—: A ustedes les advirtieron, ¿verdad?, que su hijo era alérgico a un antibiótico llamado cefaloclor.

—Así es —dijo Sheila—. Nos lo dijeron antes de que lo retiráramos del hospital. —Dejó la taza con mano temblorosa.

—¿Existe alguna posibilidad de que alguien se lo hubiera administrado?

Los esposos se miraron un instante y respondieron "no" al unísono.

—Maurice no había estado enfermo —prosiguió Sheila—. Además, su alergia a ese antibiótico estaba anotada en su hoja clínica. Estoy segura de que no le dieron ese antibiótico ni ningún otro. ¿Por qué?

—Es algo que me pasó por la cabeza —dijo Victor, y se paró—. Recordé que era alérgico, nada más.

Victor volvió al auto y enfiló hacia Boston. Estaba casi seguro de que la historia de Murray coincidiría con la de Hobbs, pero quería verificarlo de todas maneras.

Era la media tarde y había poco tráfico, de manera que llegó rápidamente. Estacionar era otra cosa. Después de dar algunas vueltas, encontró un espacio sobre Beacon Hill. Estaba prohibido estacionar pero decidió arriesgarse.

La casa de los Murray estaba sobre la calle West Cedar, en la mitad de la cuadra. Llamó a la puerta.

La abrió un hombre de unos treinta años con el pelo cortado al estilo *punk*.

—¿La familia Murray vive aquí? —preguntó Victor.

—Sí, pero fueron a trabajar —dijo el hombre—. Yo soy del servicio de limpieza.

—Creí que habían tomado licencia.

—¡Son de esos trabajadores compulsivos! —rió el hombre—. Tomaron un día de licencia después de la muerte de su hijo y después volvieron al trabajo.

Victor volvió al auto, fustigándose mentalmente por no haber llamado antes de venir. Se habría ahorrado la molestia.

Al volver a Chimera, fue directamente al departamento de contabilidad. Horace Murray estaba inclinado sobre su escritorio, estudiando unas cuentas. Al ver a Victor, se paró de un salto:

—Colette y yo queríamos agradecerle nuevamente su visita al hospital.

—Lamento no haber podido hacer nada.

—Estaba en las manos de Dios —dijo Horace con resignación.

A la pregunta de Victor, el hombre respondió enfáticamente que su hijo no había recibido ningún antibiótico, ni menos aún cefaloclor.

Al salir de la contaduría, lo asaltó otra idea aterradora: ¿existiría alguna vinculación entre la muerte de los niños y la desaparición de los archivos? En ese caso, había sucedido lo peor: alguien había activado los genes intencionalmente.

Victor volvió al laboratorio a la carrera. El corazón le latía con fuerza. Uno de los técnicos quiso hacerle una pregunta, pero se negó a escucharlo, le dijo que si tenía algún problema, hablara con Grimes.

En la oficina, se inclinó ante un estante cerrado debajo de la biblioteca. Lo abrió con su llave e introdujo la mano para extraer los libros con los datos sobre el FDN, escritos por él mismo en código.

Nada: el estante estaba vacío.

—Tranquilízate —se dijo en voz alta al sentir que lo embargaba la desesperación—. No des tanta rienda suelta a tu imaginación. Tiene que haber una explicación.

Salió en busca de Robert. Lo halló en la unidad de electroforesis, donde realizaba la tarea que Victor le había encomendado.

—¿No ha visto mis libros con los datos sobre el FDN?

—No sé dónde están. Hace seis meses que no los veo.

Creí que usted los había guardado en otra parte.

Victor murmuró "gracias" y se alejó. Ya no se podía pensar en una fantasía. Las pruebas se acumulaban. Alguien había interferido con su experimento y los resultados eran fatales. Resuelto a afrontar sus temores, Victor se dirigió a la unidad de congelamiento a nitrógeno licuado. Puso la mano sobre la traba y vaciló. Su intuición le dijo qué hallaría al alzar la tapa, pero aun así no era fácil hacerlo. Al mismo tiempo escuchaba la voz de Marsha que le pedía que destruyera las cinco cigotas.

Alzó la tapa lentamente. Al principio sólo vio una nube congelada que se alzaba del depósito y flotaba lentamente hacia el piso. Luego la nube se disipó, dejando a la vista la bandeja que contenía los embriones. Estaba vacía.

Tuvo que apoyarse contra el congelador para no caer. Miraba la bandeja vacía, sin terminar de creer en lo que aparecía tan claramente a la vista. Dejó caer la tapa. La fría bruma del nitrógeno envolvía sus piernas como un ser vivo. Volvió a su oficina y se dejó caer pesadamente en la silla. ¡Alguien estaba al tanto del FDN! ¿Pero quién? ¿Por qué había provocado la muerte de los bebés? ¿Habría sido un accidente? ¿Acaso estaba dispuesto a destruir seres inocentes en el afán de destruir a Victor? Bruscamente, las amenazas de Hurst empezaban a tomar una nueva dimensión.

Era necesario descubrir al autor de estos extraños sucesos. Empezó a pasearse por la oficina. Se estremeció al recordar que David había muerto poco después de la batalla alrededor de las acciones de Chimera. ¿Tendría esa muerte alguna relación con los hechos? ¿Tendría Ronald algo que ver? No, era una hipótesis absurda. David no había muerto envenenado ni en un accidente que alguien hubiera podido provocar, sino de cáncer hepático. La mera idea de que alguien hubiera matado intencionalmente a los niños Hobbs y Murray era absurda. Esas muertes debían de ser producto de un fenómeno intracelular. Tal vez el congelamiento había provocado una segunda mutación. Lo descubriría cuando Robert terminara el análisis del DNA.

Tranquilízate, así no puedes pensar racionalmente, se dijo. Salió hacia el centro de cómputos a ver a Louis Kaspwicz. La computadora descompuesta había quedado reducida a un cascarón metálico rodeado de centenares de piezas.

—Lamento molestarlo —dijo Victor—, pero quiero saber a qué hora fueron borrados los archivos. Quiero averiguar cómo sucedió.

—Si le sirve de consuelo, mucha gente borra sus archivos sin querer. No se haga tanto problema. En cuanto a la hora, creo que sucedió entre las nueve y las diez.

—¿Me permite consultar el registro? —preguntó Victor. Pensaba que en sus propias operaciones con la computadora antes o después de borrar los archivos hallaría una pista.

—Doctor Frank —dijo Louis con uno de sus extraños tics—, usted es el dueño de la empresa. Puede consultar lo que quiera.

En su oficina, el técnico le entregó el registro correspondiente al 18 de noviembre. Victor lo estudió cuidadosamente, pero no halló nada entre las ocho y media y las diez y media.

—No encuentro nada —dijo.

—Qué extraño —dijo Louis, mirando sobre su hombro para verificar la fecha—: 18 de noviembre. La fecha está bien... ah, comprendo. Usted leyó el registro de la mañana, por eso no lo encontraba. —Louis le señaló la operación en cuestión.

—¿A la noche? —preguntó Victor, incrédulo—. Imposible. A las 21:45 del 18 de noviembre yo estaba en el teatro de la Sinfónica de Boston.

—Qué quiere que le diga.

—¿Está seguro de que no hay error?

—Segurísimo. —Louis señaló la secuencia de anotaciones: —¿Lo ve?, todo está en orden cronológico. No puede haber error. ¿Dice que estaba en un concierto?

—Así es.

—¿No salió a hablar por teléfono?

—¿Por qué?

—Porque la operación fue realizada desde afuera. Mire

el número de acceso: es el de su PC. La terminal de su casa.

—Pero yo no estaba en casa.

Louis alzó los hombros en un gesto elocuente:

—Entonces, hay una sola posibilidad. La operación fue realizada por alguien que conoce su clave personal de acceso y el número de teléfono de nuestra computadora. ¿Alguien conoce su clave personal aparte de usted?

—No se la he dicho a nadie —dijo Victor.

—¿Utiliza la computadora desde la terminal de su casa con frecuencia?

—No, casi nunca. Antes sí lo hacía, en la época inicial de la empresa.

—¡Dios mío! —exclamó Louis, leyendo el registro.

—¿Qué nueva catástrofe descubrió?

—Lamento decirle que alguien ha penetrado en la computadora con frecuencia, empleando su clave personal. Hay una sola posibilidad: un *hacker* averiguó el número de teléfono.

—Creía que eso era muy difícil.

—Al contrario, es lo más fácil. Como el chico de la película *Los juegos de guerra*. Usted programa su computadora para que efectúe una sucesión infinita de llamados telefónicos por medio de permutaciones. En determinado momento recibe un tono de computadora: ahí comienza la diversión.

—¿Y este *hacker* la ha usado con frecuencia?

—Ya lo creo. Yo había visto el registro, pero pensé que era usted mismo el que lo hacía. ¡Mire! —Abrió el registro y le mostró una serie de operaciones con la clave de Victor: —En general son de los viernes por la noche. —Pasó algunas hojas más: —Claro, lo hace cuando sale de la escuela. Seguro que es un estudiante. ¡Le daría un par de patadas en el culo! Mire aquí: entró en el programa de Personal. Y aquí en el de Compras. Diablos, es increíble. Hemos tenido problemas de archivo. Aquí está la explicación. Creo que deberíamos cambiar su clave personal ahora mismo.

—Pero entonces será más difícil identificarlo. Además,

yo casi no uso mi clave. Podríamos instalar una vigilancia el viernes por la noche para rastrearlo. Es posible, ¿no?

—Sí, es posible. Siempre y cuando el chico permanezca en la línea el tiempo necesario y tengamos aquí a un técnico de la compañía telefónica.

—Ocúpese de eso —dijo Victor.

—Lo intentaré. Si hay algo peor para un *hacker*, es sólo un virus electrónico. Pero en este caso apuesto mi sueldo a que es un *hacker*.

Al salir del centro de cálculos, se le ocurrió que convendría buscar a VJ. A la luz de los últimos sucesos, era mejor que se mantuviera alejado de Hurst e inclusive de Ronald Beekman.

Fue en primer término al laboratorio, pero Robert dijo que no había visto a VJ ni a Philip durante todo el día. Lo mismo dijeron los demás técnicos, para sorpresa de Victor, ya que a VJ lo fascinaban los microscopios y el instrumental del laboratorio. Se dirigió a la cafetería, donde a esa hora unas pocas personas bebían café. El administrador, que estaba cerrando las cajas, dijo que había visto a VJ por última vez a la hora del almuerzo.

De la cafetería fue a la biblioteca, alojada en el mismo edificio. Las columnas circulares de hormigón que los arquitectos habían agregado a la estructura para sostenerla quedaban a la vista, dándole al lugar un aire gótico. Los anaqueles de libros y publicaciones llegaban a la altura del hombro, lo que permitía una visión de toda la sala. A la derecha estaba la sala de lectura, con vista al patio interior del complejo.

La bibliotecaria meneó la cabeza: no había visto a VJ ni a Philip. Ya preocupado, Victor fue al gimnasio y a la guardería, donde la respuesta fue la misma.

Volvió al laboratorio para llamar a seguridad, pero halló un mensaje del administrador de la cafetería: VJ y Philip se encontraban allá, tomando helados.

Victor los encontró sentados junto a una ventana con sus helados.

134

—A ver —dijo con fingido enojo—, ¿dónde han estado ustedes dos?

VJ se volvió para mirar a su padre. Tenía la cucharita en la boca. Philip se paró. Evidentemente creía que Victor estaba furioso. Sus enormes manos colgaban a los costados.

—Estábamos paseando —dijo VJ.

—¿Pero dónde? Los he buscado por todas partes.

—Cerca del río —confesó VJ.

—¿No te dije que no te acercaras al río?

—Pero, papá, no estábamos haciendo nada malo.

—Yo nunca voy a permitir que le pase nada malo —aseguró Philip con su voz aflautada, infantil.

—De eso estoy seguro —contestó Victor, bruscamente impresionado por la fortaleza física de Philip. Eran en verdad una pareja despareja, pero la lealtad de Philip era conmovedora. —Siéntate —dijo en tono más amable—. Tomen el helado. —Victor se sentó a su vez y miró a su hijo: —Quiero que seas muy cuidadoso. Después del ladrillazo de anoche, comprenderás que existen algunos problemas.

—Estaré bien.

—Claro que sí. Pero un poco de prudencia no le hace mal a nadie. No digas nada, pero mantén los ojos abiertos, sobre todo cuando veas por aquí a Hurst y a Beekman. ¿Entendido?

—Entendido.

—Y tú —le dijo a Philip—, podrías ser el guardaespalda de VJ. ¿Crees que serás capaz de hacerlo?

—Claro que sí, señor Frank.

—Y ahora que se me ocurre... —añadió, sabiendo que Marsha estaría de acuerdo—, podrías pasar algunas noches en casa, como hacías cuando VJ era más chico. Así podrás estar con él también a la noche.

—Gracias, doctor Frank —dijo Philip, mostrando sus enormes dientes en una sonrisa—. Me gustaría mucho.

—Entonces, ni una palabra más. Bueno, me voy a mi oficina. Tengo mucho que hacer y me he pasado el día entero corriendo de acá para allá. Nos vamos en un par de horas. Pasaremos por la casa de Philip a buscar su ropa.

VJ y Philip se despidieron agitando las cucharitas de helado.

Marsha vaciaba la bolsa del mercado cuando oyó el auto de Victor que se acercaba a la cochera. Cuando el auto se detuvo ante la puerta automática, advirtió la presencia de un tercero y gimió para sus adentros: sólo había comprado seis pequeñas chuletas de cordero.

Dos minutos después, los tres entraban en la cocina.

—Invité a Philip a pasar unos días en casa —anunció Victor—. Con tantos problemas como hemos tenido, es bueno tener a un forzudo en la casa.

—Me parece bien —dijo Marsha, pero inmediatamente agregó: —Espero que no hayas abandonado la idea de contratar una agencia de seguridad.

—Pero no —rió Victor, y se volvió hacia VJ: —¿Por qué no se van los dos a la piscina?

VJ y Philip se precipitaron a la escalera.

Victor se volvió para besar a Marsha, pero ella ya se había inclinado sobre la bolsa del mercado. Pasó a su lado sin mirarlo, los brazos cargados de comestibles que iba a guardar en la alacena. Evidentemente seguía enojada con él, y tenía motivo para ello en vista de los sucesos de la víspera.

—Lamento no haberte consultado antes de hablar con Philip, pero se me ocurrió a último momento. De todas maneras, creo que no habrá más llamadas anónimas ni ladrillos por la ventana. Hablé con los posibles autores y les dije un par de cositas.

—En ese caso, ¿por qué trajiste a Philip? —preguntó Marsha, que volvía de la alacena.

—Una precaución adicional, nada más —explicó Victor. Y agregó rápidamente, para cambiar de tema: —¿Qué tenemos para la cena?

—Chuletas de cordero... y bastante pocas para tanta gen-

136

te —contestó Marsha, mirándolo de reojo—. No sé por qué tengo la sensación de que todavía me ocultas algo.

—Porque eres más suspicaz que Sherlock Holmes —dijo Victor, aunque sabía que ella no tenía ganas de bromear—. ¿Y qué más comeremos? —insistió para cambiar de tema.

—Alcauciles, arroz y ensalada. —Ahora estaba segura de que él le ocultaba algo, pero lo dejaría para más tarde.

—¿Te ayudo? —ofreció Victor, lavándose las manos en la pileta de la cocina. Solían cocinar juntos la cena porque los dos trabajaban mucho. Marsha le indicó que lavara las verduras para la ensalada.

"Esta mañana VJ me habló sobre su amigo Richie —prosiguió Victor—. Va a invitarlo a pasar un día juntos en Boston. Así que no me parece justo decir que VJ no tiene amigos.

—Espero que tengas razón —dijo Marsha en tono neutro.

Puso a hervir el arroz y los alcauciles, sin dejar de mirarlo de reojo, a la espera de que le diera alguna información sobre los desgraciados bebés. Él preparaba la ensalada en silencio. Exasperada, le preguntó:

—¿Qué averiguaste sobre la muerte de los bebés?

Victor la miró de frente:

—Examiné el gen inoculado tanto en VJ como en los bebés Hobbs y Murray. En los dos niños presentaba un aspecto francamente anormal, como si el proceso de transcripción estuviera activado, pero en VJ el aspecto era normal. Y después —añadió— busqué unas fotos microscópicas del mismo gen tomadas cuando VJ tuvo ese problema y también eran normales. Así que el problema de VJ no tuvo nada que ver con el de estos chicos.

—Es bueno saberlo —dijo Marsha con un suspiro de alivio—. ¿Por qué no me lo dijiste antes?

—Porque acabo de llegar a casa. Y te lo digo ahora.

—Podrías haberme llamado por teléfono —dijo Marsha, convencida de que aún le ocultaba algo—. Además, no me dijiste nada hasta que te pregunté.

137

—Estamos haciendo otros análisis de los genes de estos chicos. —Victor sacaba los frascos de aceite y vinagre—. Así tal vez descubriremos qué fue lo que activó el gen.

Marsha sacó los platos de la alacena para tender la mesa. Trataba de controlar la furia que volvía a embargarla. ¿Cómo podía hablar de cosas semejantes con tanta liviandad? Cuando Victor le preguntó en qué otra cosa podía ayudarla, le dijo que ya había hecho bastante. Él la interpretó en sentido literal y se sentó en un taburete.

—Ahora no tengo ninguna duda de que VJ te dejó ganar esa carrera —dijo, con la esperanza de provocarlo—. Ya lo hacía a los tres años. —Le relató su entrevista con Martha Gillespie acerca de la conducta de VJ en el preescolar.

—Pero sigo sin comprender por qué estás tan segura de que perdió la carrera adrede.

—No me digas que estás molesto por eso. —Disminuyó la llama para evitar que se quemara el arroz. —El domingo a la noche, después de ver la carrera, estuve casi segura de que fue así. Y la conversación con Martha terminó de convencerme. Es como si VJ quisiera evitar llamar la atención.

—Pero también se puede llamar la atención perdiendo una carrera a propósito —dijo Victor.

—Es posible —asintió ella sin convicción—. La cuestión es que me gustaría saber qué sintió cuando sufrió esa caída tan brusca de su inteligencia. Tal vez encontraríamos una explicación de su conducta actual. Cuando sucedió el problema, estábamos tan preocupados por su salud que ni siquiera pensamos en sus sentimientos.

—Yo creo que superó el episodio con todo éxito —dijo Victor. Sacó una botella de vino blanco del refrigerador. —Sé que no estás de acuerdo conmigo, pero yo lo veo muy bien. Es un chico feliz. Me siento muy satisfecho con sus progresos. Algún día va a ser un investigador de primerísima línea. Lo fascina el laboratorio.

—Siempre que no vuelva a suceder lo mismo —replicó con brusquedad—. Pero no me preocupa su capacidad de trabajo. Lo que me preocupa es que tu atroz experimento haya afectado sus cualidades humanas. —Le dio la espalda para ocultarle sus lágrimas. Cuando todo terminara, no podría seguir casada con Victor. El problema era si VJ estaría dispuesto a abandonar el laboratorio para vivir con ella.

—Malditos psiquiatras... —murmuró Victor entre dientes, mientras forcejeaba con el corcho de la botella.

Marsha revolvió el arroz y pinchó los alcauciles. Se dominó con esfuerzo. No quería seguir llorando. Permaneció en silencio durante varios minutos.

—Ojalá hubiera llevado un registro diario de la evolución de VJ —dijo después de un rato—. Hoy sería muy útil.

—Yo lo hice —dijo Victor, extrayendo el corcho.

—¿De veras? ¿Y por qué no me lo dijiste?

—Porque era para el proyecto FDN.

—¿Puedo leerlo? —preguntó, dominando nuevamente la furia que la embargaba, cada vez que recordaba que Victor había utilizado a su bebé como cobayo de laboratorio.

Victor probó el vino:

—Lo tengo en mi escritorio. Te lo daré más tarde, después de que VJ se vaya a dormir.

Sentada ante el escritorio de Victor, leía el registro a solas. Lo había obligado a salir para no sentirse presionada por su presencia. Sus ojos se llenaron de lágrimas al recordar el nacimiento del niño. La mayor parte del documento era un típico protocolo de laboratorio, pero a ella le resultaba doloroso y conmovedor. Había olvidado cómo desde los primeros días VJ la seguía con la mirada, mientras que el común de los bebés apenas podían enfocar la vista.

Las etapas normales de la evolución infantil se habían sucedido a una velocidad sobrecogedora, principalmente en el área del lenguaje. A los siete meses, cuando otros bebés apenas balbuceaban "ma-má" y "pa-pá", él ya armaba frases. Al año poseía un vocabulario completo. A los dieciocho meses, cuando los bebés normales caminaban bastante bien, él ya manejaba fácilmente una pequeña bicicleta que Victor había mandado fabricar a su medida.

Marsha recordaba las emociones vividas durante esos años. Cada día que pasaba dominaba una nueva tarea y mostraba una nueva destreza. Comprendió que también ella había sido culpable de ver tan sólo sus espectaculares avances y regocijarse por ello, sin pensar en el efecto que tendría semejante precocidad sobre el desarrollo de su personalidad. Era psicóloga, debería haberlo comprendido.

Victor entró con el pretexto de buscar un libro justo en el momento en que ella llegaba a un capítulo titulado *Matemática*. Avergonzada por sus propias deficiencias como madre, no le pidió que saliera. Siguió leyendo. En la universidad, la matemática había sido su pesadilla. Requirió ayuda especial para aprobar el curso obligatorio de cálculo. Para su asombro, VJ había demostrado una gran facilidad para los números. A los tres años fue capaz de explicarle a su madre, en términos claros y sencillos, los principios elementales del cálculo numérico.

—Lo que más me asombraba —dijo Victor en ese momento— era su capacidad para traducir ecuaciones matemáticas en términos musicales.

Marsha recordó el día en que pensaron que su hijo era un nuevo Beethoven. "Nunca se me ocurrió pensar si un infante era capaz de sobrellevar el peso de la genialidad", pensó con tristeza. Siguió leyendo y se sorprendió al ver que el registro llegaba a su fin poco después.

—Espero que haya algo más —dijo.

—Me temo que no.

Las últimas hojas llevaban como encabezamiento la fecha 6 de mayo de 1982. Allí se describían los sucesos en la guardería de Chimera que Marsha recordaba con tanto detalle. Se mencionaba la brusca caída de la inteligencia del niño en términos fríamente clínicos. La última frase decía: "VJ parece haber sufrido una alteración aguda de sus funciones cerebrales, las que aparentemente se han estabilizado."

—¿No agregaste nada? —preguntó Marsha.

—No. Estaba convencido de que el experimento había fracasado, a pesar del éxito inicial. Me parecía que no tenía sentido seguir llevando el registro.

Marsha cerró el libro. Había esperado hallar alguna pista sobre lo que para ella constituía una deficiencia en la personalidad de VJ.

—Si al menos la historia clínica indicara la existencia de un mal psicosomático o una reacción de conversión, podríamos someterlo a terapia. Lo que me remuerde la conciencia es no haber sido más sensible al problema cuando sucedió.

—En mi opinión, todo se debió a un fenómeno intracelular. Además, creo que no serviría de nada conocer la historia clínica.

—Eso es justamente lo que me aterra —dijo Marsha—. Es lo que me hace pensar que VJ va a morir como esos chicos, o de cáncer como David y Janice. No estoy muy al tanto de tu trabajo, pero sí lo suficiente para saber que el cáncer es una de las grandes preocupaciones de los que trabajan en terapia genética. Dicen que los genes inoculados podrían transformar los protooncogenes en oncogenes activos y entonces la célula afectada se volvería maligna... —Tuvo que interrumpirse. Sus emociones empezaban a dominarla: — No sé cómo puedo hablar de esto como si fuera nada más que un experimento científico. Se trata de nuestro hijo... y qué sé yo si no has activado algo en su organismo que lo va a matar.

Se cubrió la cara con las manos, abandonó el intento de dominarse y estalló en llanto.

Victor quiso abrazarla, pero ella se apartó. Se detuvo, frustrado. Contempló unos instantes los hombros de su mujer, que se estremecían en silencio. No había nada que decir. Salió del cuarto y se dirigió a la escalera, agobiado por su propio dolor. Después de lo que había descubierto ese día, tenía más razones que ella para temer por la vida de su hijo.

Capítulo 8

Jueves a la mañana

Conduciendo su auto en medio del tráfico normal para las horas pico de Boston, Victor se preguntó cómo era posible que tanta gente lo hiciera todos los días.

El tráfico se volvía un poco más liviano en Storrow Drive, pero se espesaba otra vez en el Fenway. Poco después de las nueve llegó al ajetreado hospital de niños y se dirigió a Patología.

—¿Está el doctor Shryack? —preguntó. La secretaria alzó la vista y señaló el pasillo sin quitarse los audífonos.

Recorrió el pasillo, leyendo los nombres en las placas sujetas a cada puerta.

—¿Doctor Shryack? —dijo Victor. La puerta estaba abierta. El patólogo de aspecto juvenil alzó la vista de su microscopio.

"Soy el doctor Frank, ¿recuerda? Asistí a la autopsia de un bebé de apellido Hobbs.

—Claro que lo recuerdo —respondió Shryack. Se puso de pie y le tendió la mano: —Me alegro de verlo en circunstancias menos desagradables. Y llámeme Stephen.

Victor le estrechó la mano.

"Todavía no tenemos el diagnóstico definitivo —prosiguió el patólogo—. Es decir, si ese es el motivo de su visita. Estamos analizando las transparencias.

—Sí, desde luego que me interesa —dijo Victor—. Pero en realidad, vine a pedirle otro favor. Quería saber si habitualmente toman muestras fluidas.

—Por supuesto —dijo Stephen—. Siempre hacemos un análisis toxicológico.

—Lo que quería era una muestra de fluido —dijo Victor.

—Me conmueve tanto interés —dijo Stephen—. La mayoría de los internistas nos evitan como la peste. Acompáñeme, le mostraré.

Salieron de la oficina y recorrieron un largo pasillo hasta una gran sala de laboratorio, donde el patólogo se detuvo a hablar con una mujer de unos cuarenta años y aspecto severo. La mujer señaló el extremo de la sala. Stephen y Victor cruzaron el laboratorio y entraron en una salita lateral.

—Parece que estamos de suerte —dijo el patólogo. Abrió las puertas de un gran refrigerador y se puso a hurgar entre centenares de frascos Erlenmeyer, todos sellados. Sacó uno, que entregó a Victor, y luego otros tres.

Dos de los frascos contenían sangre, los otros dos, orina.

—¿Qué cantidad necesita?

—Unas gotas de cada uno —dijo Victor.

Stephen tomó cuatro tubos de ensayo de una mesada, vertió un poco de líquido de los frascos, luego los tapó y los rotuló con un marcador rojo.

—¿Necesita algo más? —preguntó Stephen.

—Bueno, no quiero abusar de su generosidad —dijo Victor.

—No, por favor dígame en qué puedo ayudarle.

—Hace cinco años, mi hijo murió de una forma muy rara de cáncer hepático.

—Lo siento.

—Lo atendieron aquí. Los médicos dijeron que sólo se conocían un par de casos similares. Pensaban que el cáncer había aparecido inicialmente en las células de Kupffer. O sea que en realidad era un tumor del sistema retículoendotelial.

—Creo haber leído algo sobre ese caso —asintió Stephen—. Mejor dicho, estoy seguro.

—Siendo un tumor tan raro, ¿es posible que hayan conservado la muestra macroscópica?

—Es posible. Volvamos a mi oficina.

Sentado ante la terminal de la computadora, tipió el nombre completo de David y su fecha de nacimiento. Con ello obtuvo el número de su historia clínica en el hospital y el de las muestras de patología. Su dedo recorrió la pantalla hasta detenerse en un número:

—A ver, parece ser el número de una muestra. Vamos a ver.

Esta vez bajaron a un segundo subsuelo.

"Las muestras antiguas están almacenadas en una cripta —explicó el patólogo.

Salieron del ascensor a una salita mal iluminada de donde partían pasillos en distintas direcciones. Había caños y conductos en el techo, y el piso era de hormigón.

"No bajamos con frecuencia —dijo Stephen mientras recorrían el laberinto. Se detuvo ante una pesada puerta de metal. Victor le ayudó a abrirla y Stephen encendió la luz.

Era una sala enorme y mal iluminada con lámparas desnudas. El aire era frío y húmedo. Las estanterías metálicas ocupaban casi todo el espacio y llegaban hasta el cielo raso.

Stephen verificó el número que llevaba anotado en una hoja de papel y se dirigió a uno de los pasillos entre las estanterías. Victor lo siguió, pero al echar una mirada rápida a uno de los estantes, quedó helado. En un gran frasco de vidrio había una cabeza de niño sumergida en un líquido preservador. Los ojos estaban fijos y la boca abierta en un grito perpetuo. Otros recipientes de vidrio contenían muestras de diverso tipo, horribles y elocuentes testimonios del sufrimiento de un ser humano. Se estremeció, luego echó una mirada en derredor. Stephen había desaparecido de su vista. Entonces oyó su voz que decía, "por aquí".

Avanzó hasta el extremo del pasillo, evitando mirar las muestras, dobló la esquina y halló al patólogo, que corría algunos frascos.

—¡Eureka! —exclamó, y se enderezó. Tenía en sus manos un frasco que contenía un hígado bulboso, suspendido en un líquido claro. —Tiene suerte —dijo.

Cuando subían en el ascensor, preguntó a Victor por qué le interesaba esa muestra.

—Por curiosidad —replicó Victor—. Cuando murió David, yo estaba tan abrumado por el dolor, que no quería saber absolutamente nada. Ahora que han pasado algunos años, me interesa conocer más sobre las causas de su muerte.

Marsha atravesó el portón de entrada de Chimera. Llevaba a VJ y a Philip en el auto. Durante el trayecto, VJ había hablado sobre su nuevo videojuego Pac-Man como lo hubiera hecho cualquier chico de su edad.

—Gracias por traerme, ma —dijo al bajar.

—Avísale a Colleen dónde estarás —dijo—. Y no te acerques al río. Ya lo viste desde el puente.

—Nada le va a pasar a VJ —dijo Philip, bajando del asiento trasero.

—¿Estás seguro de que no prefieres visitar a tu amigo Richie?

—Me gusta estar aquí —dijo VJ—. Por favor, no te preocupes por mí. Estoy bien.

VJ se alejó rápidamente, seguido por Philip. "Qué pareja", pensó Marsha, tratando de dominar la ola de pánico que la embargaba cada vez que recordaba las revelaciones de la noche anterior.

Estacionó el auto y se dirigió a la guardería. Al entrar en el edificio escuchó los ruidos de una pelota de *paddle*. Las canchas y el gimnasio ocupaban el piso superior.

Arrodillada en el piso, Pauline Spaulding vigilaba a un

grupo de niños que pintaban con los dedos. Se paró de un salto al ver a Marsha: su silueta era testimonio elocuente de sus años de instructora de gimnasia aeróbica.

Al pedido de Marsha de dedicarle algunos minutos, Pauline dejó a los niños y salió a buscar a una sustituta. Volvió con una mujer más joven y luego condujo a Marsha a una habitación llena de cunas y colchonetas.

—Aquí podemos conversar sin ser molestadas —dijo Pauline, con una mirada inquieta en sus enormes ojos rasgados. Suponía que Marsha venía a verla enviada por su esposo.

—No he venido aquí en carácter de esposa de uno de los socios —dijo Marsha para tranquilizarla.

—Ah, bueno —sonrió Pauline con un suspiro de alivio—. Pensé que había alguna queja.

—En absoluto. Quería hacerle algunas preguntas sobre mi hijo.

—Un chico extraordinario —dijo Pauline—. Sabrá que viene de vez en cuando a ayudarnos. Lo hizo el fin de semana pasado.

—No sabía que el complejo funcionaba los fines de semana.

—Los siete días de la semana —dijo Pauline con orgullo—. Muchos empleados de Chimera trabajan todos los días. Eso se llama entrega.

Marsha no lo hubiera llamado así. Pensaba, más bien, en las consecuencias que tendría semejante entrega sobre una vida familiar en crisis. Pero no lo dijo, y en cambio preguntó a la maestra si recordaba el día en que VJ había sufrido la pérdida de su inteligencia.

—Sí, desde luego. Y el hecho de que sucediera aquí me hace pensar que de alguna manera soy responsable de ello.

—Eso sí que es absurdo —dijo Marsha con una sonrisa afectuosa—. Lo que me interesa saber es cómo cambió la conducta de VJ.

Pauline miró al suelo, pensativa. Al cabo de un par de minutos alzó la mirada:

—Creo que lo más notable es que pasó de ser un conductor a un observador. Antes, le interesaba todo, se lanzaba a cada actividad nueva con avidez. Después, parecía aburrido y tenía la actitud de quien participa por obligación. Evitaba la competencia. No lo forzábamos, porque temíamos que fuera contraproducente. Además, después de ese episodio empezamos a verlo cada vez menos.

—¿Cómo cada vez menos? Después de que terminaron los exámenes médicos siguió viniendo aquí todas las tardes al salir del preescolar.

—Pero no —dijo Pauline—. Pasaba casi todo el tiempo en el laboratorio de su padre.

—¡No me diga! Yo creí que había empezado a hacer eso a partir del primer grado escolar. Parece que la madre es la última en enterarse.

Pauline sonrió.

"¿Qué me dice de sus amistades?

—La amistad nunca fue una de sus grandes virtudes —dijo Pauline, diplomática—. Siempre tuvo mejores relaciones con las maestras que con sus compañeritos. Después de que tuvo ese problema, tendía a pasar mucho tiempo solo. No, miento. Disfrutaba de la compañía de ese empleado retardado.

—¿Se refiere a Philip?

—El mismo.

Marsha se paró, agradeció a Pauline y juntas se dirigieron a la entrada.

—VJ tal vez no sea tan inteligente como antes —dijo Pauline al llegar a la puerta—. Pero es un buen chico. Acá en el centro todos lo queremos mucho.

Marsha volvió rápidamente al auto. No había podido aclarar nada, pero aparentemente VJ era un chico aún más solitario de lo que había sospechado.

Sin duda, el deber exigía que fuera directamente a su oficina, donde Colleen lo aguardaría ansiosa, inundada por las emergencias. En lugar de ello, Victor se dirigió al laboratorio con las últimas muestras recogidas en el hospital de niños. En el camino, se detuvo en el centro de cómputos.

Buscó a Louis Kaspwicz donde antes estaba la computadora descompuesta, pero aparentemente habían resuelto ese problema, porque la máquina estaba armada, sus luces parpadeaban y giraban los rollos de cinta. Uno de los técnicos de delantal blanco le dijo que Louis estaba en su oficina, investigando un problema que había surgido en los programas contables.

Cuando Victor entró en su oficina, Louis dejó a un lado el programa que lo ocupaba, sacó unas hojas de registro que había reunido y se las ofreció.

—Verifiqué los registros de los últimos seis meses y subrayé las entradas del *hacker*. El chico entra todos los viernes por la noche, alrededor de las veinte, y en la mitad de las ocasiones permanece bastante tiempo. El suficiente para que podamos rastrearlo.

—¿Por qué dice que es un chico? —preguntó Victor, enderezándose luego de echar una mirada al registro.

—Es una manera de hablar. No hay una edad para esto de meterse en un sistema de computación privado.

—¿Podría ser alguien de la competencia?

—En efecto, pero la experiencia demuestra que en la mayoría de los casos se trata de adolescentes, y que lo hacen para poner a prueba su habilidad. Para ellos es como una especie de videojuego.

—¿Cuándo podremos rastrearlo?

—Lo antes posible. Me asusta pensar que ha estado haciéndolo durante tanto tiempo. Quién sabe los males que nos habrá hecho. Bueno, la empresa de teléfonos va a enviar a un par de técnicos para que lo rastreemos mañana a la noche, si le parece bien.

—Perfecto.

Resuelto ese problema, Victor se dirigió al laboratorio.

Halló a Robert trabajando en el análisis de nucleótidos del DNA.

—Tengo otra tarea urgente para usted —dijo Victor—. Si es necesario, dígale a uno de los técnicos que deje su tarea para ayudarlo, pero quiero que usted mismo supervise todo.

—Traeré a Harry si hace falta —dijo Robert—. ¿De qué se trata?

Victor abrió la bolsa de papel kraft y extrajo un frasco. Se lo tendió a Robert con mano temblorosa:

—Esta es una muestra del hígado de mi hijo.

—¿De VJ? —exclamó, atónito. Su rostro estaba más demacrado que nunca y sus ojos parecían a punto de saltar de sus órbitas.

—No, no, de David. ¿Recuerda que identificamos el DNA de todos los miembros de mi familia?

Robert asintió.

"Bueno, quiero que haga lo mismo con este tumor —dijo Victor—. Además, quiero preparados estándar con histocina y eosina y un estudio de los cromosomas.

—¿Puedo preguntar qué objeto tiene todo esto?

—No, hágalo y punto.

—Está bien —dijo Robert, nervioso. Bajó la vista—. No le preguntaba sus motivos, sino solamente qué es exactamente lo que busca, porque en ese caso tal vez podría encontrarlo más rápido.

Victor se alisó el pelo con una mano:

—Perdóneme por contestarle en ese tono. Es que últimamente estoy muy nervioso.

—No tiene por qué disculparse. Pondré manos a la obra ahora mismo.

—Hay algo más —dijo Victor, y le mostró los cuatro tubos de ensayo sellados: —Necesito un análisis cualitativo de estas muestras de sangre y orina. Busco rastros de un antibiótico cefalospórico llamado cefaloclor.

Robert tomó las muestras, las agitó suavemente para verificar su consistencia y leyó los rótulos.

—Esto lo va a hacer Harry. Es bastante sencillo.

—¿El análisis del DNA?

—Tedioso, como siempre.

—¿Apareció alguna mutación?

—Ni una —dijo Robert—. Y según las sondas van recogiendo los fragmentos, a esta altura me atrevería a vaticinar que los genes son totalmente estables.

—Qué lástima —dijo Victor.

—Pensé que le agradaría saberlo —dijo Robert.

—En cualquier otro caso, sí —replicó Victor, sin mayor explicación. Cómo decirle al técnico que lo que buscaba eran pruebas concretas de que los genes FDN de los niños eran distintos del de VJ.

—¡Por fin lo encuentro! —dijo una voz, y los dos se sobresaltaron. Colleen los miraba desde la puerta, las piernas separadas y los brazos en jarra. —Una secretaria me dijo que lo había visto rondando por aquí —dijo, y le guiñó el ojo.

—Justamente iba a la oficina —dijo Victor, a la defensiva.

—Y yo justamente iba a ganar la lotería —rió Colleen.

—¿Quiere decir que la oficina se ha vuelto un loquero?

—Ja, y ahora cree que es indispensable —dijo la secretaria a Robert—. Bueno, tanto como un loquero no. Me ocupé de casi todo. Pero hay algo que usted debe saber ahora mismo.

—¿De qué se trata? —preguntó Victor, bruscamente preocupado.

—¿Podríamos hablar a solas? —dijo Colleen. Sonrió para disculparse con Robert.

—Claro —dijo Victor, y se dirigió al otro extremo del laboratorio, seguido por Colleen.

—Se trata de Gephardt. Darryl Webster, que está a cargo de la investigación, llamó tres veces. Finalmente, me dijo qué pasaba. Parece que ha descubierto una serie de irregularidades. Cuando Gephardt era supervisor de compras de Chimera, desapareció una gran cantidad de instrumental de laboratorio.

—¿Qué clase de instrumental?

—De lo más avanzado. Unidades de cromatografía proteínica, secuenciadores de DNA, espectrómetros de masa, cosas por el estilo.

—¡Dios mío!

—Darryl quiso que lo supiera —añadió Colleen.

—¿Encontró pedidos falsos?

—No. Eso es lo más extraño. El equipo fue recibido en forma, sólo que nunca fue a parar al departamento que supuestamente lo había pedido. Y ese departamento a su vez negó haber hecho el pedido.

—Entonces fue todo un invento de Gephardt —dijo Victor, atónito—. Ahora entiendo por qué su abogado quería un acuerdo a toda costa. Sabía que lo descubriríamos.

Bruscamente recordó que la nota atada al ladrillo hablaba de un acuerdo. Entonces era Gephardt el autor de los ataques a su familia.

"Me imagino que tenemos el número de teléfono particular de este hijo de puta —continuó con odio.

—Supongo que sí —dijo Colleen—. Estará en su legajo.

—Voy a llamarlo. Estoy harto de tratar con ese abogaducho que contrató.

Se dirigieron a la administración. Colleen tuvo que correr para seguir a la par de Victor. Nunca lo había visto tan furioso.

No dejaba de gruñir mientras discaba el número. Le había indicado a Colleen que permaneciera en la oficina, como testigo de la conversación. Pero el teléfono llamaba y nadie contestaba.

—¡Carajo! —gruñó Victor—. El hijo de puta salió. O desconectó el teléfono. Consígame su dirección.

Resultó que el hombre vivía en Lawrence, una localidad cercana.

—Iré a visitarlo cuando me vaya. Tengo la sensación de que el tipo estuvo rondando por mi casa. Es hora de devolverle la visita.

Uno de los pacientes llamó para cancelar su turno por hallarse enfermo. Marsha decidió aprovechar la hora libre para ir a la academia Pendleton, la escuela privada a la que asistía VJ desde que había finalizado el preescolar.

El terreno de la escuela era hermoso, a pesar de que los árboles estaban pelados y el césped tenía un color pardo invernal. Los muros cubiertos de hiedra daban al establecimiento el aspecto de una universidad centenaria.

Marsha detuvo el automóvil frente a la administración. No conocía muy bien la escuela. Ella y Victor concurrían habitualmente a las reuniones de padres y maestros, pero sólo había visto al director, Perry Remington, en dos ocasiones. No sabía si él la recibiría.

Al entrar, observó complacida que el personal de secretaría estaba trabajando: las vacaciones eran para los alumnos, no para el personal. El señor Remington sólo la hizo esperar unos minutos.

Era un hombre alto y robusto, de barba bien cuidada. Sus cejas espesas asomaban sobre el marco de sus anteojos de carey.

—Siempre es un placer recibir a los padres de un alumno —dijo al ofrecerle un asiento. Se sentó a su vez, cruzó las piernas y tomó una carpeta de papel manila. —¿En qué le puedo servir?

—Se trata de mi hijo, VJ. Soy psiquiatra y, para serle franca, estoy un poco preocupada. No por sus calificaciones, que son excelentes, sino por su conducta en general. Hizo una pausa. No quería poner palabras en la boca de su interlocutor.

El director carraspeó:

—Cuando la anunciaron, revisé rápidamente el legajo de VJ. —Alzó la carpeta, se acomodó y cruzó la otra pierna. —Francamente, si usted no hubiera pasado por aquí, la habríamos citado nosotros al reanudarse las clases. Los maestros están algo preocupados. A pesar de las excelentes calificaciones, parece que su hijo tiene problemas de atención. Los maestros dicen que se pierde en sus propios pensamientos. No obstante, cuando le hacen una pregunta, invariablemente responde bien.

—Entonces, ¿qué les preocupa?

—Diría que son las peleas.

—¡Las peleas! No tenía la menor idea de que peleara.

—Ha habido cuatro o cinco incidentes en lo que va del año.

—¿Y por qué no me avisaron inmediatamente? —preguntó Marsha, indignada.

—No la llamamos porque VJ nos pidió encarecidamente que no lo hiciéramos.

—¡Es absurdo! ¿Desde cuándo las autoridades de la escuela reciben órdenes de un alumno?

—No se precipite, doctora Frank. Déjeme explicarle. En cada ocasión, resultó evidente para la persona que denunció el hecho que su hijo era víctima de una provocación y que utilizó los puños como último recurso, frente a algún camorrista molesto por... porque VJ es, digamos, especial. No había ambigüedad posible. En ningún caso VJ fue el instigador. Por consiguiente, respetamos su deseo de no causar una preocupación innecesaria a sus padres.

—¿Y no lo lastimaron? —preguntó Marsha, más serena.

—Aunque parezca sorprendente, no. VJ se condujo con gran habilidad, por tratarse de un chico sin aficiones deportivas. Al contrario, uno de sus contrincantes sufrió la rotura de la nariz.

—Últimamente me estoy enterando de muchas cosas sobre mi hijo. Dígame, ¿tiene amigos?

—VJ es un chico solitario. Más aún, diría que no tiene mucha interacción con los demás. No es un problema de hostilidad, sino de que él está en lo suyo, como dicen los chicos.

No era lo que Marsha quería oír. Esperaba que su hijo tuviera más vida social en la escuela que en la casa.

—¿Diría usted que VJ es un chico feliz? —preguntó.

—Esa pregunta no es fácil de responder. No me parece un chico triste, pero la verdad es que VJ no expresa sus emociones con frecuencia.

En otras palabras, una personalidad lisa y llanamente esquizoide, pensó Marsha. El cuadro empeoraba con cada averiguación.

"Raymond Cavendish, uno de nuestros profesores de matemática, se interesaba mucho por VJ —prosiguió Remington—. Trató por todos los medios de penetrar en lo que él llamaba el mundo privado de VJ.

—¿De veras? ¿Y lo consiguió?

—Desgraciadamente no. Lo mencioné porque Raymond quería hacerlo participar de actividades fuera de programa, sobre todo en deportes. Al chico no le interesaba, aunque había demostrado cualidades innatas para el fútbol y el básquet. Pero coincido con la opinión de Raymond: es necesario que VJ desarrolle otros intereses.

—¿A qué se debía el interés del señor Cavendish por mi hijo?

—Creo que estaba muy impresionado por sus aptitudes matemáticas. Lo incluyó en una serie de clases especiales para alumnos aventajados, de distintas edades. Un día, cuando ayudaba a estudiantes secundarios a resolver un problema de álgebra, advirtió que VJ estaba distraído. Dijo su nombre para llamarle la atención. VJ creyó que lo llamaba para responder, y ante el asombro de todos dio la solución del problema.

—¡Es increíble! —exclamó Marsha—. Me gustaría hablar con el profesor Cavendish.

El director meneó la cabeza: —Desgraciadamente, es imposible. Murió hace un par de años.

—¡Qué pena!

—Significó una gran pérdida para la escuela —asintió el director. Se quedó en silencio. Marsha estaba a punto de despedirse, cuando el director lo rompió: —Si quiere saber mi opinión, me parece que sería bueno para VJ que asistiera al colegio con mayor asiduidad.

—Quiere decir, ¿que viniera a los cursos de verano?

—No, no; me refiero al ciclo lectivo regular. Su esposo lo lleva con frecuencia al laboratorio y luego envía notas de justificación. Ahora bien, yo soy partidario de los métodos didácticos alternativos, los trabajos prácticos, etcétera, etcétera. Pero VJ debería participar más de las actividades colectivas, sobre todo las extracurriculares. Me parece...

—Espere un momento —interrumpió Marsha—. ¿Dice que VJ falta al colegio para ir al laboratorio?

—Sí, y con frecuencia.

—No tenía la menor idea —confesó Marsha—. Sabía que pasaba muchas horas en el laboratorio, pero no que faltaba al colegio.

—Creo que no exagero al decir que VJ pasa más tiempo en el laboratorio que en la escuela.

—Dios mío.

—Y si piensa lo mismo que yo, tal vez debería hablar con su esposo.

—Lo haré —dijo Marsha al pararse—. Le aseguro que lo haré.

—Quiero que esperen en el auto —dijo Victor a VJ y Philip al contemplar la casa de Gephardt por la ventanilla del auto. Era un edificio de dos pisos, vulgar, con fachada de ladrillos y persianas falsas.

—Gira la llave para que podamos escuchar la radio —dijo VJ. Ocupaba el asiento delantero, Philip el trasero.

Victor giró la llave del encendido. La chillona música rock de la radio llenó el auto, más fuerte ahora que el motor estaba detenido.

—No me demoro —dijo Victor al bajar del auto. Ahora que estaba frente a la casa de Gephardt, no estaba tan seguro de que debía enfrentarlo. La casa ocupaba un terreno bastante grande, separado de las propiedades vecinas por arces y abedules. Un gran ventanal a la izquierda indicaba probablemente la sala de estar. Aunque atardecía, las luces de la casa estaban apagadas. Sin embargo, seguramente había alguien en la casa, ya que había una camioneta Ford frente a la entrada.

Victor se inclinó hacia la ventanilla:

"No me demoro.

—Ya lo dijiste —replicó VJ, acompañando la música con golpes rítmicos de la palma de la mano sobre el tablero.

Victor asintió, confuso. Se enderezó y se encaminó a la casa. Se preguntó si no sería mejor abandonar el intento y llamar por teléfono más tarde. Pero entonces recordó la sustracción del equipo de laboratorio, el fraude perpetrado por medio de los jornales de un empleado muerto y el ladrillo que había roto la ventana de VJ. La furia lo hizo avanzar más resueltamente. Al acercarse a la fachada de ladrillo, se preguntó si el que habían arrojado a la ventana de su hijo sería un sobrante de la construcción de la casa. Al ver el ventanal, sintió deseos de arrojarle uno de los adoquines que bordeaban la senda. Entonces se detuvo.

Parpadeó como si no creyera lo que veía. Estaba a unos seis metros del ventanal y vio que varios paños de éste habían sido rotos y sólo quedaban astillas de vidrio en su lugar. Como si su fantasía de venganza se hubiera hecho realidad.

Miró hacia atrás, vio las siluetas de Philip y VJ en el auto y tuvo que contener el impulso de volver. Sentía que algo estaba muy mal. Miró el ventanal y los escalones que conducían a la puerta. El silencio y la oscuridad eran excesivos. Pero ¿qué le diría a VJ: que tenía miedo? Se dirigió resueltamente a la puerta.

Al ver que estaba entornada, alzó la voz:

"¡Hola! ¡Hay alguien aquí! —Abrió la puerta y dio un paso hacia el interior.

Tuvo que contenerse para no gritar. Jamás había visto tanta sangre como la que estaba regada por la sala de Gephardt, ni siquiera durante sus años de residente en el hospital de Boston. Siete cadáveres —entre ellos el del dueño de casa — estaban tirados en posiciones grotescas por toda la sala. Habían sido acribillados a balazos y el aire estaba impregnado de olor a pólvora.

El hecho era reciente, porque algunas heridas aún manaban sangre. Uno de los cadáveres era de una mujer que debía de tener aproximadamente la misma edad que Gephardt: seguramente era su esposa. Los restantes eran de dos personas mayores y tres niños, el menor de los cuales tendría cinco años. A Gephardt le habían disparado tantas veces que le faltaba la tapa de los sesos.

Victor se enderezó después de examinar el último cadáver en busca de señales de vida. Mareado, se tambaleó hacia el teléfono. No perdió el tiempo en llamar a una ambulancia: discó el número de la policía y le dijeron que el patrullero saldría hacia allá inmediatamente.

Victor volvió al auto. Tenía miedo de desmayarse si seguía en la casa.

—Vamos a esperar unos minutos —dijo, alzando la voz sobre el estrépito de la radio. Bajó el volumen. La imagen de los siete cadáveres estaba impresa en su mente. —Hubo un problema en la casa. Ya viene la policía.

—¿Tendremos que esperar mucho tiempo? —preguntó VJ.

—No lo sé. Una hora, tal vez.

—¿Y vienen los bomberos? —preguntó Philip.

La policía llegó en cuatro patrulleros, que probablemente constituían toda la flota del departamento de policía de Lawrence. Victor fue con los oficiales hasta la puerta, pero esperó afuera. Uno de los oficiales vestidos de civil salió a hablar con él.

—Soy el teniente Mark Scudder —dijo—. ¿Tenemos su nombre y dirección?

Victor asintió.

"Un asunto jodido —gruñó el teniente. Encendió un cigarrillo y arrojó el fósforo al césped. —Tiene todo el aspecto de un ajuste de cuentas entre narcotraficantes. El tipo de hecho que se ve en el sur de Boston, no en estos barrios.

—¿Hallaron drogas?

—Todavía no —dijo Scudder, aspirando el humo con fuerza—. Lo que le puedo decir es que no fue un crimen pasional. Acá usaron artillería pesada, y los autores fueron por lo menos dos o tres.

—¿Debo seguir aquí por mucho tiempo?

Scudder meneó la cabeza:

—Si ya tenemos su nombre y su dirección, puede retirarse cuando quiera.

Alterada por su conversación en la escuela, Marsha tuvo que apelar a toda su paciencia y responsabilidad para atender a sus pacientes y demostrar interés por la última de la tarde, una jovencita narcisista con algunos trastornos de personalidad. Apenas terminó con ella, tomó su cartera y partió, dejando la correspondencia para el día siguiente.

A lo largo del camino a su casa repasó una y otra vez la conversación con Remington. O bien Victor le había mentido sobre la cantidad de visitas de VJ al laboratorio, o bien el chico falsificaba la firma del padre en las notas de justificación. Las dos alternativas eran igualmente malas. No podría abordar sus propios sentimientos hacia Victor hasta descubrir en qué grado su indecible experimento había afectado a su hijo. Las repetidas rabonas eran un nuevo motivo de preocupación, por tratarse de un síntoma clásico de los trastornos de conducta propios de una personalidad antisocial.

Dobló por la senda y aceleró en la subida. Ya era casi de noche y llevaba los faros encendidos. Bordeó la casa y estaba a punto de abrir la cochera, cuando vio algo sobre la puerta. La luz de los faros se reflejaba en la pintura blanca, creando un resplandor que dificultaba la visión. Marsha se bajó del auto y se acercó para ver bien el objeto, que de lejos parecía una pelota de trapo.

—¡Dios mío! —chilló, y se tambaleó hacia atrás. Contuvo las náuseas y arriesgó un nuevo vistazo. Habían estrangulado a la gata y la habían clavado en la puerta de la cochera.

Apartó la mirada de los ojos protuberantes y la lengua que asomaba entre los dientes del animalito, y vio una nota sujeta a la cola: APÚRESE A ARREGLAR LAS COSAS.

Apagó el motor y los faros del auto, pero lo dejó en el lugar, corrió a la casa y cerró la puerta desde adentro, temblando de asco, furia y miedo. Ramona, la empleada, aseaba la sala. Cuando Marsha le preguntó si había oído ruidos raros, la mujer dijo que había escuchado un ruido de martillazos alrededor del mediodía, pero que al asomarse no había visto a nadie.

—¿No vio si algún auto o camión se alejaba de aquí?
—No.

La empleada volvió a sus quehaceres y Marsha fue a llamar a Victor a la oficina, pero le dijeron que había partido. Iba a llamar a la policía, pero decidió esperar el arribo de su esposo. Se sirvió una copa de vino blanco. Al beber el primer sorbo, vio los faros que se acercaban.

—¡Carajo! —exclamó Victor al ver el auto atravesado frente a la cochera—. ¿Por qué diablos no lo deja a un lado, ya que no tiene ganas de entrarlo?

Enfiló el auto hacia la puerta trasera, lo detuvo y apagó el motor. Estaba hecho un manojo de nervios después de lo que había visto en la casa de Gephardt. VJ y Philip, muy alegres los dos, no tenían la menor idea de lo sucedido ni le habían pedido explicaciones sobre la larga espera en el auto.

Victor bajó lentamente y los siguió a la casa. Apenas cerró la puerta, advirtió que Marsha estaba de pésimo humor. Lo supo por el tono con que ordenó a VJ y Philip que se quitaran los zapatos, subieran a lavarse y bajaran a cenar.

Victor se quitó el saco y fue a la cocina.

—¡Y tú! —dijo Marsha—. ¡Me imagino que no viste el presente que nos dejaron en la puerta de la cochera!

—¿De qué estás hablando? —replicó, en el mismo tono de fastidio.

160

—Habría que ser ciego para no verlo —dijo Marsha. Dejó la copa, encendió la luz del patio y le indicó que la siguiera.

Vaciló un instante antes de seguirla. Atravesaron la sala y salieron por la puerta de atrás.

—¡Marsha! —exclamó, tratando de alcanzarla.

Ella se detuvo junto a su auto y él la alcanzó.

"¿Se puede saber qué... —la frase quedó en suspenso cuando vio el cadáver de la gata, clavado en la puerta de la cochera.

Con las manos en la cintura, Marsha no miraba a la gata sino a su esposo.

—Pensé que te gustaría saber el efecto que tuvieron tus advertencias sobre las personas que nos han amenazado.

Victor apartó la cara. No soportaba la vista del animalito y no estaba en condiciones de enfrentar a su esposa.

—Quiero saber qué harás para poner fin a todo esto. Y no me digas que te ocuparás de todo, sin más. Quiero saber qué medidas vas a tomar. Ahora mismo. No aguanto más... —no pudo seguir.

Victor también había llegado al límite. Marsha le hablaba como si él fuera el culpable. Desde cierto punto de vista tal vez lo era. Pero en cuanto al autor de estos hechos, no tenía la menor idea de quién podía ser. Estaba tan perplejo como Marsha.

Se volvió lentamente hacia la puerta de la cochera y vio la nota. Furioso y aturdido a la vez, se preguntó nuevamente quién sería el culpable. Si era Gephardt, ya no volvería a molestarlos.

—Primero una llamada, después una ventana rota, ahora la gata muerta —dijo Marsha—. ¿Qué viene después?

—Llamemos a la policía.

—Sí, la última vez nos ayudaron mucho.

—No sé qué quieres que haga —dijo Victor, un poco más sereno—. Llamé a las tres personas que podían ser culpables de esto. Ah, la lista de sospechosos se ha reducido. Ahora son dos.

—¿Qué quieres decir?

—Cuando volvía a casa, me detuve en lo de George Gephardt. El tipo había...

—¡Puaj!

La voz de VJ a sus espaldas los sobresaltó. Marsha había esperado ahorrarle el horrible cuadro. Se interpuso entre su hijo y la puerta.

—Mira cómo tiene la lengua —dijo VJ tratando de acercarse.

—¡Vaya para adentro, jovencito! —exclamó, tratando de arrastrarlo hacia la casa. Jamás perdonaría a Victor por eso. Pero VJ se resistía a alejarse. A toda costa quería mirar. Demostraba un interés morboso, una frialdad clínica. Marsha advirtió con estupor que no mostraba la menor pena: ese era otro síntoma de la personalidad esquizoide.

"¡VJ! —exclamó—. ¡Vete adentro ahora mismo!

—¿La habrán matado antes de clavarla a la puerta? —preguntó el chico tranquilamente, tratando de mirar hacia atrás mientras Marsha lo empujaba hacia la puerta.

Victor fue a llamar a la policía de North Andover mientras Marsha se sentaba a conversar con VJ. No podía dejar de sentir pena por la gata. Victor se comunicó con la comisaría, donde el telefonista le dijo que enviarían un patrullero lo antes posible.

Volvió a la sala. VJ subía la escalera, saltando los escalones de dos en dos. Marsha seguía sentada en el sofá, con los brazos cruzados sobre el pecho. Estaba furiosa, sobre todo desde que VJ había visto la gata.

—Voy a contratar una agencia de seguridad hasta que terminemos de esclarecer los hechos —dijo Victor—. La casa estará vigilada toda la noche.

—Es lo que deberíamos haber hecho el primer día.

Victor se encogió de hombros y se sentó. Bruscamente se sintió muy cansado.

"¿Sabes qué me dijo VJ cuando le pregunté qué sentía? Dijo que no importa, que podemos comprar otro gato.

162

—Eso revela una gran madurez, ¿no te parece? —replicó Victor—. VJ es un chico muy racional.

—Pero Victor, es su gata, la tiene desde hace años. Cualquiera diría que sentiría pena al perderla así. —Tragó con esfuerzo: —Me pareció una reacción fría y distante. —Por más que tratara de conservar la compostura cuando hablaban sobre su hijo, no podía contener las lágrimas.

Victor se encogió de hombros otra vez. Estaba harto de la cháchara psiquiátrica. El chico estaba perfectamente bien.

"La emoción no apropiada es mal signo —prosiguió Marsha, mirándolo, esperando siquiera una señal. Pero él no respondió. —¿Qué opinas?

—A decir verdad, estoy preocupado por otra cosa en este momento. Iba a hablarte de Gephardt justamente cuando apareció VJ. Cuando volvía de la oficina pasé por su casa y vi... bueno, no te imaginas la escena. Lo habían asesinado, junto con toda su familia. Los ametrallaron en su propia sala esta tarde. Una masacre. —Se alisó el pelo: —Fui yo el que llamó a la policía.

—¡Qué horror! —exclamó—. Dios mío, ¿qué está pasando? —Miró a Victor. Era su esposo, el hombre al que había amado durante tantos años. —¿Te sientes bien? —preguntó.

—Sí, ya estoy bien —respondió sin convicción.

—¿VJ estaba contigo?

—No, me esperaba en el auto.

—Entonces no vio nada.

—No.

—Gracias a Dios —dijo Marsha—. ¿La policía tiene alguna idea sobre el motivo?

—Dicen que tiene que ver con la droga.

—¡Qué horror! ¿Quieres una copa? ¿Un poco de vino?

—No, mejor algo más fuerte. Un whisky.

—Ya te lo traigo.

Fue al bar y sirvió una buena medida de whisky. Tal vez se mostraba demasiado dura con Victor, pero tenía que obligarlo a afrontar los problemas de su hijo.

Decidió abordar el tema inmediatamente.

—Yo también tuve una experiencia que me alteró —dijo al entregarle el vaso—. No, no tiene nada que ver con la tuya. Fui a la escuela de VJ a hablar con el director.

Victor bebió un sorbo en silencio.

Marsha relató su conversación con el profesor Remington y finalmente le preguntó por qué no había consultado con ella su decisión de que VJ faltara tanto a la escuela.

—Yo nunca tomé esa decisión.

—O sea que no enviaste una serie de notas al colegio para que VJ faltara, y pasara el día contigo en el laboratorio.

—Claro que no.

—Me lo temía. Tenemos un problema. Esto de hacerse la rabona sistemáticamente es un síntoma grave.

—La verdad, me llamó la atención verlo tan seguido en el laboratorio, pero cuando le pregunté, dijo que sus maestros lo permitían porque así adquiría más experiencia práctica. Como sus calificaciones son tan altas, no se me ocurrió indagar más.

—Pauline Spalding también me dijo que VJ pasaba la mayor parte del tiempo en tu laboratorio —dijo Marsha—. Sobre todo después de que sufrió la pérdida de su inteligencia.

—VJ siempre ha pasado mucho tiempo en el laboratorio —asintió Victor.

—¿Y qué hace?

—Muchas cosas. Experimentos químicos elementales, mira preparados microscópicos, juega con la computadora. No sé. Siempre anda por ahí. Todos lo conocen y lo quieren. Sabe entretenerse solo.

Sonó la campañilla de la puerta principal. Marsha y Victor fueron a recibir a la policía.

—Soy el sargento Cerullo —dijo un policía alto y gordo. Sus rasgos, todos muy pequeños, ocupaban el centro de su cara regordeta. —Él es el agente Hood. Lamentamos lo sucedido. Hemos tratado de vigilar la casa desde que Widdicomb estuvo aquí, pero es difícil, porque está muy apartada de la calle.

Igual que Widdicomb el martes anterior, el sargento Cerullo sacó una libreta y un lápiz. Victor los condujo a la cochera. Hood tomó algunas fotografías y luego los dos estudiaron el terreno. Victor aceptó con gratitud cuando Hood se ofreció a retirar el cadáver de la gata. Entre los dos cavaron una pequeña tumba junto a un abedul.

Cuando volvían a la casa, Victor preguntó si le podían recomendar alguna agencia de seguridad. Los policías le dieron los nombres de algunas empresas locales.

—Ya que estamos —dijo el sargento—, ¿se le ocurre quién sería capaz de hacer semejante cosa?

—Se me ocurren dos —dijo Victor—. Sharon Carver y William Hurst.

Cerullo anotó los dos nombres. Victor no mencionó a Gephardt ni tampoco a Ronald Beekman. Ronald jamás se rebajaría tanto.

Acompañó a los policías hasta la puerta y fue a llamar a las agencias que le habían recomendado. En los dos casos le respondió un contestador automático, en el que grabó su nombre y el número de teléfono de su oficina.

—Quiero que hablemos con VJ ahora mismo —dijo Marsha.

Su tono de voz no admitía réplica. Victor asintió y juntos subieron la escalera. La puerta de la habitación de VJ estaba entornada. Entraron sin llamar.

El niño cerró uno de sus álbumes filatélicos y lo puso en el estante sobre su escritorio.

Marsha lo miró. Él los miraba a su vez con aire expectante, casi culpable, como si lo hubieran sorprendido en una travesura. No con un álbum de filatelia en las manos.

—Queremos hablar contigo —dijo Marsha.

—Bueno —asintió VJ—. ¿Qué pasa?

De pronto, era nada más que un chico de diez años, tan vulnerable que daban ganas de abrazarlo. Pero Marsha se contuvo: debía mostrarse severa, por su bien.

—Hoy estuve en la academia Pendleton. Hablé con el director. Me dijo que llevas notas firmadas por tu padre para justificar tu ausencia de la escuela y pasar más tiempo en Chimera. ¿Es verdad?

La experiencia profesional indicaba que VJ negaría la acusación y luego, confrontado por las pruebas, externalizaría la responsabilidad. Así actuaban los preadolescentes. Pero esa no fue la actitud de VJ.

—Sí, es verdad —dijo sin alterarse—. Lamento haberlos engañado. Les pido disculpas por las molestias que pudiera haber causado. No tuve esa intención.

Marsha se sintió totalmente confundida. Hubiera preferido la habitual negativa infantil, pero VJ no respondía a la norma, ni siquiera en ese aspecto. Miró a Victor, quien alzó la cejas sin responder.

"Lo único que puedo alegar a mi favor es que tengo muy buenas calificaciones en la escuela —prosiguió VJ—. Me pareció que eso era lo más importante.

—La escuela debería presentar dificultades, problemas a resolver —dijo Victor, al advertir que la serenidad de VJ dejaba a Marsha sin respuesta—. Si te resulta demasiado fácil, debes pasar de grado. Se conocen casos de chicos de tu edad que han ingresado en la universidad e incluso se han graduado.

—A esos chicos los tratan como bichos raros —replicó VJ—. Además, no me interesan las instituciones. En el laboratorio aprendo muchísimo más que en la escuela. Quiero ser investigador.

—¿Por qué no me lo dijiste? —preguntó Victor.

—Me pareció que era lo más fácil —dijo VJ—. Tenía miedo de que si te pedía permiso para pasar más tiempo en el laboratorio, te negarías.

—Aunque creas que sabes el resultado de una discusión, igual deberías consultar —dijo Victor.

VJ asintió.

Victor miró a Marsha para ver si quería agregar algo. Ella se mordisqueaba el labio. Miró a Victor, y los dos se encogieron de hombros sin saber qué más decir.

—Volveremos a hablar de esto —dijo Victor, y los dos bajaron otra vez a la sala.

"Por lo menos no nos mintió —aventuró él.

—No termino de entender —dijo Marsha—. Estaba tan segura de que lo negaría. —Se sirvió más vino y se sentó a la mesa de la cocina—. ¡Es tan difícil anticipar sus reacciones!

—¿Pero no es una buena señal el que no haya mentido? —preguntó Victor, apoyado contra la mesada.

—No, no lo es. En estas circunstancias y tratándose de un chico de esta edad, no es en absoluto lo normal. No mintió, pero tampoco mostró el menor remordimiento, no sé si lo notaste.

Victor alzó los ojos, exasperado:

—¿Nunca te darás por satisfecha? A mí no me parece tan grave. Yo me hacía la rabona en el secundario, sólo que nunca me descubrieron.

—No es lo mismo —dijo Marsha—. Esa conducta es la típica rebeldía adolescente. Por eso lo hiciste en el secundario. VJ está en quinto grado.

—No creo que por falsificar un par de notas sea un delincuente en potencia. Además, mira sus calificaciones. Es un prodigio, qué joder. Falta al colegio para ir al laboratorio, no para encerrarse a fumar marihuana.

—Si fuera sólo eso, no me preocuparía tanto. Pero hay todo un conjunto de problemas que configuran un cuadro. Eso es lo que me preocupa. No puedes ser tan ciego como para no ver...

Un ruido de un objeto pesado al caer la interrumpió en la mitad de la frase.

—¿Qué fue eso? —preguntó Victor.

—Me parece que es algo en la cochera —replicó Marsha.

Victor corrió a la sala, apagó la luz, luego tomó una linterna a pilas del armario y fue a contemplar el patio desde la ventana.

—¿Ves algo? —preguntó Marsha.

—Desde aquí no se ve nada —dijo Victor, y se dirigió a la puerta.

—¡No vas a salir!

—Voy a ver quién está allá —dijo él sobre su hombro.

—Victor, ¡no vas a salir solo!

Él salió en puntas de pie, seguido por Marsha, casi pegada a su espalda. Oyeron ruido de pasos cerca de la puerta de la cochera. Victor encendió la linterna y la apuntó en esa dirección.

Un par de brillantes ojillos negros los miró un instante y desapareció en la oscuridad.

—Un mapache —dijo Victor con un suspiro de alivio.

Capítulo 9

Viernes por la mañana

Victor llegó al trabajo hirviendo de furia por la muerte de la gata. Marsha estaba cada vez más preocupada por VJ, y encima un sujeto misterioso hostigaba a la familia. Había que actuar con rapidez para prevenir un nuevo ataque, sobre todo porque cada uno era peor que el anterior. ¿Qué sucedería después de la muerte del gato? Victor se estremeció al pensar en las alternativas.

Estacionó y apagó el motor. VJ y Philip, que iban juntos en el asiento trasero, bajaron rápidamente y se dirigieron a la cafetería. Mirándolos, Victor se preguntó si Marsha no tenía razón al pensar que el chico demostraba una conducta potencialmente peligrosa desde el punto de vista psiquiátrico. La noche anterior, en la cama, Marsha le había relatado el resto de la conversación con el profesor Remington. El hecho de que VJ se hubiera peleado con alguien alteró a Victor más que cualquier otra cosa. Eso no condecía con su personalidad. Le parecía imposible. Y si era verdad, no sabía qué pensar. En cierto sentido, era para estar orgulloso del chico. ¿Qué tenía de malo que se defendiera? El profesor Remington había expresado cierta admiración por la conducta de VJ en la ocasión.

—¿Quién carajo sabe? —dijo Victor en voz alta al bajar del auto y dirigirse a la puerta del edificio. Antes de que diera una docena de pasos, apareció un hombre vestido con uniforme de policía.

—¿Es usted el doctor Victor Frank?

—Sí.

Le entregó un sobre:

—Vengo de la oficina del comisario —dijo—. Buenos días.

Victor abrió el sobre: era una citación para responder en un proceso judicial. La carátula decía: "Sharon Carver contra Victor Frank y Chimera SA".

No hacía falta leer más. Sabía de qué se trataba: Sharon le iniciaba juicio por discriminación sexual. Sintió el impulso de arrojar las hojas de papel al viento. Su furia iba en aumento a medida que subía las escaleras hacia la entrada.

En el lugar reinaba una tensión casi eléctrica. Todos lo miraban pasar y luego murmuraban entre ellos. Cuando llegó a la oficina, llamó a Colleen y le preguntó qué diablos pasaba.

—Usted se ha vuelto famoso —explicó—. Dijeron en el noticiario que usted fue el que descubrió los cadáveres de la familia Gephardt.

—Justo lo que necesitaba —dijo Victor. Entregó la citación a Colleen para que la hiciera llegar al abogado de la empresa. Luego se sentó: —Y bien, ¿qué tenemos para hoy?

—De todo un poco —dijo Colleen. Le entregó una hoja: —El informe preliminar sobre las investigaciones de Hurst. Apenas comenzaron encontraron irregularidades importantes. Quieren tenerlo al tanto.

—Usted siempre es la portadora de gratas nuevas —dijo Victor, echando un vistazo al informe. No era para sorprenderse, dada la reacción de Hurst al conocer su decisión de investigar el asunto, pero había pensado que las irregularidades no aparecerían desde el comienzo mismo. Hurst parecía un hombre hábil para cubrirse.

—¿Qué más? —preguntó, dejando el informe a un lado.

—El miércoles próximo habrá una reunión de directorio para resolver la venta de acciones. —Le entregó una hoja para que él la incluyera en su agenda.

—Es como una invitación a jugar a la ruleta rusa —dijo Victor—. ¿Qué más?

Colleen siguió recorriendo la lista y señalando los sucesivos problemas: casi todos eran menores, pero había que ocuparse de ellos. Tomó nota de las instrucciones de Victor. Terminaron en media hora.

—Ahora me toca a mí —dijo Victor—. ¿Me han llamado de alguna agencia de seguridad?

—No.

—Bueno. Quiero que tome el teléfono y utilice todos sus encantos para averiguar dónde estaban Ronald Beekamn, William Hurst y Sharon Carver ayer al mediodía.

Colleen tomó nota y aguardó el resto de las instrucciones. Cuando Victor le dijo que eso era todo, asintió y se dirigió a su escritorio.

Victor tomó los papeles listos para su lectura y firma y se puso a trabajar.

Treinta minutos más tarde, Colleen volvió con la información requerida: el doctor Beekman y el doctor Hurst habían pasado el día en Chimera, aunque éste había desaparecido a la hora de almorzar y nadie sabía dónde había ido. No se sabía nada sobre la señorita Carver.

Victor asintió y le agradeció. Tomó el teléfono y llamó a una de las agencias de seguridad, llamada Able Protection. Una telefonista atendió y lo hizo esperar. Tomó la llamada un hombre de voz grave, con quien Victor contrató un servicio de vigilancia para su casa entre las dieciocho y las seis.

Colleen volvió con una hoja de papel, diciendo que era una lista del instrumental sustraído por Gephardt.

Victor recorrió la lista: sintetizador de polipéotidos, contadores intermitentes, centrifugadoras, microscopio electrónico...

—¡Un microscopio electrónico! —chilló Victor—.

¿Cómo diablos lo sacó de aquí? ¿Cómo hizo para ocultarlo y después venderlo? La demanda de miscroscopios electrónicos no es tan grande, que yo sepa. —Victor la miró, pero en su mente tenía la imagen de la camioneta frente a la puerta de Gephardt.

—No tengo la menor idea —dijo la secretaria.

—Pero lo peor de todo es que pudiera hacerlo durante tanto tiempo. Contabilidad y seguridad van a tener que responder por esto.

Por fin a las once y media Victor pudo salir de su oficina para ir al laboratorio. Las tareas administrativas de la mañana lo habían agitado hasta la exasperación. Pero en el laboratorio se relajó casi al instante. Era una reacción inmediata, casi refleja. Había creado Chimera para dedicarse a la investigación, no al papelerío engorroso.

Entraba en su oficina en el laboratorio, cuando lo vio una de las técnicas:

—Robert lo busca —dijo—. Nos pidió que le avisáramos.

Victor le agradeció y salió en busca del técnico, a quien halló en la unidad de electroforesis.

—Doctor Frank —exclamó Robert con una sonrisa feliz—. Dos de sus muestras dieron positivo.

—O sea que...

—Las dos muestras de sangre mostraron la presencia de cefaloclor.

Victor se quedó un instante sin aliento. Jamás se le había ocurrido que ese análisis pudiera dar un resultado positivo. Lo había hecho sólo porque conservaba el espíritu del estudiante de medicina.

—¿Está seguro? —articuló con dificultad.

—Es lo que dice Harry. Y si hay un tipo competente, es él. ¿No lo esperaba?

—La verdad es que no —respondió. Su mente ya consideraba las implicaciones del hecho. Se volvió hacia Robert:

—Verifíquelo usted personalmente.

Victor volvió a su oficina sin decir una palabra más. En

uno de sus cajones guardaba un frasco con cápsulas de cefaloclor. Tomó una cápsula, salió, atravesó el laboratorio y la sala
de disección a la sala de animales. Tomó dos ratas inteligentes, las puso en una jaula aparte y agregó el contenido de la
cápsula al tazón con agua. Aguardó a que el polvo blanco se
disolviera antes de colocar el tazón en la jaula.

Salió de su departamento de biología, recorrió un pasillo
largo y subió una escalera hasta el departamento de inmuno-
logía. Fue directamente a la oficina de Hobbs.

—¿Cómo se siente ahora que volvió a trabajar? —preguntó.

—No consigo concentrarme en un ciento por ciento
—confesó Hobbs—. Pero el trabajo me hace bien. En casa
sentía que me iba a volver loco. A Sheila también le hizo bien
volver.

—Bueno, me alegro por eso. Quería preguntarle una vez
más si existe la posibilidad de que a su hijo le hayan suministrado cefaloclor.

—En absoluto —dijo Hobbs—. ¿Por qué? ¿Le parece
que el cefaloclor provocó el edema?

—Si no lo tomó, no —dijo Victor en un tono que no dejaba lugar a dudas. Dejó a Hobbs un tanto perplejo y fue al departamento de contabilidad a interrogar a Murray. La respuesta fue la misma. Ninguno de los niños había tomado
cefaloclor.

De vuelta al laboratorio, pasó por el centro de cómputos
para hablar con Louis y enterarse de los planes para esa noche.

—Estaremos preparados —dijo Louis—. Los técnicos de
la telefónica vienen alrededor de las seis para montar el aparato. Todo depende de que el *hacker* se conecte y trabaje un
rato. Toco madera.

—Y yo —dijo Victor—. Estaré en el laboratorio. Que me
llamen cuando se conecte. Vendré inmediatamente.

—Cómo no, doctor Frank.

Camino al laboratorio, trató de poner orden en sus pensamientos. Una vez sentado, dejó que su mente indagara en

el significado de los rastros de cefaloclor hallado en las muestras de sangre de los bebés muertos. Evidentemente, el antibiótico había penetrado en sus organismos y activado el gen FDN, el cual estimuló las células del cerebro al punto que empezaron a dividirse. Dentro de la caja craneana, el cerebro tenía un espacio limitado para crecer. Superado ese límite, el cerebro penetraría en el canal de la médula espinal, tal como había revelado la autopsia.

Victor se estremeció. Era imposible que hubieran tomado el cefaloclor accidentalmente, y por otra parte alguien lo había suministrado a los dos bebés al mismo tiempo. Por consiguiente, cabía suponer que se lo había suministrado adrede, para matarlos.

Victor se frotó los ojos con fuerza, luego se alisó el pelo con las manos. ¿Qué motivo habría para matar a dos bebés extraordinarios, de inteligencia prodigiosa? ¿Quién lo haría?

Incapaz de contenerse, empezó a pasear por la oficina. Sólo se le ocurría una idea estrafalaria: un idiota, un moralista reaccionario, había descubierto casualmente los detalles del experimento FDN y había asesinado a los niños en su afán de frustrar la obra de Victor.

Pero en ese caso, ¿por qué no había matado las ratas inteligentes? ¿Y a VJ? Además, muy pocas personas tenían acceso a la computadora y los laboratorios. Un *hacker* había borrado los archivos. ¿Pero cómo había podido penetrar en los laboratorios y en la guardería? Victor sabía que el único punto de intersección en las vidas de los bebés Hobbs y Murray era la guardería. Por consiguiente, ¡allí les habían suministrado el cefaloclor!

Bruscamente recordó la amenaza de Hurst: "Usted no es un santo como quiere hacernos creer." Tal vez Hurst estaba al tanto del proyecto FDN y se había vengado de él por esa vía.

Empezó a pasearse otra vez. La hipótesis de Hurst no explicaba todos los hechos. Si de venganza se trataba, ¿por qué no había recurrido al chantaje? ¿O por qué no había revelado todo a la prensa? Eso tenía más sentido que la muerte de un

174

par de niños inocentes. No, la explicación era otra, más maligna y menos sencilla.

Se sentó, tomó los protocolos de sus últimos experimentos de laboratorio y trató de concentrarse. No pudo. Sus pensamientos volvían una y otra vez al experimento FDN. Dada la magnitud del problema, era de lamentar que no pudiera transmitir sus sospechas a la policía. En ese caso debería revelar el proyecto FDN, lo cual era imposible. Sería un suicidio profesional, y encima destruiría su familia. Si sólo pudiera volver atrás el reloj y anular la experiencia inicial antes de comenzar...

Se echó hacia atrás en la silla, entrelazó los dedos en la nuca y contempló el cielo raso. Cuando VJ sufrió la pérdida de su inteligencia, a Victor ni se le había ocurrido hacerle una prueba de cefaloclor. ¿Acaso había quedado un resto del antibiótico almacenado en su cuerpo después de su nacimiento, el que se había lixiviado entre los dos y cuatro años de edad? "No", dijo Victor al cielo raso, en respuesta a su propia pregunta. Ningún proceso fisiológico podía causar semejante fenómeno.

Los sucesos de los últimos días pasaron por su mente en un torbellino: el asesinato de Gephardt, la muerte posiblemente intencional de dos niños sometidos a ingeniería genética, la escalada de amenazas contra su familia, el fraude, la malversación. ¿Acaso estos incidentes sin relación aparente formaban parte de una conspiración siniestra?

Victor meneó la cabeza. Imposible: el hecho de que todo sucediera a la vez era mera coincidencia. Pero no era tan fácil descartar esa idea. Nuevamente pensó en VJ. ¿Estaba en peligro? ¿Cómo impedir que le suministraran cefaloclor si una mano siniestra estaba empeñada en ello?

Miró fijamente la pared. Desde el miércoles anterior le rondaba por la cabeza la idea de que VJ corría peligro. Se preguntó si se había mostrado suficientemente enérgico al advertirle que no se acercara a Beekman ni a Hurst.

Bruscamente se puso de pie y fue a la puerta: no le permitiría seguir paseando a solas por la empresa.

Igual que el miércoles anterior, empezó por el laboratorio. Nadie había visto a VJ ni a Philip durante las últimas horas. Se dirigió a la cafetería. Era casi mediodía y el personal se preparaba para la hora pico del almuerzo. Algunos empleados previsores ya estaban almorzando. El administrador, Curt Tarkington, supervisaba la cocina.

—Busco a mi hijo otra vez —dijo Victor.

—No ha venido por aquí —replicó Curt—. Tal vez debería darle un trasmisor.

—No es mala idea —dijo Victor—. Por favor, si lo ve, avise a mi secretaria.

—Con mucho gusto.

Fue a la biblioteca, que estaba en el mismo edificio, pero la encontró desierta. Cuando salió, iba a dirigirse a la guardería y el gimnasio, pero cambió de idea y fue a la oficina de seguridad del portón principal.

Era una pequeña oficina entre los portones de entrada y salida del complejo Chimera. Un hombre operaba los portones, otro estaba sentado ante una mesita. Los dos vestían uniformes pardos con el símbolo de Chimera cosido en la manga cerca del hombro. El hombre sentado a la mesa se paró de un salto al ver a Victor.

—Buenos días, señor —dijo el guardia. Llevaba una placa con su nombre abrochada en el uniforme: Sheldon Farber.

—Buenos días. Siéntese, por favor. —Sheldon se sentó. —Quiero averiguar sobre los procedimientos. Cuando sale un camión o una camioneta, ¿se verifica la carga?

—Sí, señor —dijo Sheldon—. Eso se hace siempre.

—Y si lleva instrumental, ¿se aseguran de que la salida haya sido autorizada?

—Por supuesto —replicó Sheldon—. Verificamos la orden de salida y el remito o llamamos a mantenimiento. Es un procedimiento de rutina.

—¿Qué sucede si el conductor del vehículo es empleado de Chimera?

176

—No importa. El procedimiento es el mismo.

—¿Y si es personal jerárquico?

—Bueno, en ese caso no es lo mismo —dijo Sheldon tras una pausa—. Es decir, me parece, ¿no?

—Entonces, si aparece una camioneta conducida por uno de los ejecutivos, ¿le franquean el paso sin más?

—Bueno, no sé —dijo Sheldon, nervioso.

—De ahora en adelante quiero que revisen cada camión, camioneta o vehículo de carga de cualquier tipo que salga de aquí. No importa quién conduzca. Aunque sea yo mismo. ¿Entendido?

—Sí, señor. Entendido.

—Otra pregunta. ¿No han visto a mi hijo hoy?

—Yo no —dijo Sheldon. Llamó al hombre del portón:
—George, ¿has visto a VJ?

—Cuando llegó con el doctor Frank.

Sheldon le indicó que esperara. Fue a un trasmisor de radio detrás del escritorio y llamó a Hal.

—Hal ha estado patrullando esta mañana —explicó. La voz de éste llegó en medio de una maraña de crujidos. Sheldon le preguntó si había visto a VJ.

—Esta mañana lo vi cerca de la represa —dijo la voz en medio de fuertes crujidos.

Victor agradeció a los empleados de seguridad y salió de su oficina. Estaba molesto por la terquedad de VJ. Le había dicho por lo menos cinco veces que no se acercara al río.

Se ajustó el delantal del laboratorio y se dirigió al río. Iba a volver a su oficina a buscar un abrigo, pero decidió que no lo haría. La temperatura era más baja que el día anterior, pero no hacía tanto frío.

El cielo había estado despejado, pero empezaba a cubrirse de nubes. La brisa del nordeste traía el aroma del océano. Varias gaviotas volaban en círculos y lanzaban sus chillidos penetrantes.

Frente a él se alzaba la torre del reloj, con las agujas del Big Ben detenidas en las 02:15. Recordó su intención de proponer la restauración de la estructura y el reloj en la reunión de directorio del viernes.

A medida que se acercaba al río, crecía el rugido del agua al pasar por el vertedero de la represa.

—¡VJ! —gritó Victor al llegar a la orilla del río, pero el rugido del agua era más potente que cualquier voz. Bordeó la pared oriental del edificio de la torre, cruzó un puente de madera sobre la compuerta de salida del sótano del edificio y llegó al muelle de granito que se alzaba río abajo de la represa. Contempló el agua blanca que seguía su curso turbulento hacia el océano. A la izquierda se extendía la represa a todo lo ancho del río, con su amplio embalse aguas arriba. El agua saltaba sobre el vertedero central, en un imponente arco verde esmeralda. Victor sentía la vibración del muelle de granito bajo sus pies. Era un testimonio imponente del poder de la naturaleza, originado meses antes con los primeros, suaves, copos de nieve.

Victor giró para alzar nuevamente la voz, pero advirtió sobresaltado que VJ había aparecido a su espalda. Philip guardaba su distancia.

—Ahí estás —dijo Victor—. Te he buscado por todas partes.

—Eso pensé —dijo VJ—. ¿Qué pasa?

—Quiero que... —Vaciló. No sabía bien qué quería. —¿Qué estabas haciendo?

—Nada. Estaba jugando.

—No me gusta que andes solo por todas partes, y menos aún cerca del río —dijo Victor en tono severo—. Más aún, quiero que vuelvas a casa. Los haré llevar por un vehículo de la empresa, a ti y a Philip.

—Pero no quiero ir a casa —replicó VJ, quejumbroso.

—Después te explicaré —dijo Victor con firmeza—. Quiero que te vayas a casa ahora mismo. Es por tu bien.

Marsha abrió la puerta del consultorio que daba al pasillo y Joyce Hendricks salió subrepticiamente. Le había dicho que la aterraba la idea de encontrarse con un conocido cuando salía del consultorio, y por el momento Marsha le seguía la corriente. Con el tiempo la convencería de que la consulta al psiquiatra no conllevaba el estigma social de otras épocas.

Hizo algunas anotaciones en el legajo de Hendricks, luego se asomó a la sala de espera y dijo que salía a almorzar. Ocupada como siempre con el teléfono, Jean agitó la mano para indicar que había entendido.

Marsha iba a almorzar con la doctora Valerie Maddox, una colega suya a quien admiraba y respetaba y que tenía su consultorio en el mismo edificio. Además de colegas, las dos eran amigas íntimas.

—¿Tienes hambre? —preguntó Marsha cuando Valerie le abrió la puerta.

—Digamos mejor que estoy famélica.

Tenía todo el aspecto de una mujer al borde de los sesenta, que era en efecto su edad. Fumadora empedernida durante muchos años, de su boca se irradiaban arrugas finas, semejantes a las que dibujaría un niño para indicar los rayos del sol.

Bajaron por el ascensor y cruzaron la senda hasta el hospital. En la cafetería, buscaron una mesa apartada donde pudieran conversar. Las dos pidieron ensalada de atún.

—Te agradezco que salieras a almorzar —dijo Marsha—. Quiero hacerte una consulta sobre VJ.

Valerie la alentó a seguir con una sonrisa.

"Me ayudaste muchísimo cuando sufrió esa caída de su inteligencia. Bueno, últimamente he estado preocupada por él, pero no sé qué decir. Soy su madre. Tratándose de él, no tengo la menor objetividad.

—¿Cuál es el problema?

—Ni siquiera sé si hay un problema. En todo caso, no es un hecho concreto sino un conjunto. Le hice una serie de test. Mira los resultados.

Valerie tomó la carpeta que le tendía Marsha y estudió

los resultados atentamente.

—No veo nada fuera de lo común —dijo—. Lo único que me llama la atención es esa escala de validez del MMPI, pero aparte de eso no veo que haya nada de qué preocuparse.

—Tal vez tengas razón —dijo Marsha, y acto seguido le relató sus averiguaciones sobre las faltas repetidas, las notas falsificadas y las peleas en la escuela.

—Parece un chico muy vivo —sonrió Valerie—. No recuerdo su edad.

—Diez años —dijo Marsha—. También me preocupa que tenga un solo amigo de su edad, un chico llamado Richie Blakemore, a quien ni siquiera conozco.

—¿VJ nunca lo invita a la casa?

—Nunca.

—Tal vez deberías hablar con la señora Blakemore. Saber si de verdad son tan amigos.

—Sí, creo que es buena idea.

—Y si quieres que examine a VJ, lo haré con mucho gusto.

—Te lo agradecería muchísimo. No estoy en condiciones de evaluarlo yo misma. Pero al mismo tiempo estoy muy asustada. No sé por qué tengo la impresión de que está desarrollando un trastorno serio de la personalidad.

Las dos mujeres se despidieron en el ascensor. Marsha le agradeció una vez más que la atendiera y que ofreciera examinar a VJ. Quedaron en que Marsha llamaría a la secretaria de Valerie para pedir turno.

—Llamó su esposo, doctora —dijo Jean al verla—. Dice que no deje de llamar.

—¿Hay algún problema?

—Me parece que no. No dijo nada, pero por la voz no parecía molesto.

Marsha recogió la correspondencia y fue a encerrarse en su consultorio. Llamó a Victor mientras hojeaba las cartas. Colleen derivó la llamada al laboratorio donde se hallaba Victor.

—¿Cómo estás? —preguntó Marsha. Victor no la llamaba con frecuencia.

—Como siempre.

—Tienes voz de cansado —dijo Marsha, aunque en realidad hubiera querido decir que tenía una voz extraña, de quien acaba de sufrir un choque emocional y se domina con esfuerzo.

—Es que cada día sucede algo nuevo —dijo Victor, sin mayor explicación—. Sólo quería decirte que VJ y Philip están en casa.

—¿Hubo algún problema?

—No. Ningún problema. Pero voy a trabajar hasta muy tarde, así que no me esperen para cenar. Ah, antes de que me olvide, estarán vigilando la casa de dieciocho a seis.

—¿Tu demora tiene algo que ver con las amenazas que hemos recibido?

—Tal vez. Te explicaré cuando llegue a casa.

Marsha dejó el auricular lentamente. Otra vez tenía esa sensación de que Victor le ocultaba algo importante, que ella debería saber. ¿Por qué no confiaba en ella? Se sentía cada vez más sola.

Reinaba un silencio extraño en el laboratorio cuando Victor estaba solo en el lugar. De vez en cuando se encendía un aparato electrónico, pero no había otro ruido. Pasadas las ocho y media, no quedó nadie aparte de él. Ni siquiera oía los ruidos de los animales al pasearse por sus jaulas o hacer girar sus calesitas.

Inclinado sobre una mesa, Victor estudiaba unas filminas surcadas por franjas horizontales oscuras. Cada franja representaba una porción cortada de DNA. Estudiaba el DNA de su hijo David —un análisis previo a la enfermedad que lo había matado— y lo comparaba con una muestra del tumor canceroso. Lo asombroso era que no había coincidencia total entre las dos muestras. Su primera impresión fue que el doctor

Shryack se había equivocado de muestra: era un tumor de otro paciente. Sin embargo, había una gran homología entre las dos muestras: las semejanzas superaban ampliamente las diferencias.

Sometió las muestras a un análisis de computadora programada para señalar las zonas de homología y heterogeneidad, y llegó a la conclusión de que los dos DNA diferían en un solo punto.

Para colmo de confusiones, la muestra analizada por Robert contenía zonas de tejido hepático normal, además del tumor. La comparación entre el DNA del hígado normal y el anterior a la enfermedad indicaba que la homología era total.

No era frecuente descubrir un cáncer con una alteración documentada del DNA. Victor no sabía si sentirse emocionado ante la perspectiva de un hallazgo científico importante o aterrado por la posibilidad de descubrir algo que no podría explicar o no le convendría saber.

Inició el proceso de aislamiento de la parte del DNA que aparecía alterada en el tumor. Con ello, a Robert le sería más fácil terminar el trabajo por la mañana.

Salió del laboratorio, atravesó la sala de disección y entró en la sala de animales. El encendido de la luz provocó una conmoción en las jaulas.

Fue directamente a la jaula donde había alojado las ratas inteligentes con una cápsula de cefaloclor disuelta en el agua. Observó con estupor que una estaba muerta y la otra en estado semicomatoso.

Llevó el animal muerto a la sala de disección y efectuó una rápida autopsia. Al abrir el cráneo, el cerebro se hinchó como si alguien lo inflara con aire.

Seccionó una muestra de tejido cerebral y la preparó para la mañana siguiente. En ese momento sonó el teléfono.

—Doctor Frank, soy Phil Moscone, de parte de Louis Kaspwicz. El *hacker* acaba de entrar en la computadora.

—Ya voy —dijo Victor. Guardó la muestra de cerebro de rata, apagó las luces y salió.

Corrió hasta el centro de cómputos, donde Louis salió a su encuentro.

—Parece que podremos rastrearlo. Hace siete minutos que está operando. Esperemos que no provoque daños.

—¿Pueden determinar en qué parte del sistema se encuentra?

—En este momento está en Personal —dijo Louis—. Primero hizo unas cuentas y después pasó a Compras. Es algo muy raro.

—¿Se metió en Personal? —repitió Victor. Había pensado que el *hacker* no era un chico travieso sino un agente de la competencia. La biotecnología era un área sumamente competitiva, y casi todos querían sacar ventaja a las empresas grandes como Chimera. Pero a un espía industrial le interesarían los programas de investigación, no los de Personal.

—¡Lo agarramos! —anunció con una sonrisa el hombre que operaba el transceptor.

Se alzó una salva de aplausos.

—Bien —dijo Louis—. Ya tenemos el número. Ahora sólo falta el nombre.

El hombre del transceptor alzó la mano para indicar silencio, escuchó un instante y dijo: —Es un número no registrado.

Esta vez se alzó un coro de protestas de los hombres que ya guardaban su equipo.

—¿Significa que no pueden averiguar el nombre? —preguntó Victor.

—No —dijo Louis—. Significa que van a tener que trabajar un poco más.

Victor se apoyó contra la impresora y se cruzó de brazos.

Bruscamente, el hombre del transceptor se llevó el auricular al oído y a la vez pidió una hoja de papel. Alguien le entregó una libreta. El hombre hizo una anotación, dijo "gracias, cambio y fuera" al micrófono, apagó la unidad y recogió la antena. Entregó la hoja a Louis.

Éste leyó el nombre y la dirección anotados y palideció.

Entregó la hoja a Victor sin decir palabra. Éste la leyó. Atónito, leyó otra vez. ¡Era su nombre y su dirección!

—¿Qué es esto, una broma? —dijo Victor mirando a Louis. Luego miró a los demás. Nadie habló.

Fue Louis quien rompió el silencio:

—¿Alguna vez programó su PC para acceder automáticamente al *mainframe* a determinada hora?

Victor miró al jefe de sistemas y comprendió que le daba pie para buscar una salida a la situación.

—Sí, eso es —asintió, tratando de dominarse. Agradeció a todos y salió.

Del centro de cómputos fue a la administración a buscar su abrigo y de ahí a su auto sin saber bien qué hacía. Se sentía aturdido. La sola idea de que alguien usara su computadora para penetrar en la *mainframe* de Chimera era monstruosa. Y además, absurda. Recordaba haber anotado el número de teléfono de la computadora y su código de acceso en la cara inferior del tablero, pero ¿quién los usaba? ¿Marsha? ¿VJ? ¿La empleada? Seguramente había un error. O tal vez el *hacker* era tan astuto, que había introducido una derivación para burlar un eventual rastreo. No se le había ocurrido, pero al día siguiente le preguntaría a Louis. Ésa parecía la hipótesis más sensata.

Oyó el auto de Victor antes de ver las luces de los faros. Estaba en su escritorio, tratando vanamente de concentrarse en la pila de revistas especializadas acumuladas sobre la mesa. Se paró, vio las ramas peladas iluminadas por los faros. El auto de Victor desapareció de la vista al bordear la casa hacia la cochera. Después oyó el ruido de la puerta.

Se sentó sobre el sofá tapizado con un *chintz* floreado y contempló su oficina. La había decorado con papel rayado de colores suaves, una alfombra rosa viejo y muebles blancos. Antes era su refugio, donde podía distenderse, pero últimamente nada aliviaba su ansiedad. La conversación con Valerie había sido reconfortante, pero la sensación se disipó rápidamente.

En la sala, VJ y Philip miraban una película de terror que habían alquilado. Los abundantes gritos de la banda sonora tampoco servían para serenarla. No lograba acallarlos aunque cerrara la puerta.

Oyó un portazo, voces en la sala y finalmente un llamado a su puerta.

Victor entró y la besó con indiferencia. Parecía muy cansado, tanto como su voz esa tarde por teléfono. La arruga entre las cejas se había vuelto casi permanente.

—¿Viste al vigilante allá afuera? —preguntó Victor.

—Sí, y me siento mucho más tranquila. ¿Cenaste?

—No. Pero no tengo hambre.

—Te prepararé unos huevos revueltos y unas tostadas.

Victor la contuvo:

—Gracias, mejor me doy un chapuzón en la piscina y una ducha. Eso me hará sentir bien.

—¿Pasa algo malo?

—Lo de siempre —dijo Victor, y salió sin cerrar la puerta. Volvió la música siniestra de la película. Marsha trató de concentrarse en la lectura, pero un nuevo grito la sobresaltó. Cerró la puerta con fuerza.

Victor volvió media hora después. Vestía ropa deportiva y lucía menos cansado.

—Acepto los huevos —dijo.

Fueron juntos a la cocina. Marsha se puso a cocinar mientras Victor tendía la mesa. De la sala llegaba una serie de gritos ahogados y repugnantes. Marsha le pidió que cerrara la puerta.

—¿Se puede saber qué diablos están mirando?

—Una de esas películas de terror que les gustan a los chicos.

Marsha le sirvió la comida, se preparó una taza de té y se sentó frente a él.

—Hay algo que quiero que hablemos —dijo, mientras dejaba que se enfriara un poco el té.

—¿Qué pasa?

Le relató su conversación con Valerie Maddox y la oferta de la psiquiatra de atender a VJ.

—Bueno, ¿qué opinas?

—Tú eres la experta en esas cuestiones —dijo Victor, limpiándose los labios con la servilleta—. Si te parece necesario, estoy de acuerdo.

—Me alegro —dijo Marsha—. Sí me parece necesario. Ahora sólo me resta convencer a VJ.

—Espero que lo consigas.

Victor terminó de limpiar el plato con su tostada y la comió antes de volver a hablar:

—¿Usaste la computadora hoy?

—No, ¿por qué?

—Cuando subí a cambiarme, vi que la impresora estaba caliente. ¿No sabes si VJ la usó?

—No sabría decirte.

Victor se hamacó en la silla y, como siempre que lo hacía, Marsha apretó los dientes. Temía que cayera hacia atrás y se golpeara la cabeza en las baldosas del piso.

—Esta noche sucedió algo de lo más interesante en el centro de cómputos de Chimera —dijo Victor, balanceándose precariamente en la silla. Relató todo lo sucedido, incluso el hecho de que el *hacker* llamaba desde su propia casa.

A pesar de todo, Marsha rió. Luego se apresuró a disculparse.

—Perdóname, me imagino la cara que habrás tenido cuando te lo dijeron en medio de tanta tensión.

—Te aseguro que no me hizo la menor gracia. Voy a hablar seriamente con VJ. Parece ridículo, pero nadie sino él pudo haber penetrado en el *mainframe* de Chimera.

—¿Vas a hablar tan seriamente con él como lo hiciste cuando te enteraste que falsificó tu firma para faltar a la escuela? —preguntó en tono burlón.

—Ya veremos —replicó con fastidio.

Marsha se inclinó hacia él y le tomó el brazo antes de que pudiera pararse:

—Es sólo una broma. En realidad, no me parecería bien que lo hostigaras o lo pusieras entre la espada y la pared. Hay un aspecto de la personalidad de VJ que desconocemos. Por eso quiero que Valerie hable con él.

Victor asintió, luego se paró y abrió la puerta:

—VJ, ¿puedes venir un momento? Quiero hablar contigo.

Oyó la voz de VJ que trataba de negarse, pero Victor se mantuvo firme. Entonces se apagó la banda sonora de la película y apareció el chico. Sus ojos penetrantes tenían esa mirada vidriosa producto de pasar varias horas frente al televisor.

—Siéntate —dijo Victor.

VJ se sentó en silencio a la izquierda de Marsha, con aire aburrido. Victor se sentó frente a los dos y fue derecho al grano.

—VJ, ¿estuviste usando la computadora hoy?

—Sí.

El chico miraba al padre directamente a los ojos, con insolencia. Victor vaciló, luego apartó la mirada. Probablemente quería concentrarse. Luego de una pausa prosiguió:

—¿Utilizaste la PC para penetrar en el *mainframe* de Chimera?

—Sí —contestó VJ sin la menor vacilación.

—¿Por qué? —Su voz no expresaba ira sino confusión. La misma que había experimentado Marsha cuando VJ confesó sus rabonas.

—Porque con la memoria adicional, los videojuegos se vuelven más difíciles.

Victor abrió los ojos, atónito:

—¿Utilizas esa memoria gigantesca para tu Pac-Man y tus juegos?

—Lo mismo que cuando estoy en el laboratorio.

—Sí, supongo que sí —vaciló Victor. Por fin decidió preguntar: —¿Quién te enseñó a usar el modem?

—Tú.

—¿Yo? No recuerdo... —Victor vaciló y entonces se le hizo la luz: —¡Eso fue hace más de siete años!

—Puede ser, pero el método sigue siendo el mismo.

—¿Entras en la computadora de Chimera todos los viernes por la noche?

—Casi todos —dijo VJ—. Juego un rato y después me meto en los archivos, como Personal y Compras. A veces en los de investigación, pero esos son más difíciles.

—¿Y por qué lo haces?

—Quiero saber todo sobre la empresa —dijo VJ—. Algún día seré el jefe. Tu sucesor. Siempre me alentaste a que usara la computadora. Si no quieres, no lo haré más.

—Creo que será lo mejor.

—Bueno —dijo VJ—. ¿Puedo seguir mirando la película?

—Sí, vete.

VJ se paró y salió. A los pocos segundos volvió la banda sonora de gritos y chillidos.

Marsha miró a su esposo. Victor se encogió de hombros. Sonó el timbre.

—Lamento molestarlos a estas horas —dijo el sargento Cerullo—. Les presento al sargento Dempsey, de la policía de Lawrence. —El otro oficial se adelantó y se llevó la mano a la visera de la gorra. Era un joven pelirrojo y muy pecoso.

"Tenemos algo que informarles y a la vez queremos hacerles unas preguntas —dijo Cerullo.

Victor los invitó a pasar. Los policías entraron y se quitaron las gorras. Marsha les ofreció café.

—No, gracias, señora —dijo Cerullo—. Trataremos de ser lo más breves que sea posible. Sucede que los de la comisaría de North Andover somos muy amigos, además de vecinos de nuestros colegas de Lawrence. Intercambiamos información. Ellos están investigando el múltiple asesinato de la familia Gephardt, el hecho denunciado por el doctor Frank.

Bueno, al revisar la casa encontraron copias en borrador de las notas que ustedes recibieron atadas a la gata y al ladrillo. Así que eso está resuelto. Pensamos que les interesaría saberlo.

—Ya lo creo —dijo Victor con un suspiro de alivio.

Dempsey carraspeó:

—El análisis de balística reveló que las armas empleadas para matar a los Gephardt son idénticas a las utilizadas en ciertas batallas que ha habido entre bandas rivales de narcotraficantes sudamericanos. Ese informe vino de Boston. Allá están muy interesados en descubrir el contacto en Lawrence. Tienen motivos para creer que se está gestando algo importante. Lo que les interesa saber, ya que Gephardt era empleado suyo, es qué vínculos podía tener con el mundo de la droga. ¿Usted tiene alguna idea sobre eso?

—Ni la menor —dijo Victor—. ¿Sabían que lo estábamos investigando por malversación de fondos?

—Sí, eso lo teníamos —dijo Dempsey—. ¿Está seguro de que no puede agregar nada más? En Boston dicen que es muy importante.

—Sospechamos que había sustraído equipo de laboratorio. Habíamos iniciado una investigación poco antes de su muerte. Pero jamás se me ocurrió que tuviera algo que ver con el narcotráfico.

—Bueno, cualquier cosa que recuerde, le agradeceremos que nos avise inmediatamente. Una guerra entre narcotraficantes es justo lo que necesitamos en este pueblo.

Los policías se despidieron. Victor cerró, apoyó la espalda contra la puerta y miró a Marsha:

—Bien, un problema está resuelto. Ahora sabemos quién era el autor de las amenazas, y sobre todo que no se van a repetir.

—Qué amables al venir a avisarnos —dijo Marsha—. Tal vez podríamos decirle al vigilante que se vaya a su casa.

—Lo haré mañana a la mañana —dijo Victor—. Igual tendremos que pagarle.

Victor se sentó en la cama, tan bruscamente que destapó a Marsha y la despertó. La oscuridad era total.

—¿Qué pasa? —preguntó ella, asustada.

—No sé —dijo Victor—. Me pareció oír el timbre.

Aguzaron los oídos, pero sólo se oía el silbido del viento bajo el alero del tejado y el repiqueteo de la lluvia contra las ventanas.

Marsha miró el reloj de su mesa de noche:

—Son las cinco y cuarto de la mañana —dijo. Se dejó caer sobre la cama y se arropó. —Tal vez lo soñaste.

En ese momento sonó el timbre.

—¡Ahí está! —exclamó Victor y se paró de un salto: —Sabía que no era un sueño. —Trató de ponerse la bata, pero equivocó la manga y se enredó. Marsha encendió la luz.

—¿Quién diablos será? —preguntó—. ¿Otra vez la policía?

Victor terminó de vestirse y anudó el cinturón.

—Enseguida lo sabremos —dijo, y se dirigió resueltamente a la escalera.

Marsha vaciló brevemente, luego se puso su bata y un par de pantuflas y lo siguió. Cuando llegó a la puerta, vio a un hombre y una mujer con Victor en el saloncito de recepción. Se habían formado charcos de agua a sus pies y tenían la cara empapada. La mujer sostenía una lata de pintura en aerosol. El hombre sujetaba a la mujer.

—¡Marsha! —dijo Victor sin apartar la vista de las visitas. —Llama a la policía.

Marsha se acercó, ajustándose la bata. Miró a las dos personas. El hombre llevaba una amplia capa de hule con la capucha echada hacia atrás. Estaba vestido para afrontar la intemperie. La mujer llevaba una campera de esquí que evidentemente estaba empapada hasta el forro.

—Te presento al señor Peter Norwell, agente de Able Protection —dijo Victor.

190

—Buenas noches, señora —dijo el agente.

—Y la señorita Sharon Carver —dijo Victor señalando a la mujer—. Una ex empleada de Chimera que acaba de entablarnos un juicio por discriminación sexual.

—Iba a pintar la puerta de la cochera —prosiguió el agente—. Le permití que pintara un poco para acusarla de algo más serio que la mera invasión de la propiedad.

Molesta por el aspecto desgraciado de la mujer, Marsha corrió al teléfono para llamar a la policía de North Andover. El operador dijo que enviarían el patrullero inmediatamente.

Luego fueron a la cocina, donde Marsha les preparó un té. Apenas empezaban a sorberlo, sonó el timbre. Victor abrió la puerta para que pasaran Widdicomb y O'Connor.

—Parece que tienen ganas de hacernos trabajar —rió el sargento Widdicomb. Entraron y se quitaron los impermeables.

Peter Norwell trajo a Sharon Carver de la cocina.

—Con que esta es la jovencita —dijo el sargento, y sacó las esposas.

—¡Por Dios, no hace falta que me aten! —exclamó Sharon.

—Lo siento, jovencita. Son órdenes.

Momentos después, los agentes partieron con su prisionera.

—Quédese a terminar el té —dijo Marsha a Norwell.

—Gracias, señora, ya terminé. Buenas noches. —Salió, cerrando la puerta a su espalda. Victor echó el cerrojo.

Marsha lo miró. Sonrió y meneó la cabeza. Todavía no salía de su estupor:

—Si lo hubiera leído en un libro, me habría parecido fantasía pura.

—Suerte que el agente de seguridad estaba ahí. —Le tomó la mano: —Vamos, todavía nos quedan un par de horas de sueño.

Pero no era tan fácil dormir. Una hora después, Victor seguía despierto y escuchaba el aullido de la tormenta. Las ráfagas de viento se sucedían, estremeciendo las ventanas. Su mente era un torbellino que oscilaba entre el DNA de David y el cefaloclor en las muestras de sangre.

Susurró "Marsha", una, dos veces, pero ella no respondió. Se levantó, se puso otra vez la bata y fue a la oficina de la planta alta.

Se sentó a la mesa, encendió la PC y enlazó con la computadora central de Chimera por medio del modem. Había olvidado lo fácil que era. Se preguntó si alguna vez había transcrito los archivos Hobbs y Murray en el disco rígido de la PC. Llamó al directorio para verificarlo. No. Para su sorpresa, había pocos archivos aparte de los programas operativos. Pero justo antes de apagar el aparato, advirtió que el disco estaba usado en casi toda su capacidad.

Se rascó la cabeza, perplejo. Era imposible, dada la gran capacidad de almacenamiento de datos de un disco rígido. Trató de hallar la respuesta en la computadora, pero la máquina se negaba a colaborar. Por fin apagó el maldito aparato con fastidio.

Iba a volver a la cama cuando advirtió que ya eran las siete. No valía la pena. Bajó a prepararse un café y algo para comer.

Mientras bajaba, cayó en la cuenta de que no había interrogado a VJ sobre los archivos borrados. Lo haría ese mismo día. Espiar en los archivos vaya y pase, pero borrarlos era imperdonable.

Al llegar a la cocina, se dio cuenta de que también lo perturbaba el problema de la seguridad de VJ, sobre todo cuando estaba en Chimera. Philip podía vigilar un poco, pero sus habilidades eran muy limitadas. Lo mejor sería llamar a Able Protection, que se había mostrado tan eficiente en la vigilancia de la casa. Asignarían un agente experimentado para acompañar al muchacho. Sería caro, pero valía la pena si con ello se conseguía la tranquilidad. Mientras no terminara de esclarecer la muerte de los bebés, se sentiría mejor sabiendo que VJ estaba bien protegido.

Cuando preparaba el café lo asaltó otro pensamiento. Aunque no había pensado conscientemente en ello, las similitudes entre los tumores de David y Janice eran notables, sobre todo a la luz del análisis del DNA del muchacho. Tendría que investigarlo.

Capítulo 10

Sábado a la mañana

Aún persistían el viento y la lluvia cuando Victor fue a la cochera y sacó su auto. Había tomado el desayuno, se había duchado, afeitado y vestido, pero el resto de la casa seguía durmiendo. Dejó una nota anunciando que pasaría el día en el laboratorio y partió.

Pero en lugar de ir directamente al laboratorio, dobló hacia el oeste, tomó la ruta 93 y siguió hacia el sur hasta llegar a Boston. Allí tomó el Storrow Drive hasta la salida de Charles Street y la municipalidad. Poco después estacionaba su auto en la playa del Massachusetts General Hospital y subía al departamento de patología.

Era un sábado por la mañana y ninguno de los patólogos del departamento había llegado aún. Lo atendió una residente de segundo año llamada Angela Cirone.

Victor le dijo que le interesaba el caso de una paciente de cáncer, muerta cuatro años antes.

—Lo lamento, no puede ser —dijo la residente—. No tenemos...

Victor la interrumpió amablemente, le explicó que se trataba de un caso muy especial debido a que el tumor era muy poco frecuente.

—Eso es otra cosa.

Lo más difícil fue hallar la historia clínica, porque Victor desconocía la fecha de nacimiento de Janice Fay, el dato de referencia más utilizado en los archivos hospitalarios. Pero la paciencia dio sus frutos y Angela averiguó tanto el número de la historia clínica como el del legajo de patología. Le dijo que se conservaba una muestra macroscópica.

—Pero no puedo darle nada —dijo Angela después de tanto esfuerzo—. Uno de los patólogos está arriba, haciendo preparados. Cuando termine, le preguntaré si me autoriza.

Victor le explicó entonces que su hijo David había muerto del mismo tipo de cáncer, por eso le interesaban tanto las células cancerosas de Janice. Cuando quería, sabía ejercer la seducción, y no le costó mucho trabajo convencer a la joven residente.

—¿Qué cantidad necesita?

—Muy poco, apenas una tajada.

—Bueno, creo que no habrá problema.

Quince minutos después, Victor bajaba con un frasquito en una bolsa de papel kraft. Podía haber esperado al patólogo, pero estaba impaciente por llegar a su laboratorio. Salió del hospital y enfiló directamente hacia el norte.

En Chimera, llamó a Able Protection. Pero lo atendió el contestador automático —era sábado— y tuvo que dejar su nombre y número de teléfono. Luego salió en busca de Robert, a quien halló ocupado en la tarea iniciada por él la noche anterior, de diferenciar el DNA tumoral del normal en la muestra del hígado de David.

—Me va a odiar por esto —dijo Victor—, pero le traigo otra muestra. Quiero que le analice el DNA.

—No se preocupe por mí —dijo Robert—. Me gusta este trabajo. Sólo que me estoy atrasando en todo lo demás.

—No hay problema —dijo Victor—. Por ahora, este proyecto tiene prioridad sobre todo lo demás.

Tomó las muestras de tejido de rata, las preparó para el microscopio y las tiñó. Mientras esperaba que se secaran, recibió el llamado de Able Protection. Era el mismo hombre de voz grave que lo había atendido anteriormente.

—Ante todo, quiero expresar mi satisfacción por el desempeño del señor Norwell anoche.

—Se lo agradecemos —dijo el hombre.

—Segundo, quiero pedir seguridad adicional. Pero se requiere una persona muy especial. Quiero que alguien esté con mi hijo VJ desde las seis hasta las dieciocho. Y eso significa que lo siga a todas partes sin perderlo de vista.

—No hay problema —dijo el hombre—. ¿Cuándo quiere empezar?

—Lo antes posible. Esta misma mañana. Mi hijo está en casa.

—No hay problema —repitió el hombre—. Tengo a la persona adecuada. Se llama Pedro González. Ya sale para allá.

Victor cortó y llamó a Marsha.

—¿Cómo pudiste salir sin despertarme?

—Es que después de los sucesos de anoche no pude dormir más. ¿VJ está en casa?

—Sí. Duerme. Philip también.

—Acabo de contratar a un agente para que lo cuide todo el día. Se llama Pedro González. Va para allá.

—¿Por qué? —preguntó Marsha, evidentemente muy sorprendida.

—Para tener la plena seguridad de que está a salvo.

—Me estás ocultando algo —dijo Marsha secamente—. Lo sé. Quiero que me lo digas.

—Sólo quiero estar seguro —dijo Victor—. Hablaremos cuando vuelva a casa. Te lo prometo.

Victor cortó. No estaba dispuesto a confiar en Marsha. Al menos no iba a trasmitirle sus sospechas sobre el asesinato de los bebés, y que VJ podría ser la próxima víctima si le suministraban cefaloclor. Pensando en ellos, tomó los preparados de cerebro de rata y los examinó con el miscroscopio óptico. Tal como suponía, eran muy parecidos a los de los niños. Por consiguiente, no cabía la menor duda de que el cefalocloro era la causa de la muerte. Ahora se trataba de averiguar cómo lo habían ingerido.

Sacó los preparados del microscopio y se unió a Robert. Habían trabajado juntos durante tanto tiempo, que Victor podía ayudarlo sin una sola indicación.

Marsha se sirvió la segunda taza de café y contempló el cielo cubierto de nubes. El sábado no atendía su consultorio, pero tenía pacientes en el hospital. Se preguntó si no estaba tomando el asunto del guardaespalda para VJ demasiado a la ligera. La idea le parecía amenazante y tranquilizadora a la vez. El problema era que Victor no era totalmente franco con ella.

Oyó pasos que bajaban en tropel: eran VJ y Philip. Saludaron a Marsha e inmediatamente se precipitaron a la heladera en busca de fresas y leche para agregar al tazón de copos de maíz.

—¿Qué van a hacer hoy ustedes dos? —preguntó Marsha una vez que se sentaron a la mesa.

—Nos vamos al laboratorio —dijo VJ—. ¿Papá está allá?

—Sí. Pero creí que tenías el plan de ir a Boston con Richie Blakemore.

—Él no quiso —dijo VJ. Se sirvió fresas y empujó el tazón hacia Philip.

—Qué lástima.

—No importa.

—Bueno, quiero hablar contigo. Ayer tuve una conversación con Valerie Maddox. ¿La recuerdas?

VJ dejó su cuchara sobre el plato:

—Esto no me gusta. Sí, la recuerdo. Es la psiquiatra que ocupa un consultorio en el piso de arriba del tuyo. Una señora que tiene la boca como si estuviera a punto de dar un beso.

Philip soltó una carcajada y escupió leche y copos de maíz

por todas partes. Se limpió la boca con las manos, avergonzado, pero sin dejar de reír. También VJ rió de sus monerías.

—No hables así —dijo Marsha—. Es una persona extraordinaria y una gran psiquiatra. Hablamos sobre ti.

—Esto me gusta cada vez menos —dijo VJ.

—Ha ofrecido hablar contigo. Me parece una buena idea. Irías a verla dos veces por semana a la salida del colegio.

—¡Ay, ma! —gimió VJ con una expresión de supremo disgusto.

—Quiero que lo pienses. Volveremos a hablar más adelante. Es algo que te beneficiará cuando seas un poco más grande.

—No tengo tiempo para estupideces —gruñó VJ, meneando la cabeza.

Marsha no pudo contener la risa al escucharlo.

—De todas maneras, piénsalo —dijo—. Hay algo más. Hablé con tu padre. ¿No te ha dicho que está preocupado por tu seguridad? ¿Habló contigo sobre eso?

—Algo me dijo, sí. Dijo que me cuide de Beekman y Hurst. Pero nunca los veo.

—Bueno, pero papá sigue preocupado. Te ha contratado un guardaespaldas para que esté contigo todo el día. Se llama Pedro y viene para acá.

—Justamente lo que necesitaba para terminar de volverme loco —gimió VJ.

Marsha terminó la recorrida de pacientes en el hospital, salió en su auto por la ruta 495 y enfiló hacia Lowell. Tomó la tercera salida y con ayuda de un mapa improvisado, dibujado en el recetario, siguió una serie de caminos vecinales hasta encontrar el número 714 de la calle Mapleleaf. Era una ruinosa casa estilo victoriano pintada de gris con adornos blancos. Habían dividido el edificio en dos apartamentos. La familia Fay ocupaba la planta alta. Marsha llamó a la puerta y esperó.

Había llamado desde el hospital para que los Fay supieran que iría. Aunque la hija había sido su empleada durante once años, Marsha sólo conoció a los padres de Janice durante el funeral. La joven había muerto cuatro años antes. Le pareció extraño estar ahí, esperando que sus padres le abrieran la puerta. Después de conocerla durante años, Marsha había llegado a la conclusión de que existían serios trastornos emocionales ocultos en la familia, pero no tenía la menor idea de su naturaleza. Janice jamás hablaba sobre su familia.

—Pase, por favor —dijo la señora Fay al abrir la puerta. Era una mujer canosa de aspecto agradable pero frágil. Tendría algo más de sesenta años. Marsha advirtió que evitaba mirarla de frente.

El interior de la casa era mucho más desagradable que el exterior. Los muebles eran viejos y desvencijados, pero lo peor de todo era la suciedad. Las bolsas de residuos desbordaban de latas de cerveza y restos de comida. En un rincón cerca del cielo raso había una telaraña.

—Le diré a Harry que usted llegó.

Desde otro cuarto llegaban ruidos de un encuentro deportivo televisado. Marsha se sentó en el borde del sofá. No quería tocar nada.

—Pero qué les parece —dijo una voz ronca—. Era hora de que la doctora fina viniera a visitarnos.

Marsha se volvió: el hombre era alto, muy gordo y estaba en camiseta. Fue derecho a ella y tendió una mano callosa para que la estrechara. Llevaba el pelo muy corto, al estilo militar. En medio de su cara se destacaba su nariz hinchada, con una red de capilares rotos a cada lado de las fosas.

—¿Puedo ofrecerle algo de beber? ¿Una cerveza?

—No, gracias.

Harry Fay se dejó caer pesadamente en un sillón.

—¿A qué debemos el honor? —preguntó. Eructó ruidosamente y se disculpó.

—Quiero preguntarles sobre Janice.

—Espero que no le haya dicho mentiras sobre mí —dijo Harry—. He trabajado duro, toda mi vida. Soy camionero.

Crucé el país tantas veces que perdí la cuenta.

—Me imagino que es un trabajo muy pesado —dijo Marsha. Empezaba a arrepentirse de su visita.

—Si le parece.

—Lo que quería saber —dijo Marsha—, es si Janice alguna vez les hablaba de mis chicos, David y VJ.

—Siempre hablaba de ellos —dijo Harry—. ¿No, Mary?

Mary asintió en silencio.

—¿Nunca les comentó si sucedía algo fuera de lo común? —preguntó. Hubiera podido formular una pregunta más concreta, pero no quería orientar la conversación.

—Ya lo creo —dijo Harry—. Antes de volverse loca y meterse en esa religión rara dijo que VJ había matado a su hermano. Dijo que trató de advertírselo, pero que usted se negaba a escucharla.

—Janice nunca me dijo nada —dijo Marsha con vehemencia. Sintió un ardor en las mejillas. —Y quiero que sepa que mi David murió de cáncer.

—Bueno, eso no es lo que nos dijo Janice. Dijo que al chico lo envenenaron. Lo drogaron y lo envenenaron.

—Eso es manifiestamente absurdo —dijo Marsha.

—¿Qué diablos quiere decir? —inquirió Harry.

Marsha tomó aliento y trató de serenarse. Comprendió que trataba de defender a su familia y a sí misma de las acusaciones de ese hombre insolente. Pero ese no era el motivo de su visita.

—Lo que quiero decir es que mi hijo David no pudo haber sido envenenado. Es imposible. Murió de cáncer, como su hija.

—Yo sólo le digo lo que nos decía ella. ¿No, Mary?

Mary asintió, sumisa.

—Le digo más —prosiguió Harry—. Janice nos dijo una vez que la habían drogado. Que no lo denunció porque sabía que no le creerían. Desde entonces empezó a cuidarse muchísimo en las comidas.

Marsha no respondió. Recordaba el cambio que se había

producido en Janice. De pronto se había vuelto sumamente melindrosa con respecto a las comidas. Nunca había comprendido las causas de ese cambio. Aparentemente se debía a sus fantasías de que la estaban drogando o envenenando.

—La verdad es que nunca le creímos —confesó Harry—. Esos tipos religiosos le metían cosas raras en la cabeza. Llegó a decirnos que su otro hijo, VJ o como se llame, era un ser maligno. Que era como el diablo.

—Le aseguro que nada de eso es verdad —dijo Marsha, y se paró. Estaba harta.

—Qué extraño que su hijo David y nuestra hija murieran del mismo cáncer —dijo Harry. Se paró con gran esfuerzo y su cara se puso roja.

—Fue una casualidad —asintió Marsha—. En ese momento hubo bastante preocupación, de que se debiera a un factor ambiental. Hicieron un estudio exhaustivo de la casa. Puedo asegurarles que sólo fue una coincidencia trágica.

—Un caso de mala suerte, diría yo —suspiró Harry.

—Muy mala suerte —dijo Marsha—. Y la muerte de Janice fue para nosotros un golpe tan duro como la muerte de nuestro hijo.

—Era una buena chica —dijo Harry—. La queríamos mucho. Pero era muy mentirosa. Decía mentiras sobre mí.

—A nosotros jamás nos habló de usted —dijo Marsha. Le estrechó la mano secamente y salió.

—¿Seguro que no le molesta? —preguntó Victor a Louis Kaspwicz. Había llamado al técnico a su casa para consultarlo sobre el problema del disco rígido de su PC.

—No, en absoluto —dijo Louis—. Si la capacidad del disco está agotada, significa que todo el espacio disponible está ocupado. No puede haber otra explicación.

—Pero consulté el directorio —dijo Victor—. Sólo aparecen los archivos operativos.

—Tiene que haber más archivos —dijo Louis—. Créame.

—No me gustaría arruinarle la tarde del sábado por una estupidez.

—No hay problema, doctor Frank. Es más, ya estaba aburrido de estar en casa. Ahora tengo una excusa para salir.

—Se lo agradezco.

—Dígame cómo llegar a su casa. Allí estaré.

Victor le dio las indicaciones necesarias, luego fue al laboratorio principal a decirle a Robert que se iba, pero que volvería más tarde. Le preguntó a qué hora se iría. El técnico dijo que su esposa lo esperaba a las seis, de manera que se iría a las cinco y media.

Cuando Victor llegó a su casa, Louis estaba esperándolo.

—Lamento haberlo hecho esperar —dijo Victor mientras sacaba las llaves.

—No hay problema —sonrió Louis—. Qué casa hermosa —añadió mientras restregaba los zapatos.

—Gracias. —Lo condujo directamente al cuarto donde tenía su computadora personal Wang. —Aquí está —dijo, y la encendió.

Louis echó una rápida mirada a la computadora, luego puso su maletín sobre la mesa y lo abrió. Tenía una colección impresionante de intrumentos electrónicos, todos envueltos en espuma de goma.

Se sentó frente a la pantalla y esperó que apareciera el menú. Luego realizó la misma operación que había efectuado Victor esa mañana. El resultado fue el mismo.

—Tiene razón —dijo Louis—. No queda mucho espacio en este Winchester.

Abrió el fuelle bajo la tapa de su maletín, de donde sacó un floppy que insertó en la disketer.

”Afortunadamente, tengo un dispositivo especial para encontrar archivos ocultos.

—¿Qué son los archivos ocultos? —preguntó Victor.

—Se puede almacenar archivos sin que aparezcan en el directorio —dijo Louis sin apartar la vista de la pantalla ni dejar de manipular la computadora.

Como por arte de magia, la pantalla se llenó de datos.

"Ahí está —dijo Louis. Se corrió para dejarle ver la pantalla—. ¿Usted entiende de qué se trata?

—Sí —dijo Victor, estudiando la información—. Las letras representan los nucleótidos de la molécula de DNA. —Ocupaba la pantalla una serie de columnas verticales con las letras AT, TA, GC y CG. —La A representa la adenina, la T timina, la G guanina y la C citosina.

Louis avanzó a la página siguiente. Seguían las listas. Avanzó un par de páginas más. Las listas eran interminables.

—¿Qué significa esto? —preguntó Louis mientras pasaban las páginas.

—Es una molécula de DNA o una secuencia de genes —dijo Victor. Sus ojos saltaban de una lista a otra como si mirara un partido de ping-pong.

—¿Podemos pasar a otro archivo? —preguntó Louis.

Victor asintió.

Louis tecleó sobre el tablero. Apareció otro archivo, similar al primero.

"Estas listas podrían ocupar todo el disco —dijo Louis—. ¿Está seguro de que no fue usted quien lo grabó?

—Yo no fui —dijo Victor secamente. Sabía que Louis ardía en deseos de preguntar de dónde había salido tanta información y quién había accedido al *mainframe* de Chimera la noche anterior, pero afortunadamente el técnico sabía dominar su curiosidad.

Durante media hora recorrió una serie de archivos, todos parecidos al primero. Como una biblioteca de moléculas de DNA. Bruscamente se produjo un cambio.

—A ver, a ver —murmuró Louis e interrumpió su tecleo sobre el tablero, mediante el cual pasaba de un archivo oculto a otro. En la pantalla había aparecido una lista de nombres.

—Sé qué es esto porque lo formateé. Es el legajo de un empleado de Chimera.

Miró a Victor, que lo escuchaba en silencio. Pasó al archivo siguiente. Era el legajo de George Gephardt.

"Esto lo sacaron directamente del *mainframe* —informó. Los dieciocho archivos siguientes eran otros tantos legajos. Luego apareció una serie de archivos contables. —Esto no lo conozco —dijo Louis, y miró a Victor: —¿Usted sí?

Victor meneó la cabeza. No salía de su estupor.

Louis volvió a la pantalla:

"En todo caso, representa muchísima plata. Es una presentación bastante ingeniosa. Me pregunto qué clase de programa habrán usado. Me gustaría obtener una copia.

Pasaron varias páginas de números y luego apareció el archivo siguiente. Era una cartera de acciones de varias empresas pequeñas, todas las cuales tenían a su vez acciones en Chimera. Representaba en total una buena parte del paquete accionario de Chimera que no estaba en manos de los tres fundadores y sus familias.

"¿Qué podría ser esto? —preguntó Louis.

—No tengo la menor idea —dijo Victor. Sólo estaba seguro de que volvería a hablar con VJ sobre el uso de la computadora. Si la información representada en la pantalla era verídica, si no era un mero videojuego, aunque sumamente complejo, las implicaciones eran gravísimas. Y además, faltaban los archivos Hobbs y Murray.

—Volvemos al DNA —anunció Louis. Nuevamente la pantalla se había llenado de series de nucleótidos—. ¿Quiere ver más?

—No me parece necesario. Por ahora es suficiente. ¿Puede dejarme el floppy que usó? Se lo devolveré el lunes en Chimera.

—No hay problemna —replicó Louis—. Es sólo una copia. Quédese con él, yo tengo el original en casa.

Victor lo acompañó a la puerta y se quedó ahí hasta que el técnico se alejó en su camioneta. Luego entró en la casa y se aseguró de que VJ no estuviera. Llamó al hospital, pero le dijeron que Marsha había salido.

Cortó. Entonces se le ocurrió que podría llamar a Able Protection. Ellos sabrían dónde estaba su agente y, por consiguiente, donde estaba también VJ.

Pero en Able Protection lo atendió el contestador automático. Dijo su nombre, su número de teléfono y pidió que lo llamaran lo antes posible.

Durante media hora se paseó por su cuarto de trabajo. Estaba totalmente confundido por lo que acababa de descubrir.

Se sobresaltó cuando sonó el teléfono. Era la voz grave del hombre de la agencia. Victor le preguntó si podía comunicarse con el agente que acompañaba a VJ.

—Todos nuestros empleados tienen un llamador.

—Quiero saber dónde está mi hijo —dijo Victor.

—Lo llamaré enseguida —dijo el hombre, y cortó. Llamó cinco minutos más tarde: —Su hijo se encuentra en Chimera SA. Pedro está en la casilla del portón de entrada, si quiere hablar con él.

Victor le agradeció, cortó y bajó a buscar su abrigo. Minutos después, su auto partía velozmente de la casa.

Victor giró casi noventa grados y detuvo el auto a escasos centímetros de la entrada. Tamborileó, impaciente, sobre el volante a la espera de que le abrieran el portón blanco y negro. Pero el guardia salió de la casilla y corrió hacia el auto, a pesar de la lluvia. Victor bajó la ventanilla, sin ocultar su fastidio ante la demora.

—¡Buenas tardes, doctor Frank! —exclamó el guardia, llevando la mano a la visera de la gorra—. Si busca al agente de seguridad, está aquí en la casilla.

—¿El de Able Protection? —preguntó Victor.

—Eso no lo sé. —Se enderezó y miró hacia la casilla: —Oye, Pedro, ¿tú eres de Able Protection?

Un joven apuesto se asomó a la puerta de la casilla. Tenía el pelo renegrido y un bigote fino. Era muy joven, de poco más de veinte años.

—¿Quién pregunta?

—Tu patrón, el doctor Frank.

Pedro se acercó al auto, introdujo la mano por la

ventanilla y se presentó:

—Encantado de conocerlo, doctor Frank. Pedro González, de Able Protection.

Victor le estrechó la mano, pero no sonrió:

—Debería estar con mi hijo —dijo a boca de jarro.

—Estaba con él, pero cuando llegamos dijo que estaba a salvo dentro de la empresa, y que lo esperara en la casilla de guardia.

—Creí que le habían dado órdenes claras de permanecer junto al muchacho en todo momento.

—Sí, señor —dijo Pedro, contrito. Comprendió que había cometido un error—. No volverá a suceder. Su hijo me convenció de que era lo que usted quería. Lo siento.

—¿Dónde está?

—No sabría decirle. Está con Philip en alguna parte. No salieron, no se preocupe por eso.

—No me preocupo por eso —dijo Victor, furioso—. Lo que me preocupa es que encargué a Able Protection para que lo cuidaran y que no lo están haciendo.

—Comprendo —dijo Pedro.

Victor miró al guardia:

—¿Está Sheldon?

—¡Oye, Sheldon! —gritó el guardia.

Sheldon se asomó a la puerta de la casilla. Victor le preguntó si sabía dónde estaba VJ.

—No. Pero cuando llegó, se fue con Philip hacia allá —dijo, señalando.

—¿Hacia el río?

—Puede ser. Pero también puede ser que hayan ido a la cafetería.

—¿Quiere que le ayude a buscarlo?

Victor meneó la cabeza y puso la primera:

—Espere aquí hasta que lo encuentre. —Se volvió hacia el guardia, que lo escuchaba perplejo: —Y usted, apúrese a abrir el portón antes de que lo derribe.

El guardia corrió a activar el mecanismo.

Apretó el acelerador a fondo y entró en la playa de estacionamiento de Chimera. No dejó su auto en el lugar reservado para él sino directamente frente a la entrada del edificio donde estaba su laboratorio. Había un cartel de prohibido estacionar, pero no le hizo caso. Se alzó el cuello de la gabardina y corrió a la puerta.

Todos habían partido menos Robert. Atareado como siempre, trabajaba con la unidad de electroforesis, donde se separaban las porciones de DNA.

—¿No ha visto a VJ? —preguntó Victor, sacudiendo el agua de la gabardina.

—No lo he visto —dijo Robert. Se frotó los ojos con las palmas de las manos. —Pero tengo algo para mostrarle. —Tomó dos filminas que mostraban idénticas bandas oscuras y se las tendió: —La segunda muestra tumoral tiene la misma alteración del DNA que la de su hijo, pero es de otra persona.

—Sí, era de su niñera, que vivía en casa —dijo Victor—. ¿Está seguro que se trata de la misma alteración en los dos casos?

—Totalmente seguro.

—Es asombroso —dijo Victor, olvidando a VJ por un instante.

—Ya me parecía que le iba a interesar —dijo Robert con satisfacción—. Es la clase de hallazgo que buscaban los cancerólogos. Podría representar un avance cualitativo para la medicina.

—Hay que analizar la secuencia —dijo Victor, impaciente—. Ahora mismo.

—Ya lo estoy haciendo. Lo dejaré pasar por electroforesis un poco más y después veremos qué descubre la computadora.

—Si resultara ser un retrovirus o algo parecido... —Victor dejó la frase en suspenso. Era un hallazgo inesperado más en una lista que ya resultaba demasiado larga.

"Si lo ve a VJ, dígale que lo estoy buscando —dijo Victor. Salió del laboratorio.

En la cafetería, fue derecho al administrador:

—¿No ha visto a VJ?

—Vino a almorzar temprano con Philip y otro guardia.

—¿Qué otro guardia? —preguntó Victor. Sheldon no había mencionado ese detalle. Pidió al empleado que lo llamara si veía al chico.

Había pocas personas en la biblioteca. Algunos leían, otros dormían. La bibliotecaria no había visto a VJ.

Tampoco lo habían visto en el gimnasio ni en la guardería. Nadie había visto a VJ en todo el día, salvo en la cafetería.

Buscó un paraguas en el auto y se encaminó al río. Llegó a la orilla en un punto situado aproximadamente a la altura del centro del complejo de Chimera. Dobló hacia el oeste, bordeando el muelle de granito. La empresa todavía no había empleado los edificios que bordeaban el río, pero lo haría cuando llevara a cabo la expansión proyectada. Victor había resuelto trasladar su oficina administrativa a uno de ellos. Si querían obligarlo a realizar tareas burocráticas, que lo compensaran con una linda vista desde su ventana.

Mientras caminaba, contemplaba el río. Bajo la lluvia el agua blanca parecía aún más turbulenta que el día anterior. Alzó la vista y trató de ver la represa, pero la mole aparecía apenas esbozada detrás de la espesa bruma que se alzaba de la catarata.

Al contemplar la hilera de edificios desiertos cayó en la cuenta de que había centenares de rincones donde un muchacho se ocultaría a jugar. Era un paraíso para las escondidas, la búsqueda del tesoro y otros juegos. Pero para ello se requería un grupo de chicos. VJ siempre andaba solo o en compañía de Philip.

Siguió por la orilla en dirección río arriba hasta llegar al ala voladiza del edificio del reloj, que se extendía sobre la represa y parte del embalse. Para seguir adelante, debería bordear el edificio y aproximarse al río por el lado oeste. Allí le bloqueaba el paso el desagüe del embalse, de tres metros de ancho, que terminaba en un túnel. En la antigua fábrica, ope-

rada por la energía hídrica, el desagüe conducía el agua al subsuelo del edificio del reloj. Allí el torrente hacía girar unas ruedas enormes y la energía se transmitía a miles de telares y
máquinas de coser, además del reloj de la torre.

Desde el borde del túnel, Victor inspeccionó el desagüe.
Allí caía un hilillo de agua sobre los escombros, en su mayoría
botellas rotas y latas de cerveza. Observó el punto de unión
del desagüe con el río torrencial. El flujo de agua era regula-
do por dos pesadas compuertas de acero. Todo el dispositivo
estaba corroído por el óxido. Victor se preguntó cómo era posible que aún resistiera la tremenda presión del agua. El nivel
del río llegaba casi al borde superior de las compuertas.

Bordeó el desagüe para proseguir su camino. Había dejado de llover. Cerró el paraguas. Finalmente llegó al último
edificio de Chimera, que también se extendía sobre el río con
una viga voladiza. Más allá de éste había una calle. Victor giró
y volvió sobre sus pasos.

Esta vez no llamó a VJ. Miró alrededor y aguzó el oído.
Finalmente volvió al sector habitado del complejo, pasando
por el edificio del reloj. Se detuvo en el laboratorio a preguntar por VJ, pero Robert no lo había visto.

Confundido, sin saber qué hacer, Victor volvió a la cafetería.

—No lo he visto —dijo el administrador, anticipándose a
la pregunta.

—Eso pensé —dijo Victor—. Sólo vine a tomar un café.

El frío y la humedad lo habían calado hasta los huesos durante la caminata junto al río, después de la tormenta la temperatura bajó aún más.

Reconfortado por el café, se puso la gabardina húmeda,
le dijo al administrador que no dejara de llamarlo al laboratorio si veía al chico y se dirigió a la casilla de seguridad. Era un
ambiente agradablemente cálido, aunque lleno de humo de cigarrillo. Pedro hacía un solitario; se paró de un salto al verlo.
Sheldon también se paró.

—¿Han visto a mi hijo?

—Hablé con Hal hace dos minutos —dijo Sheldon—. Le pregunté, pero dijo que no lo vio en todo el día.

—En la cafetería me dijeron que VJ almorzó con uno de ustedes —dijo Victor—. ¿Por qué no me lo dijeron?

—¡Yo no almorcé con VJ! —exclamó Sheldon, llevándose la palma de la mano al pecho—. Hal tampoco. Almorzó conmigo, los dos comida de nuestras casas. ¡Oye, Fred!

Fred se asomó a la casilla desde el cubículo desde el cual vigilaba la entrada y operaba los portones. Sheldon le preguntó si había almorzado con VJ.

—Yo no —respondió—. Vivo cerca, almuerzo en casa.

Sheldon se encogió de hombros y miró a Victor:

—Hoy solo estamos nosotros tres.

—Pero el administrador dijo... —Se interrumpió. No tenía sentido ponerse a discutir quién había almorzado con quién. Lo importante era averiguar el paradero del chico. Más que curiosidad, Victor empezaba a sentir preocupación. Marsha se preguntaba, como él ahora, en qué se ocupaba VJ cuando pasaba el día en Chimera. Hasta ese momento, Victor no se había detenido a pensar en ello.

Salió de la oficina y se dirigió al laboratorio. Ya no sabía dónde seguir la búsqueda.

—Llamó el administrador de la cafetería —dijo Robert al verlo—. VJ está allá.

Victor lo llamó desde el teléfono más cercano.

—Aquí está —dijo el empleado.

—¿Solo?

—No, con Philip.

—¿Le dijo que lo estoy buscando?

—No. Usted me dijo que le avisara, no me dejó ningún mensaje para él.

—Perfecto —dijo Victor—. No le diga nada. Voy para allá.

Cruzó la playa hasta el edificio de la cafetería, donde se encontraba también la biblioteca, pero no se dirigió a la puerta principal sino a una entrada lateral y subió a la planta alta, donde podía dominar la cafetería desde un balcón. Al inclinarse sobre la baranda vio a VJ y Philip, sentados a una mesa y comiendo helados.

Se apartó de la baranda para que no lo vieran y esperó a que terminaran de merendar. Poco después, lo dos se levantaron y llevaron sus bandejas al mostrador. Cuando salían, Victor bajó la escalera, pegado a la pared donde no podían verlo. Oyó que la puerta se cerraba, se precipitó hacia allá y alcanzó a ver que se dirigían hacia el río.

—¿Sucede algo malo? —preguntó el administrador.

—No, no pasa nada —dijo Victor, enderezándose con aire despreocupado. Lo que menos quería era dar lugar al chismorreo de oficina. —Sólo tengo curiosidad por saber adónde se mete mi hijo. Le he dicho mil veces que no se acerque al río cuando está crecido, pero es como hablarle a la pared.

—Así son lo chicos —rió el administrador.

Salió de la cafetería justo para verlos cuando doblaban a la derecha más allá del laboratorio. No cabía duda de que iban hacia el río. Trotó lentamente hasta el lugar donde habían girado a la derecha y alcanzó a verlos unos cincuenta metros más adelante. Los vio llegar a la orilla del río, girar a la izquierda y desaparecer de la vista. Después de un instante corrió hacia allá.

A llegar a ese punto, vio que VJ y Philip se dirigían al edificio del reloj. Ante su vista, subieron los escalones del frente del edificio desierto y desaparecieron por la entrada.

"¿Qué diablos hacen allí?", se preguntó Victor. Ocultándose lo más posible, se acercó a la entrada y se detuvo a escuchar. No había otro ruido que el estruendo de la catarata.

Totalmente perplejo, entró en el edificio y esperó que sus ojos se adecuaran a la escasa luz. Entonces vio precisamente lo que cabía esperar en un edificio abandonado: nada aparte de los escombros que cubrían el piso.

La planta baja era una gran sala con vista al embalse. Los vidrios de las ventanas habían sido rotos años antes. Ni siquiera quedaban los marcos. La basura y los restos de comida apilados en el centro eran testimonio de los vagabundos que utilizaban el lugar como refugio antes de que Chimera comprara y cercara el complejo. El aire estaba impregnado de olor a madera podrida y cartones viejos.

Victor se dirigió sigilosamente al centro del salón y aguzó el oído, pero el estruendo del torrente era aún más ensordecedor adentro que afuera. No se distinguían otros ruidos.

En el lado opuesto al río había entradas a una serie de cuartos pequeños. Victor se asomó sucesivamente a cada uno: escombros y nada más. En cada extremo y en el centro del salón había escaleras que conducían a las dos plantas superiores. Victor subió lentamente la escalera central y recorrió el laberinto de salitas que daban a un largo pasillo. Nuevamente nada, aparte de la basura y los escombros.

Desconcertado, bajó a la planta principal. Desde una de las ventanas contempló el río, la represa, el embalse y el desagüe seco, con sus compuertas oxidadas.

Bruscamente recordó que el edificio del reloj se conectaba con los demás edificios por medio de un complejo sistema de túneles que distribuían la energía mecánica de las ruedas. Evidentemente, VJ había descubierto el laberinto y en ese momento no se hallaba en el edificio del reloj.

Bruscamente giró, sobresaltado. Le pareció haber oído un ruido por encima del estruendo del agua, pero no estaba seguro. Su mirada recorrió el salón, pero no había nadie allí y nuevamente no había otro ruido que el del río.

Fue de una escalera a la otra, en busca del descenso al sótano, pero aunque se esforzó, no pudo encontrarlo. No había escaleras descendentes. Se asomó por una ventana en busca de una entrada exterior, pero no vio nada. Aparentemente no había manera de bajar al sótano.

Salió del edificio y volvió al sector habitado del complejo, donde se dirigió a la oficina de arquitectura. Abrió la puerta con su llave maestra y encendió las luces. De un enorme gabinete metálico tomó los planos de las estructuras existentes en el terreno. Buscó el edificio de la torre en el plano general y con esa referencia halló luego los planos correspondientes.

El primero era justamente del sótano. Mostraba el punto en que el agua entraba en el edificio. Dentro del sótano, una gran canaleta revestida de madera conducía el agua a una serie de ruedas de paleta, algunas de eje vertical y otras horizontal. El sótano mismo constaba de un salón central, el de las ruedas, y una serie de salitas laterales, de una de las cuales nacía el sistema de túneles.

Luego estudió el plano de la planta principal e inmediatamente halló la escalera de descenso al sótano. Estaba a la derecha de la escalera ascendente central: era inconcebible que no la hubiera visto.

A fin de asegurarse, hizo copias reducidas de los planos del sótano y la planta principal en la fotocopiadora y volvió con éstos al edificio del reloj, resuelto a explorar todo.

Pisando con cuidado en medio de los escombros, se acercó a la escalera central, se paró frente al hueco y miró a la derecha. Alzó el plano para asegurarse de que estaba en el lugar indicado.

Algo estaba mal. No había escaleras que condujeran al sótano. Miró al otro lado por las dudas de que hubiera un error en los planos. Nada.

Al volver al lugar donde, de acuerdo con el plano, debía hallarse la escalera descendente, Victor advirtió que justamente ese espacio estaba libre de los escombros desparramados por todo el resto del salón. El hecho le llamó la atención. Al inclinarse para estudiar el piso, vio que las tablas allí eran más anchas que en el resto del lugar. Y que la madera era fresca.

Se sobresaltó al oír un ruido a sus espaldas. Se dio vuelta, pero no vio nada. Sin embargo, su intuición le decía que alguien se ocultaba en la penumbra y estaba muy cerca de él. Aterrado, escudriñó la gran sala. Nuevamente sintió un ruido o una vibración. No había duda de que era un paso. Giró rápidamente, pero era tarde. Alcanzó a ver una silueta que alza-

214

ba un objeto sobre su cabeza. Alzó las manos para defenderse del golpe, pero éste fue demasiado violento. Su mente se hundió en un pozo negro.

Al salir de Lowell, Marsha se detuvo en una estación de servicio con teléfono público y llamó a los Blakemore. Se sentía molesta, pero logró hacerse invitar para una breve visita. Tardó media hora en llegar a la casa, situada en Plum Island Road 479, West Boxford.

Había dejado de llover, pero al abrir la portezuela del auto, lamentó no haber llevado su abrigo de invierno. La temperatura descendía rápidamente.

La casa de los Blakemore era un edificio de aspecto acogedor, en el estilo de la costa atlántica de Massachusetts. Las ventanas eran de dos hojas y con marco blanco. Delante de la entrada había una glorieta enrejada de madera. Marsha subió los escalones y llamó a la puerta.

La abrió una mujer menuda, más o menos de su edad. Llevaba el pelo corto con las puntas vueltas hacia arriba.

—Adelante —dijo, mirándola con curiosidad—. Soy Edith Blakemore.

La mirada extrañada de la mujer le hizo preguntarse si había algo raro en su aspecto. Pensó que tendría los dientes manchados por la fruta que acababa de comer, y se pasó la lengua para limpiarlos.

El interior de la casa era tan hermoso como el exterior. Los muebles eran de estilo norteamericano primitivo, con sofás tapizados en chintz y sillones con orejas. Alfombras pequeñas cubrían el piso de pino.

—Permítame su abrigo —dijo Edith—. ¿Puedo ofrecerle un café, un té?

—Un té, gracias —dijo Marsha. Fueron juntas a la sala.

Un hombre que leía el diario sentado junto al hogar se paró al verla y tendió la mano:

—Carl Blakemore, mucho gusto —dijo. Era un hombre

215

alto, de piel correosa y rasgos pronunciados.

Marsha estrechó su mano.

"Siéntese, póngase cómoda —dijo, indicándole el sofá. Luego volvió a su asiento junto al hogar, dejó el diario en el suelo y sonrió cordialmente. Edith fue a la cocina.

"Lindo clima, ¿no? —dijo Carl para iniciar la conversación.

Desde el primer momento, Marsha se sintió incómoda en el lugar. La habían recibido cordialmente, pero como si tuvieran que esforzarse para ello. No sabía a qué atribuirlo.

Entró un chico en la sala. Tenía la edad de VJ, pero era más alto y robusto, de pelo castaño y ojos pardos. Su parecido con Blakemore padre era notable. Su aire no era amistoso, pero extendió la mano como un caballero y dijo "hola".

—Tú eres Richie, ¿verdad? —dijo Marsha al estrecharle la mano—. Soy la mamá de VJ. Él me ha hablado mucho de ti. —No era verdad, pero correspondía exagerar un poco.

—¿De veras? —preguntó el chico con extrañeza.

—Sí —dijo Marsha—. Y por eso tenía muchas ganas de conocerte. ¿No te gustaría venir a casa? VJ te habrá dicho que tenemos una piscina interior.

—VJ nunca me habló de una piscina —dijo Richie. Se sentó junto al hogar y la miró fijamente. Marsha se sentía cada vez más incómoda.

—No comprendo por qué no lo hizo —dijo. Miró a Carl y sonrió: —A veces los chicos son tan difíciles de entender.

—Así parece —dijo Carl.

Se hizo un silencio molesto y Marsha se preguntó qué diablos sucedía.

—¿Leche o limón? —preguntó Edith al entrar con la bandeja. La dejó sobre la mesita ratona.

—Limón, por favor —dijo Marsha. Sostuvo la taza mientras Edith le servía, luego le echó unas gotas de limón. Al acomodarse nuevamente en el sofá, advirtió que los demás no bebían nada. La miraban fijamente.

—¿Nadie me acompaña? —preguntó, incómoda.

—No, ya tomamos —dijo Edith.

Marsha bebió un sorbo. Estaba muy caliente, de manera que dejó la taza sobre la mesita. Carraspeó:

—Lamento molestarlos —dijo, nerviosa.

—No, por favor —dijo Edith—. Estábamos en casa y no teníamos nada que hacer.

—Hace tiempo que quería conocerlos —dijo Marsha—. Han sido tan amables con VJ, que me gustaría devolver el favor.

—¿A qué se refiere? —preguntó Edith.

—Bueno, por ejemplo me gustaría que Richie viniera a casa a pasar la noche. Si él quiere, desde luego. ¿Te gustaría venir a mi casa, Richie?

El chico se encogió de hombros.

—¿Y por qué quiere invitar a Richie a pasar la noche en su casa? —preguntó Carl.

—Bueno, para devolverles el favor —dijo Marsha—. Ya que VJ ha pasado tantas noche aquí, me parece lógico que Richie venga de vez en cuando a casa.

Carl y Edith cambiaron una mirada significativa.

—Su hijo nunca ha pasado la noche aquí —dijo Edith—. No se ofenda, pero la verdad es que no tengo idea de qué está hablando.

Marsha miró a una y otro, sumida en una creciente confusión:

—¿VJ nunca pasó la noche aquí?

—Nunca —replicó Carl.

—¿Y el domingo pasado? —preguntó mirando a Richie—. ¿VJ estuvo contigo?

—No —dijo Richie, meneando la cabeza.

—Bueno, entonces les pido disculpas por robarles tanto tiempo —dijo Marsha, se puso de pie. Edith y Carl la imitaron.

—Pensábamos que su visita se debía a la pelea —dijo Carl.

—¿La pelea?

—Parece que VJ y nuestro hijo tuvieron un pequeño enfrentamiento. Tuvimos que llevar a Richie a la enfermería. Tenía la nariz quebrada.

—Lo lamento mucho —dijo Marsha—. Hablaré con VJ.

Se despidió de los Balkemore con toda la amabilidad que era capaz de fingir y partió. Estaba furiosa. Claro que hablaría con VJ. La situación era mucho peor de lo que había imaginado. ¿Cómo se podía ser tan ciega? Su hijo parecía llevar una vida aparte, completamente distinta de la que mostraba a la luz. ¡Tanta frialdad y serenidad para crear una mentira era anormal! ¿Qué le sucedía al muchachito?

Capítulo 11

Sábado a la tarde

Victor recuperó el sentido poco a poco. Oyó ruidos sordos en medio de una bruma. Después descubrió que eran voces. Finalmente reconoció la voz de VJ. El chico estaba furioso, gritaba que Victor era su padre.

—Lo lamento —dijo una voz con fuerte acento español—. ¿Cómo iba a saberlo?

Victor sintió que lo sacudían. Le dolía la cabeza y estaba mareado. Se palpó suavemente la coronilla: tenía un chichó 1 del tamaño de una pelota de golf.

—¿Papá? —dijo VJ.

Abrió los ojos lentamente. El dolor de cabeza era intenso, pero disminuía rápidamente. Se encontró con los helados ojos azules de VJ. Su hijo le sostenía los hombros. Junto al del chico había otros rostros, todos cetrinos. Uno de ellos tenía una expresión siniestra y el párpado izquierdo caído.

Victor cerró los ojos, apretó los dientes y se sentó. Estuvo a punto de caer debido al mareo, pero VJ lo sostuvo. Pasado el mareo, volvió a abrir los ojos y se palpó el chichón, tratando de recordar qué había sucedido.

—¿Te sientes mejor, papá? —preguntó VJ.

—Creo que sí —dijo Victor. Miró a los extraños. Los tres vestían el uniforme de los guardias de Chimera, pero no los conocía. Detrás de ellos se asomaba la cara de Philip, tímida y temerosa.

Al principio Victor pensó que se hallaba en su laboratorio, porque lo rodeaba la típica maraña de instrumental científico. A su lado vio uno de los instrumentos de aparición más reciente en el mercado: una unidad de cromatografía líquida para el análisis rápido de proteínas.

Pero el lugar no era su laboratorio. El marco era una extraña combinación de tecnología de punta con paredes de granito y moblaje rústico de madera.

—¿Dónde estoy? —preguntó, frotándose los ojos con los nudillos de los índices.

—Donde no deberías estar —respondió VJ.

—¿Qué me pasó? —Trató de pararse, pero sus piernas no lo sostenían. VJ lo contuvo.

—Descansa un poco. Sufriste un golpe en la cabeza.

Estuvo a punto de responder que el golpe no había sido accidental, pero se limitó a palpar otra vez el gran chichón y se miró los dedos para ver si sangraba. El mareo se disipaba y empezaba a pensar con claridad.

—¿Qué es eso de que estoy donde no debería estar? —preguntó, bruscamente consciente de la observación de VJ.

—Significa que no debías conocer mi laboratorio oculto hasta dentro de un mes o dos —dijo VJ—. Por lo menos hasta que estuviera en mis nuevas instalaciones, al otro lado del río.

Victor parpadeó. Bruscamente recordó todo, inclusive al hombre que había salido de las sombras para golpearlo. Miró el rostro sonriente de su hijo, luego dejó que sus ojos se pasearan por el insólito laboratorio. Era como si lo hubieran transportado a otro mundo, donde las computadoras convivían con el granito tallado a mano.

—Bueno, dime dónde estamos.

—En el sótano del edificio del reloj —dijo VJ, y lo ayudó

a pararse. Extendió el brazo en un gesto que abarcó el lugar:

—Hemos cambiado el decorado de acuerdo con nuestras necesidades. ¿Qué te parece?

Victor tragó y se humedeció los labios. Miró a su hijo, que sonreía con orgullo. Philip se restregaba las manos, nervioso. Miró a los tres hombres que vestían uniforme de guardias de Chimera: sudamericanos de piel morena y cabello negro. Luego sus ojos recorrieron lentamente el salón enorme, de techo alto. Jamás había visto cosa igual. Frente a él se abría la gran boca del desagüe. Del borde inferior chorreaba un hilillo de agua, verdosa de moho. La mayor parte de la abertura estaba tapada con una trampa tosca de madera. La gran canaleta de madera que transportaba el agua había sido desmontada, y la madera empleada para construir la trampa, además de mesas de laboratorio y estanterías.

El salón medía unos veinte metros de ancho por treinta y cinco de largo. La rueda mayor, de posición vertical, no había sido desmontada. Se alzaba en el centro del salón como una pieza de escultura moderna. Varios instrumentos estaban dispuestos en círculo alrededor de ella.

En los dos extremos del salón había puertas reforzadas con remaches metálicos. Las cuatro paredes eran de granito gris. El techo era de madera, sostenido por grandes vigas a la vista. Además de la rueda mayor, todavía se conservaba la mayor parte del aparato mecánico de transmisión de la energía hídrica. Las enormes barras y los engranajes estaban suspendidos de las vigas por medio de cables.

Una escalera de madera ascendía hacia el techo, pero terminaba en una trampa también de madera.

—¿Y bien? —preguntó VJ, impaciente—. ¿Qué me dices de todo esto, papá?

Victor se paró. Sus piernas temblaban.

—¿Dices que es tu laboratorio?

—Así es. No está mal, ¿verdad?

Se tambaleó hacia el sintetizador de DNA y rozó el borde con un dedo. Era el modelo más reciente, mejor aún que el que tenía en su laboratorio.

—¿De dónde vino todo este instrumental? —preguntó Victor al notar un microscopio electrónico del otro lado de la rueda.

—Digamos que lo tengo en préstamo —dijo VJ. Había seguido a su padre y contemplaba el sintetizador con embeleso.

Victor se volvió y lo miró a los ojos.

—¿Son los instrumentos robados de Chimera?

—Robados no —dijo VJ con una sonrisa maliciosa—. Digamos que fueron redistribuidos. Pertenecen a Chimera y se encuentran en terrenos de propiedad de la empresa. Mientras no salgan de aquí, no puedes decir que hayan sido robados.

Al dirigirse al siguiente instrumento, que era una compleja unidad de cromatografía, Victor trató de recobrarse. Le dolía la cabeza, sobre todo al caminar, y persistía el mareo, pero empezaba a creer que la causa de éste no era el golpe recibido sino la insólita revelación de ese mundo subterráneo. Era como un sueño, mejor dicho una pesadilla. Palpó suavemente una de las columnas de la unidad de cromatografía para asegurarse de que era real y se volvió hacia VJ, que lo seguía:

—Creo que me debes una explicación sobre todo esto.

—Cómo no —dijo VJ—. Pero vamos a las habitaciones. Ahí estaremos más cómodos.

Bordearon la gran rueda y el microscopio electrónico, y se dirigieron al extremo del salón. VJ abrió la puerta de la izquierda, pero antes de pasar señaló la de la derecha:

—Allá hay más laboratorios. El espacio nunca alcanza.

Antes de seguir a VJ, echó una mirada sobre su hombro. Philip los seguía, pero los guardias no le prestaban la menor atención. Dos de ellos jugaban a los naipes sobre una mesa tosca.

Entraron en un cuarto que en verdad parecía un dormitorio. Sus ocupantes habían colgado alfombras de distintos colores y formas sobre los muros de granito para dar mayor calidez al ambiente. Había una decena de catres con sábanas y frazadas. Junto a la puerta había una mesa redonda con seis sillas de lona. VJ lo invitó a sentarse.

Victor apartó una silla de la mesa y se sentó. Philip ocupó otra frente a ellos.

—¿Puedo servirte algo? ¿Chocolate caliente, o té? —preguntó VJ, jugando al anfitrión—. Aquí tenemos de todo.

—Sólo quiero que me digas de qué se trata todo esto.

VJ asintió:

—Como sabes, empecé a sentir interés por lo que sucedía en tu laboratorio desde el primer día que me trajiste a Chimera. El problema es que no me permitían tocar nada.

—Por supuesto —dijo Victor—. Eras un bebé.

—Pero no tenía la mente de un bebé. De más está decir que, como comprendí enseguida, sólo podría trabajar si contaba con un laboratorio propio. Al principio era muy pequeño, pero fue creciendo a medida que incorporé nuevos instrumentos.

—¿Cuántos años tenías cuando empezaste?

—Fue hace unos siete años —dijo VJ—. Yo tenía tres. Fue muy fácil instalarlo, contando con los músculos de Philip. —Éste sonrió con placer. —Al principio me instalé en el edificio al lado de la cafetería —prosiguió—. Pero cuando oí que pensaban utilizarlo, trasladamos todo hasta aquí, y desde entonces lo mantengo en secreto.

—¿Desde hace siete años?

—Más o menos —asintió VJ.

—¿Por qué lo mantuviste en secreto?

—Para poder trabajar en serio. Al verte en el laboratorio, me sentí fascinado por las posibilidades que ofrece la biología. Es la ciencia del futuro. Y tenía mis propias ideas sobre la manera de realizar la investigación.

—Pero hubieras podido utilizar mi laboratorio —dijo Victor.

—Imposible —dijo VJ, agitando la mano—. Soy demasiado joven. Nadie me habría permitido hacer lo que hice. Necesitaba libertad total para trabajar, sin restricciones ni normas de ningún tipo. Ni ayuda. Necesitaba espacio. Déjame decirte que lo que he conseguido supera todas tus fantasías. Desde hace un año me muero de ganas de mostrarte lo que he logrado. Te vas a desmayar.

—¿Has tenido éxito en tus experimentos? —preguntó Victor, repentinamente interesado.

—Digamos mejor que algunos de mis descubrimientos significan saltos cualitativos en la historia de la biología. Trata de adivinar.

—Es imposible.

—Al contrario, es perfectamente posible, teniendo en cuenta que tú mismo has investigado algunos de esos problemas.

—He estado trabajando en varias cosas a la vez —dijo Victor.

—Mira, yo quiero que el mérito por todos los descubrimientos sea para ti. De esa manera, Chimera podrá patentarlos y ganar mucho dinero. No quiero que nadie se entere de mi participación.

—¿Como la carrera en la piscina?

VJ soltó una carcajada:

—Algo así. No quiero llamar la atención. Es mejor que nadie venga a investigar, y la gente se vuelve muy curiosa cuando aparece un prodigio. No, es mejor que el mérito sea para ti y la patente de invención para Chimera. Digamos que con eso pagaré por el uso del espacio y el instrumental.

—Cuéntame algo de tus descubrimientos.

—Por empezar, he resuelto el misterio de la implantación de un huevo fertilizado en un útero —dijo VJ con orgullo—. Con una cigota normal, puedo garantizar la implantación en un ciento por ciento.

—Es una broma —dijo Victor.

—No es una broma —replicó VJ con fastidio—. La solución fue más sencilla y a la vez más compleja de lo que se esperaba. Se trata de la yuxtaposición de la cigota con las células superficiales del útero, la que inicia una comunicación química, que para la mayoría de la gente sería un tipo de reacción como la que se produce entre un antígeno y un anticuerpo. En esta reacción se produce un polipéptido que actúa como factor de proliferación arterial que da lugar a la implantación. He aislado ese factor y lo he producido en cantidad por medio de técnicas de DNA recombinante. Basta una inyección para garantizar en un ciento por ciento la implantación de un huevo fertilizado sano.

Para dar mayor credibilidad a su afirmación, VJ sacó un frasco de su bolsillo y lo puso sobre la mesa:

—Toma, es para ti. Quién sabe, tal vez ganes el premio Nobel. —Rió, y Philip lo imitó.

Victor tomó el frasco y contempló su contenido: un líquido viscoso, de color claro.

—Hay que verificarlo —dijo.

—Ya lo verifiqué —dijo VJ—. Experimenté con animales, con seres humanos. Lo mismo da. Ciento por ciento de éxito.

Miró a su hijo, luego a Philip. Éste sonrió tímidamente, inseguro de su reacción. Victor miró otra vez el frasco. Era capaz de apreciar el impacto académico y económico de semejante descubrimiento. Sería colosal, provocaría una revolución en las técnicas de fertilización in vitro. Fertility SA comercializaría el producto y pasaría a dominar el mercado mundial.

Tomó aliento antes de preguntar:

—¿Estás seguro de que es efectivo con seres humanos?

—Totalmente. Ya hice los experimentos necesarios.

—¿Con quién?

—Con voluntarios, claro —dijo VJ—. Pero ya tendremos tiempo de entrar en esos detalles.

¿Voluntarios? La cabeza le daba vueltas. ¿Acaso VJ no comprendía que no se podía experimentar a la ligera con seres humanos? Había problemas legales y éticos de por medio. Pero el potencial era enorme. ¿Y quién era él para juzgarlo? ¿Acaso ese chico prodigioso sentado frente a él no era producto de la ingeniería genética?

—Quiero ver el laboratorio otra vez —dijo Victor.

VJ corrió a abrirle la puerta. Volvieron al salón principal. Los jugadores de naipes discutían acaloradamente en español.

Victor recorrió el círculo lentamente, mientras estudiaba el instrumental. Era más que impresionante: le faltaban los adjetivos para calificarlo. Su dolor de cabeza se había disipado y, en su lugar, sentía una excitación creciente. Era difícil creer que su hijo de apenas diez años hubiera creado todo eso.

—¿Quién está enterado de la existencia del laboratorio? —preguntó, contemplando el microscopio electrónico. Su mano acarició los planos curvos del instrumento.

—Philip y algunos guardias de seguridad —dijo VJ—. Y ahora tú.

Victor lo miró, y su hijo sonrió satisfecho. Bruscamente soltó una carcajada:

—¡Y pensar que todo esto sucedía bajo nuestras propias narices! —Meneó la cabeza mientras proseguía la inspección del instrumental científico. Rozó algunos de ellos con las yemas de los dedos. —¿Estás convencido de que la proteína de implantación es segura? —preguntó. Por su mente ya rondaban algunos posibles nombres comerciales. Conceptol. Fertol.

—Totalmente. Y ese es sólo uno de mis descubrimientos. Hay muchos más. Algunos de mis hallazgos sobre el proceso de diferenciación y desarrollo celular van a significar una nueva era en la historia de la biología.

Victor se detuvo y lo miró de frente:

—¿Qué sabe Marsha de todo esto?

—¡Nada! —respondió VJ con vehemencia.

—Pues sí que se va a poner feliz —sonrió Victor—. No sabes lo preocupada que está porque no juegas con otros chicos de tu edad.

—Bueno, no he tenido tiempo para los boy scouts —dijo VJ—. He tenido otras ocupaciones, como ves.

—Ya lo creo —rió Victor—. Pero va a estar encantada cuando lo sepa. Tendremos que decírselo y traerla aquí.

—No sé si es lo más conveniente —dijo VJ.

226

—Pero sí que lo es —insistió Victor—. Así estará tranquila y me ahorrará sus sermones sobre tus supuestos problemas psicológicos.

—No quiero que nadie se entere de esto —dijo VJ—. Tú lo descubriste por casualidad. Iba a revelarte todo, pero no antes de trasladarme a mis nuevas instalaciones.

—¿Dónde están?

—Muy cerca de aquí. Iremos otro día.

—Marsha tiene que estar enterada —dijo Victor—. Ha estado tan preocupada por ti. Yo me ocuparé de ella. No hablará con nadie.

—Es un riesgo —dijo VJ—. No creo que mis descubrimientos la impresionen tanto como a ti. La ciencia no la fascina como a nosotros.

—Pero se entusiasmará al saber que eres un genio. Y que fuiste capaz de montar todo esto. Es increíble.

—Bueno, puede ser... —dijo VJ, indeciso.

—Confía en mí —dijo Victor con entusiasmo.

—Bueno, creo que en este caso debo aceptar tus argumentos. La conoces mejor que yo. Sólo espero que tengas razón. Podría causarnos muchos problemas.

—Iré a buscarla ahora mismo —dijo Victor. Evidentemente estaba muy excitado.

—¿Cómo la traerás hasta aquí sin que nadie lo vea?

—Es sábado. Hay muy poca gente, sobre todo a estas horas.

—De acuerdo —dijo VJ con resignación.

Victor se precipitó hacia la escalera:

—Vuelvo en media hora. O tres cuartos, como máximo. —Subió una decena de escalones y se detuvo: La escalera terminaba en el techo.

—¿Por aquí se sale? —preguntó.

—Empuja la trampa —dijo VJ—. Tiene un contrapeso.

Victor subió lentamente hasta tocar las tablas con la mano. Empujó hacia arriba y, para su sorpresa, la trampa se alzó fácilmente. Echó una última mirada atrás, guiñó un ojo y salió. Dejó caer la trampa, que se cerró silenciosamente.

Víctor corrió del lugar directamente hasta su auto. Tenía el pulso acelerado por la excitación. Hacía años que no sentía semejante emoción.

Alterada luego de sus dos visitas, Marsha preparó una taza de té fuerte. Se sentó en su cuarto de trabajo a beberlo y tratar de tranquilizarse. Entonces oyó el auto de Víctor que se acercaba.

Poco después él se asomó en el cuarto. No se había quitado el abrigo.

—¡Ahí estás, tesoro!

¿Tesoro?, pensó Marsha con desdén. Hace años que no me llama así.

—Ven aquí —dijo, pero él ya entraba.

Le tomó la mano con fuerza y trató de obligarla a pararse, pero ella se resistió:

—¿Qué te pasa?

—Quiero mostrarte algo —dijo. Su mirada era francamente divertida.

—¿Pero qué te pasa?

—¡Vamos de una vez! —dijo Víctor, y la tomó del brazo—. Tengo una sorpresa que te va a encantar.

—Y yo tengo otra sorpresa que no te va a encantar —dijo Marsha—. Siéntate. Es muy importante lo que quiero decirte.

—Lo mío es más importante.

—Lo dudo. Me he enterado de algunas cosas sobre VJ que no son precisamente tranquilizadoras.

—Justamente, de él se trata —sonrió Víctor—. Porque yo me he enterado de algunas cosas que van a poner fin a todos tus temores sobre VJ. Trató de sacarla a la rastra.

—¡Víctor! —exclamó Marsha. Liberó su brazo. —¡Pareces un chico!

—¡Tus peores insultos son como caricias! —exclamó Víctor alegremente—. Marsha, hablemos en serio. Tengo algo importante que decirte y que te va a alegrar muchísimo.

Marsha puso los brazos en jarra y separó las piernas para mantener el equilibrio:

—VJ no sólo nos ha mentido sobre la escuela. Acabo de enterarme de que jamás ha pasado la noche en la casa de los Balkemore. ¡Nunca!

—No me sorprende —dijo Victor, pensando que en verdad VJ tendría que haber pasado largas horas en el laboratorio para hacer semejantes descubrimientos.

—¿No te sorprende? —exclamó Marsha, exasperada—. Ni siquiera son amigos. Al contrario, hace poco se pelearon y VJ le rompió la nariz a Richie.

—¡Está bien, está bien! —dijo Victor, tratando de serenarse. La tomó de los brazos y la miró a los ojos: —Tranquilízate. Tenemos que hablar. Si vienes conmigo, verás el lugar donde VJ pasa casi todo su tiempo. Todo tendrá su explicación. ¿Vamos?

Marsha entrecerró los ojos. Al menos su tono era sincero:

—¿Adónde me llevas? —preguntó con suspicacia.

—Vamos al auto —dijo Victor con entusiasmo—. Trae tu abrigo.

—Espero que sepas lo que haces —dijo Marsha, dejándose llevar. Se puso su abrigo y minutos más tarde se aferraba al tablero del auto. —¿Por qué corres tanto? —preguntó.

—Es la impaciencia, nada más —dijo Victor y viró bruscamente—. ¡Y pensar que a los doce años yo estaba de lo más orgulloso porque tenía un refugio secreto en un árbol!

Marsha lo miró como si estuviera loco. Últimamente su conducta era algo rara, pero esto superaba todo lo anterior.

Cruzó el puente sobre el río Merrimack a toda velocidad y poco después llegó a Chimera. Había cambiado el turno de guardia. El hombre del portón no era Fred.

En aras de mantener el secreto, Victor estacionó en el espacio que tenía asignado, frente a la administración.

—Tenemos que caminar un poco —dijo, ayudándola a bajar del auto.

Caía la tarde cuando se aproximaron al río. Los callejones ya estaban sumidos en la oscuridad. Hacía mucho frío, casi cero grado, pensó Marsha. Victor la precedía y de vez en cuando echaba una mirada sobre su hombro, como si temiera que lo siguieran. Marsha también miró atrás por curiosidad, pero el lugar estaba desierto. Se ajustó el abrigo, pero el frío que sentía no se debía sólo a la temperatura ambiente.

Victor advirtió que caminaba más lentamente que antes y le tomó la mano. Habían salido del sector habitado. A cada lado se alzaban las moles de los edificios desiertos, amenazantes a la luz del crepúsculo.

—Victor, ¿adónde me llevas?

—Ya llegamos.

Cuando llegaron a la gran entrada del edificio del reloj, Marsha se detuvo.

—No esperas que yo entre ahí, ¿no? Alzó la vista hacia la torre.

Se sintió levemente mareada al ver pasar las nubes y bajó la vista.

—Por favor —dijo Victor—. VJ está aquí. Créeme, te espera una sorpresa maravillosa.

Marsha miró el rostro emocionado de su esposo y luego el lóbrego interior del edificio.

—Es una locura —dijo, pero se dejó llevar al interior, donde los envolvió la penumbra.

Se dirigieron cuidadosamente entre los escombros hacia el centro del salón.

—Ya llegamos —dijo Victor.

Acostumbrada ya a la oscuridad, Marsha alcanzó a ver las siluetas de algunos objetos en el piso. A su izquierda, tras las aperturas de los ventanales veía la luz reflejada en el agua del embalse. También llegaba el estruendo de la catarata. Al llegar a un rincón, Victor le soltó la mano, se agachó y golpeó con los nudillos en el piso. Marsha se sorprendió al ver que se alzaba una trampa y dejaba pasar una luz fluorescente.

—Mamá —dijo VJ—. Vamos, rápido.

Marsha bajó temerosa la escalera, seguida por Victor mientras VJ cerraba la trampa.

Marsha miró alrededor. Le parecía hallarse en medio de una película de ciencia ficción. La combinación de los engranajes oxidados, la gran rueda y los muros de granito con el instrumental de alta tecnología la desorientaba. Saludó a Philip, quien le devolvió el gesto. También saludó a los guardias de Chimera, pero ellos la miraron en silencio. Advirtió que uno de ellos tenía un párpado caído.

—¿No es asombroso? —preguntó Victor—. ¿Alguna vez viste algo parecido?

Marsha lo miró. Nunca lo había visto tan excitado.

—¿Qué es todo esto? —preguntó.

—El laboratorio de VJ.

Explicó rápidamente las distintas instalaciones y cómo VJ había montado el laboratorio sin despertar la menor sospecha. Inclusive mencionó el descubrimiento de la proteína de implantación y cómo afectaría el campo de la infertilidad.

"Ahora comprendes por qué VJ no tiene tanta vida social como tú desearías —dijo en conclusión—. Pasa las horas aquí, trabajando como un galeote. —Rió y una vez más su mirada se paseó por la sala.

Marsha miró a VJ. El chico la miraba con suspicacia, a la espera de su reacción. Frente a ella había un aparato enorme. No tenía la menor idea de qué era.

—¿De dónde salieron todos estos instrumentos? —preguntó.

—Eso es lo más interesante —dijo Victor—. Todo esto es propiedad de la empresa.

—¿Y cómo vino a parar aquí?

—Pues, supongo... —Se interrumpió y se volvió hacia VJ: —¿Cómo trajiste todo esto hasta aquí?

—Tuve ayuda de varias personas —dijo VJ vagamente—. Philip hizo la mayor parte del esfuerzo. Hubo que desarmar algunos aparatos para rearmarlos aquí. Usamos los viejos túneles.

—¿Gephardt fue uno de los que te ayudaron? —preguntó Victor con suspicacia.

—Así es —asintió VJ.

—¿Por qué te habría de ayudar una persona como Gephardt? —preguntó Marsha.

—Decidió que era lo más prudente —dijo VJ enigmáticamente—. Yo había entrado en los programas de la computadora de Chimera y había descubierto que varias personas estafaban a la empresa. Una vez que tuve esa información, pedí a esas personas que me ayudaran desde sus respectivos departamentos. Desde luego que ninguna de ellas conocía a las demás ni sabía lo que estaba sucediendo. Por eso todo fue muy prolijo y sin problemas. Pero lo importante es que todo el instrumental pertenece a Chimera. No robé nada. Todo está aquí.

—Para mí, eso es chantaje —dijo Marsha.

—No amenacé a nadie —dijo VJ—. Simplemente les dije lo que sabía de ellos y después les pedí un favor.

—Me parece bastante ingenioso —dijo Victor—. Pero me gustaría saber los nombres de los estafadores.

—Lo lamento —dijo VJ—. Tengo un acuerdo con esas personas. Además, al peor de todos, el doctor Gephardt, ya lo había descubierto la dirección de impuestos. Y lo más irónico es que creyó que yo lo había denunciado.

—Ahora entiendo —dijo Victor bruscamente—. Fue Gephardt quien lanzó el ladrillo y mató a la pobre Kissa.

VJ asintió:

—Pobre infeliz.

—¡Me quiero ir! —exclamó bruscamente Marsha, para sorpresa de ambos.

—Pero hay mucho más para ver.

—Te creo —dijo Marsha—. Pero por hoy he visto suficiente. Me voy. —Miró a su esposo y a su hijo, luego echó una mirada a su alrededor. Se sentía incómoda. Más aún, asustada.

—Hay una habitación... —dijo Victor, señalando el extremo del salón.

Marsha lo pasó por alto. Fue directamente a la escalera y empezó a subir.

—Te dije que era un error traerla aquí —susurró VJ.

Victor le puso una mano sobre el hombro y le habló al oído:

—No te preocupes, yo me haré cargo. —Y a Marsha:
—Espera, voy contigo.

Marsha subió sin detenerse, abrió la trampa y salió. Cruzó el amplio salón, tropezando con los escombros, hasta la salida. El aire fresco fue como una bendición.

—Marsha, por amor de Dios —exclamó Victor al alcanzarla—. ¿Adónde vas?

—¡A casa! —Se alejó con paso resuelto. Victor tuvo que correr para alcanzarla.

—¿Por qué actúas así?

Marsha no respondió. Aceleró el paso, casi hasta la carrera. Cuando llegó al auto, subió sin decir palabra.

—¿Decidiste que no quieres hablar conmigo? —preguntó al sentarse detrás del volante.

Marsha apretó los labios y clavó la mirada en el parabrisas. Volvieron a la casa en silencio.

Al entrar, Marsha se sirvió un buen vaso de vino blanco.

—Marsha —dijo Victor finalmente—, ¿por qué actúas así? Pensé que estarías tan emocionada como yo. Sobre todo porque estabas tan preocupada por su nivel de inteligencia. Es evidente que VJ está muy bien. Más que inteligente, es brillante.

—A eso justamente quería llegar —replicó Marsha—. Es tan inteligente que me aterra. Si el laboratorio significa algo, es que sigue siendo un genio, ¿no te parece?

—Sí, es evidente —dijo Victor—. Y me parece extraordinario.

—A mí no —respondió Marsha con brusquedad. Dejó el vaso de vino sobre la mesa. —Si todavía es un genio, entonces lo de la pérdida de inteligencia fue una simulación. Desde hace años no hace más que fingir. Y es tan inteligente que supo burlarse de mis tests psicológicos, salvo la escala de valores. ¿No comprendes, Victor? Su vida con nosotros es simulación pura. Una mentira gigantesca.

—Podría haber otra explicación —dijo Victor—. Su inteligencia cayó y después rebotó.

—Le hice un test de inteligencia esta semana. Su coeficiente sigue siendo ciento treinta desde los tres años y medio.

—Bueno, está bien —dijo Victor con fastidio—. Lo que importa es que VJ está muy bien y no hay de qué preocuparse. Está más que bien. Fue capaz de montar ese laboratorio por su cuenta. Su coeficiente debe de estar muy arriba de ciento treinta. Esto significa que mi proyecto FDN es todo un éxito.

Marsha meneó la cabeza. Tanta miopía la dejaba atónita.

—¿Qué crees haber creado con VJ y tus mutaciones y tus manipulaciones genéticas? —preguntó.

—Un niño normal en todo sentido, pero de inteligencia superior —dijo Victor sin vacilar.

—¿Qué más?

—¿Cómo, qué más? No comprendo.

—¿Qué me dices de la personalidad del sujeto?

—¿El sujeto? Marsha, se trata de VJ, nuestro hijo.

—¿Qué me dices de su personalidad? —insistió Marsha.

—Al diablo con la personalidad. El chico es un prodigio. Ha hecho una serie de descubrimientos históricos. Tiene algunos problemas emocionales, sí. ¿Y qué? ¿Quién no los tiene?

—Es un monstruo —susurró Marsha. Su voz se quebró. Se mordió los labios para no llorar, pero no pudo contener las lágrimas. —Creaste un monstruo, nunca te lo perdonaré.

—Basta de eso —dijo Victor, exasperado.

—VJ es un bicho raro —dijo Marsha bruscamente—. Su inteligencia lo ha apartado de los demás. Es un solitario. Es tan inteligente que no admite las restricciones sociales. Está más allá de todo y de todos.

—¿Terminaste? —preguntó Victor.

—No, ahora me vas a escuchar —replicó ella, furiosa a pesar de las lágrimas—. ¿Qué me dices de los niños que tenían el mismo gen que VJ? ¿Por qué murieron?

—¿Qué interesa eso ahora?

—¿Y la muerte de David y Janice? —prosiguió, pasando por alto la pregunta de Victor—. Hoy no me querías escuchar, pero iba a decirte que fui a visitar a los Fay. Según ellos, Janice estaba convencida de que VJ tuvo algo que ver con la muerte de David. Decía que era un demonio.

—Sí, recuerdo que decía estas idioteces antes de morir —dijo Victor—. Se volvió una psicótica con manías religiosas. Eso decías tú.

—Sí, pero después de visitar a los padres volví a pensar en lo que había sucedido. Janice estaba convencida de que la habían drogado y envenenado.

—Marsha —exclamó Victor. La tomó de los hombros y la sacudió—. Tranquilízate. No digas estupideces. David murió de cáncer de hígado, ¿recuerdas? Janice se volvió loca antes de morir. ¿Lo has olvidado? Encima de todo se volvió paranoica. Probablemente a causa de una metástasis al cerebro, pobrecita. Además, no hay veneno en el mundo que pueda causar un cáncer de hígado. —Habló con convicción, pero tenía algunas dudas, sobre todo a la luz de esas extrañas cantidades de DNA descubiertas en las células tumorales de David y Janice. —Creo que esas muertes están relacionadas con problemas internos de la empresa. Alguien está al tanto del proyecto FDN y quiere desacreditarme. Por eso contraté un guardaespaldas para VJ.

—¿Cuándo llegaste a esa conclusión? —preguntó Marsha luego de beber un sorbo de vino.

Victor se encogió de hombros:

—No recuerdo cuándo fue. Hace un par de días.

—O sea que tú también crees que esas muertes fueron

intencionales. Que alguien asesinó a los dos niños —dijo Marsha, asustada otra vez.

Había olvidado su decisión de no revelarle lo que había averiguado sobre el cefaloclor. Tragó saliva.

"¡Victor! ¡Me estás ocultando algo!

Bebió un sorbo de vino para ganar tiempo y tratar de inventar una cortina de humo que ocultara la verdad. No se le ocurrió nada. Y después de lo que había descubierto ese día, ya no importaba. Suspiró y le dijo lo que sabía.

—¡Dios mío! —susurró Marsha—. ¿Estás seguro de que fue en Chimera que les dieron el cefaloclor?

—No tengo la menor duda —dijo Victor—. Sus vidas no tenían otro punto de contacto que la guardería de Chimera. Allí les dieron el cefaloclor.

—¿Pero quién haría semejante monstruosidad? —preguntó. Quería tener la seguridad de que VJ no tenía nada que ver.

—Hurst o Ronald. No puede ser otro. Si me dieran a elegir, diría que fue Hurst. Pero mientras no tenga mejores pruebas, sólo puedo poner un guardaespaldas a VJ para estar seguro de que nadie trata de darle cefaloclor.

En ese momento se abrió la puerta: VJ, Philip y Pedro González irrumpieron en la cocina. Marsha no se dio vuelta, pero Victor se paró de un salto:

—Qué tal, muchachos —exclamó con fingida alegría. Iba a presentar a Pedro, pero Marsha dijo que lo había conocido esa mañana.

"Ah, qué bien —dijo Victor, frotándose las manos.

Marsha miró a VJ. El chico le devolvió la mirada con sus penetrantes ojos azules. Ella tuvo que apartar la suya. Sus propios pensamientos la aterraban. Además, sentía miedo cada vez que él estaba cerca.

"¿Por qué no se van un rato a la piscina? —dijo Victor a VJ y Philip.

—Buena idea —dijo VJ, y él y Philip se dirigieron a la escalera.

—Lo espero mañana a la mañana —dijo Victor a Pedro.

—Sí, señor. Mañana a las seis estaré frente a la puerta en mi auto.

Victor lo acompañó a la puerta y luego volvió a la cocina.

—Voy a hablar con VJ —dijo—. Le preguntaré sobre esa cuestión de su inteligencia. Tal vez su respuesta te tranquilizará.

—Ya sé cuál será su respuesta —dijo Marsha—. Pero pregúntale, si quieres.

Victor subió la escalera rápidamente y entró en el cuarto de VJ. El chico lo miró, expectante. Éste por primera vez se sintió sobrecogido por su propia creación. Era un niño hermoso, y de un poder mental ilimitado. No sabía si sentirse orgulloso o celoso.

—Mamá no se siente tan fascinada por el laboratorio como tú —dijo VJ—. Me di cuenta.

—Fue una experiencia muy fuerte para ella.

—Me arrepiento de haber permitido que se lo revelaras.

—No te preocupes —dijo Victor—. Yo me ocuparé de ella. Pero hay algo que la inquieta desde hace años. Esa pérdida de inteligencia que sufriste a los tres años y medio, ¿fue real o fingida?

—Fingida, por supuesto —dijo VJ, envolviendo su cuerpo lampiño en una salida de baño—. Si no, no hubiera podido trabajar. Como prodigio superinteligente no hubiera podido conservar mi anonimato. Quería que me trataran como un chico normal. Para eso, tenía que parecer normal. O casi.

—¿No te parece que hubieras podido hablar conmigo y que yo habría comprendido?

—¿Bromeas? Mamá y tú no dejaban de exhibirme. Constantemente. No hubiera podido convencerlos.

—Creo que tienes razón —asintió Victor—. Durante un tiempo tus proezas eran el centro de nuestras vidas.

—¿Vienes a nadar con nosotros? —sonrió VJ—. Te dejaré ganar.

Victor rió a pesar suyo:

—Gracias, pero prefiero bajar a hablar con Marsha. A ver si consigo tranquilizarla. Diviértanse. —Fue a la puerta, pero se volvió antes de salir: —Mañana me gustaría conocer los detalles del trabajo de implantación.

—Me encantará mostrártelos —dijo VJ.

Victor asintió, sonrió y bajó a la cocina, de donde llegaba el olor a ajo, cebollas y ajíes fritos: salsa para fideos. Marsha estaba cocinando, era una buena señal.

La cocina era para ella una forma de terapia instantánea. Su mente todavía no abarcaba la enormidad de lo que había visto, y el trabajo hogareño era un medio para dejar de pensar en las consecuencias. No prestó la menor atención a Victor, sino que se concentró en destapar una lata de puré de tomates.

Victor tampoco habló. Tendió la mesa y descorchó una botella de chianti. Después se sentó en uno de los taburetes y la miró:

—Tenías razón, la pérdida de su inteligencia fue pura ficción.

—No me sorprende —dijo Marsha. Sacó lechuga, cebollas y pepinos para la ensalada.

—Pero tenía excelentes motivos —agregó, y repitió la prosaica explicación de VJ.

—Y se supone que esa explicación me hará sentir mejor, ¿no?

Victor no respondió.

"Dime —insistió Marsha—, cuando hablaste con él, ¿le preguntaste sobre esos niños muertos y sobre David y Janice?

—¡Claro que no! —exclamó Victor, horrorizado por la mera idea—. ¿Por qué habría de hacerlo?

—¿Por qué no?

—Porque es absurdo.

—Te diré por qué no le preguntaste: porque tienes miedo de saber la respuesta.

—Esa es otra estupidez. Basta, por favor.

—Yo sí tengo miedo —dijo Marsha. Otra vez sentía como un nudo en la garganta.

—Te dejas llevar por tu imaginación. Escucha, sé que estás muy alterada por todo lo que ha sucedido hoy. Lo lamento. Pensé que te sentirías emocionada al conocer el laboratorio. Pero estoy seguro de que más adelante, cuando recuerdes este día, reirás de tus propios temores. Si la implantación es efectiva, como él dice, entonces la carrera de VJ no tendrá límites.

—Sería feliz de creerlo —dijo Marsha sin convicción.

—Sólo pido tu promesa de que no hablarás con nadie sobre todo esto. El laboratorio debe permanecer secreto por ahora.

—¿Con quién podría hablar de esto?

—Por ahora deja que yo me ocupe de VJ. Algún día nos va a dar grandes satisfacciones, ya lo verás.

Marsha sintió un escalofrío en la columna y se estremeció.

—¿Hace frío aquí? —preguntó.

—Al contrario —dijo Victor, mirando el termostato—. Yo diría que hace demasiado calor.

Capítulo 12

Domingo a la mañana

Marsha despertó sobresaltada a las cuatro y media de la mañana. No tenía la menor idea de qué la había despertado y por unos instantes contuvo el aliento para escuchar mejor los ruidos nocturnos de la casa. No oyó nada fuera· de lo común. Se acomodó mejor y trató de dormirse, pero no pudo. Cuando cerraba los ojos aparecían imágenes del misterioso laboratorio de VJ, conjunción de lo antiguo y lo más moderno. Luego aparecía la extraña cara del hombre del párpado caído.

Apartó las cobijas y se sentó en el borde de la cama. Sigilosamente, para no despertar a Victor, se puso las pantuflas y el salto de cama, abrió la puerta del dormitorio, salió y la cerró a su espalda.

Una vez en el pasillo, se preguntó adónde iría. Echó a andar hacia el otro extremo del pasillo, como si una fuerza invisible la arrastrara al dormitorio de VJ. Advirtió que su puerta estaba entornada.

La abrió suavemente. La suave luz de los faroles de la entrada penetraba por la ventana. VJ estaba profundamente dormido. Tendido de costado, su rostro estaba vuelto hacia ella.

Su expresión era realmente angelical. ¿Qué tenía que ver ese niño con los siniestros sucesos de Chimera? No quería pensar en Janice ni en David, su primer hijo. Bruscamente apareció en su mente la visión de David en los últimos días de su vida, con su piel amarillenta a causa de la enfermedad.

Marsha contuvo un grito de terror. Porque en su mente había aparecido una imagen horrible, en la que ella misma tomaba una almohada y la aplastaba sobre el rostro sereno de VJ hasta ahogarlo. Horrorizada, se estremeció con fuerza y salió corriendo, huyendo de sí misma.

Se detuvo frente a la puerta del cuarto de huéspedes, convertido en domitorio temporario de Philip. Abrió la puerta: la enorme cabeza del retardado se destacaba sobre la blancura de la ropa de cama. Meditó un instante, luego entró y se paró junto a la cama. El hombre roncaba profundamente y soltaba el aliento en un suave silbido. Marsha se inclinó sobre él y le sacudió el hombro.

—Philip —susurró—. ¡Philip!

Los ojitos de Philip parpadearon un par de veces. Asustado se sentó bruscamente. Pero entonces reconoció a Marsha y mostró sus enormes dientes cuadrados en una sonrisa.

—Perdona que te despierte, pero quiero preguntarte algo.

—Bueno —dijo él, borracho de sueño. Se apoyó sobre un codo.

Marsha acercó una silla al borde de la cama y encendió el velador de la mesa de luz.

—Quiero agradecerte que seas buen amigo de VJ —dijo.

La cara de Philip se iluminó con una amplia sonrisa. Asintió.

"Lo ayudaste muchísimo para instalar el laboratorio.

Asintió otra vez.

"¿Quién más los ayudó?

La sonrisa de Philip se desvaneció. Su mirada nerviosa evitó la de Marsha.

242

—Me dijo que no diga nada —respondió.

—Soy la mamá de VJ. A mí sí me puedes decir.

Philip se agitó, incómodo.

Marsha esperó unos instantes, pero Philip no dijo nada.

"¿Los ayudó el señor Gephardt?

Philip asintió.

"Pero después el señor Gephardt tuvo problemas. ¿Se enojó mucho con VJ?

—¡Sí, se enojó muchísimo! Y después VJ se enojó y fue a hablar con el señor Martínez.

—¿Recuerdas el nombre de pila del señor Martínez?

—Orlando.

—¿El señor Martínez también trabaja en Chimera?

Philip se mostraba asustado otra vez.

—No. Él trabaja en Mattapan.

—¿Mattapan? ¿El pueblo al sur de Boston?

Philip asintió.

Marsha iba a hacerle más preguntas, pero bruscamente se estremeció al sentir una presencia a su espalda y giró. VJ la observaba desde la puerta, las manos sobre el marco y la mirada furiosa.

—Creo que a Philip le haría bien dormir —dijo.

Marsha se paró bruscamente. Iba a decir algo, pero las palabras se trabaron. Salió rápidamente y corrió a su cuarto.

Tendida en la cama, esperó aterrada que VJ viniera al cuarto. La sobresaltaba el roce de las ramas del roble contra su ventana.

Pero no apareció, y paulatinamente Marsha se relajó. Con todo, no conseguía dormir. Se preguntó quién sería el misterioso Orlando Martínez. Luego pensó en Janice Fay. Pensó en David y, como siempre, sintió que se le humedecían los ojos. Luego pensó en el profesor Remington y en la academia Pendleton. Recordó al maestro que trataba de ganar la amistad de VJ y había muerto. Se preguntó cuál habría sido la causa de su muerte.

A continuación, oyó la voz de Victor, que la despertaba

para decirle que salía con VJ.

—¿Qué hora es? —preguntó, mirando el reloj. Advirtió sorprendida que eran las nueve y media.

—Estabas tan dormida que no quise despertarte —dijo Victor—. VJ y yo nos vamos al laboratorio. Me va a mostrar los detalles de la implantación. ¿No quieres acompañarnos? Tengo la impresión de que estamos ante algo muy, muy importante.

Marsha meneó la cabeza:

—Yo me quedo. Después me contarás todo.

—¿Estás segura? Si esto es lo que parece a primera vista, creo que te hará bien conocerlo. Así te sentirás mejor.

—Claro que sí —dijo Marsha, pero sin convicción.

Victor le dio un beso en la frente:

—Tranquilízate, ¿quieres? Todo resultará muy bien, ya lo verás.

Victor fue a la planta baja, desbordante de entusiasmo. Si la implantación era efectiva, sorprendería a los directores en la reunión del miércoles.

—¿Mamá no viene? —preguntó VJ. Esperaba en la puerta, y ya se había puesto el abrigo. Philip estaba con él.

—No, pero está más tranquila esta mañana —dijo Victor—. Es evidente.

—Anoche se levantó para sonsacarle información a Philip. Esas son las cosas que me hacen sospechar de ella.

Marsha esperó a que partieran, luego fue al escritorio de la planta alta y tomó la guía telefónica de Boston. El apellido Martínez ocupaba varias páginas, y abundaban los Orlando Martínez. Pero había uno solo en Mattapan. Tomó el teléfono y discó el número. Alguien atendió la llamada, pero cuando estaba a punto de hablar, Marsha advirtió que era un contestador automático.

El mensaje grabado indicó que Martínez Enterprises atendía de lunes a viernes. Cortó la comunicación sin dejar mensaje, luego consultó la guía y anotó la dirección.

Se duchó, se vistió y desayunó con café y huevos pasados por agua. Luego se abrigó y salió al auto. Quince minutos más tarde entraba en la academia Pendleton.

Era un día soleado y ventoso. El viento agitaba la superficie de los charcos formados por la lluvia de la víspera. Había muchos estudiantes a la vista, la mayoría salía de la capilla. La asistencia a misa era obligatoria. Marsha acercó su auto al pequeño edificio de estilo gótico y esperó. Buscaba al profesor Remington.

Las campanas de la torre dieron las once, se abrieron las puertas y una multitud de chicos alegres salió al aire libre y el sol. Entre ellos había algunos maestros y se hallaba también el profesor Remington. Su perfil y su barba se destacaban en la multitud.

Marsha bajó del auto a esperarlo. Él pasaría muy cerca. Parecía ensimismado en sus pensamientos. Cuando se hallaba a unos tres metros, Marsha lo llamó y él se detuvo, sorprendido.

—¡Doctora Frank!

—Buenos días —dijo Marsha—. Espero no molestarlo.

—De ninguna manera. ¿Está preocupada por algo?

—En efecto. Quiero hacerle una pregunta que tal vez le parecerá extraña. Le pido que me disculpe. Usted me habló de un maestro que trató de hacerse amigo de VJ, y que murió. ¿Podría decirme cuál fue la causa de su muerte?

—El pobre hombre murió de cáncer —dijo Remington.

—Me lo temía.

—¿Cómo dice?

—No me haga caso. ¿Sabe qué clase de cáncer?

—Eso no, pero como le dije la vez pasada, su esposa es una de nuestras profesoras. Se llama Stephanie. Stephanie Cavendish.

—¿Cree que podría recibirme hoy?

—Me imagino que sí. Vive en un chalé junto a la casa del director. Compartimos el jardín. Justamente iba para mi casa.

245

Si quiere, tendré mucho gusto en presentarla.

Juntos cruzaron el patio del colegio.

—¿Hubo algún docente que conociera bien a mi otro hijo, David?

—Casi todos querían a David —dijo el profesor Remington—. Tanto los maestros como sus compañeros. Pero si tuviera que elegir, diría que Joe Arnold es el indicado. Es un profesor de historia muy querido por los alumnos. Se había hecho amigo de su David.

El chalé parecía trasplantado de un distrito rural de Inglaterra. Con sus paredes muy blancas y techo de símil paja, era una vivienda propia de un cuento de hadas. El profesor Remington llamó a la puerta y presentó a la señora Cavendish, una mujer esbelta y atractiva, aproximadamente de la edad de Marsha. Dirigía el departamento de educación física.

Invitó a Marsha a pasar, y el profesor Remington se excusó.

La señora Cavendish la invitó a pasar a la cocina y le ofreció una taza de té.

—Llámeme Stephanie —dijo—. Así que usted es la mamá de VJ. Mi esposo era un gran admirador de su hijo. Realmente estaba maravillado de su inteligencia.

—Sí, el profesor Remington me lo dijo.

—Le encantaba relatar la anécdota de cómo VJ resolvió un problema de álgebra.

Marsha asintió, dijo que conocía la historia.

—Pero Raymond pensaba que su hijo tenía problemas —prosiguió Stephanie—. Por eso trataba de que fuera menos introvertido. Realmente trataba de ayudarlo. Pensaba que VJ pasaba demasiado tiempo a solas y que podría desarrollar una tendencia suicida. Se preocupaba mucho por él. El problema no era de aprendizaje sino de relación.

Marsha asintió.

"¿Cómo está últimamente? Lo veo muy poco.

—La verdad es que tiene muy pocos amigos. Sigue siendo tan introvertido como antes.

—Lamento oír eso —dijo Stephanie.

Marsha tomó aliento y se decidió:

—No me crea indiscreta, pero quiero hacerle una pregunta personal. El profesor Remington me dijo que su esposo murió de cáncer. ¿Puedo preguntarle qué tipo de cáncer sufrió?

—Sí, no hay problema —dijo Stephanie con tristeza—. Pasó mucho tiempo antes de que pudiera hablar de ello. Ray murió de un tipo muy raro de cáncer hepático. Lo trataron en el hospital general en Boston. Los médicos que lo atendieron dijeron que sólo conocían uno o dos casos similares.

Aunque era lo que esperaba oír, la respuesta le cayó como un puñetazo violento. Era la confirmación de sus peores miedos.

Con mucho tacto puso fin a la conversación, pero antes consiguió que la señora Cavendish la presentara por teléfono a Joe Arnold.

El profesor de historia no era el tipo estirado y pomposo que Marsha esperaba encontrar. Sus ojos pardos tenían una mirada de lo más cordial. Parecía tener más o menos su misma edad. La cara morena de rasgos armoniosos, la mirada cálida y la ropa un tanto desaliñada configuraban una personalidad de lo más seductora. Sin duda era un excelente profesor, de esos capaces de trasmitir su entusiasmo a sus alumnos. No era de extrañar que David se sintiera atraído por él.

—Es un placer conocerla, señora Frank. Adelante, pase por favor. —La hizo pasar a un cuarto con estantes de libros en todas las paredes. Marsha echó una mirada complacida alrededor. —David pasó muchas tardes en este mismo cuarto.

Ella sintió que las lágrimas estaban a punto de asomar. Pensó con tristeza que había muchas facetas desconocidas en la vida de David. Se dominó rápidamente.

Agradeció a Joe por recibirla sin aviso previo y fue derecho al grano. Le preguntó si David hablaba de su hermano VJ.

—A veces —dijo Joe—. Dijo que tenía problemas con él desde el primer día en que trajeron a VJ del hospital. Al principio me pareció una expresión de la rivalidad normal que existe entre hermanos, pero con el tiempo tuve la sensación de que había algo más. Sin embargo, David nunca quería hablar de ello. Tenía una relación muy estrecha conmigo, pero jamás conseguí que me hablara con franqueza sobre ese tema.

—¿Nunca le dijo concretamente qué sentía por su hermano, o cuál era el problema?

—Bueno, una vez dijo que le tenía miedo a VJ.

—¿Le dijo por qué?

—Mi impresión es que VJ lo había amenazado —dijo Joe—. No quiso explayarse. Sé que las relaciones entre hermanos suelen ser problemáticas, sobre todo a esa edad. Pero para serle franco, tenía una sensación extraña. David parecía muy asustado. No hablaba de su hermano porque le tenía miedo. Finalmente le dije con firmeza que consultara a la psicóloga del colegio.

—¿Lo hizo? —preguntó. No estaba enterada de ello. Algo más de qué sentirse culpable.

—Ya lo creo —replicó Joe—. No iba a quedarme de brazos cruzados. David era muy especial... —se interrumpió, bruscamente emocionado—. Perdóneme —dijo después de una pausa. Marsha asintió, conmovida por esa muestra de emoción.

—¿La psicóloga sigue aquí en la escuela? —preguntó.

—Por supuesto —dijo Joe—. Madeline Zinnzer es una institución en este colegio. Lleva más tiempo aquí que cualquier otro miembro del personal.

Gracias a los buenos oficios de Joe Arnold, Madeline Zinnzer la invitó a pasar por su casa. Marsha le agradeció profusamente.

—No es nada —dijo Joe, estrechándole la mano con fuerza—. Pase cuando quiera. Lo digo de veras.

Madeline Zinnzer tenía todo el aspecto de una verdadera institución. Era una mujer robusta, de por lo menos noventa kilos, cabellera gris corta y enrulada. La hizo pasar a una sala cómoda y espaciosa, con un gran ventanal con vista al patio central de la academia.

—Esta es una de las ventajas de ser la decana del cuerpo de profesores —dijo al ver la mirada de admiración de Marsha—. Tengo la mejor vivienda.

—Perdone que la moleste un domingo.

—No hay problema.

—Quiero hacerle algunas preguntas sobre mis hijos.

—Sí, Joe Arnold me lo anticipó. La verdad es que mi recuerdo de David no es tan profundo como el de Joe, pero consulté mi archivo mientras la esperaba. ¿De qué se trata?

—David le dijo a Joe que VJ, su hermano menor, lo había amenazado, pero se negó a seguir hablando de eso. ¿Usted pudo averiguar algo más?

Madeline juntó las yemas de los dedos, se acomodó en su sillón y carraspeó:

—Hablé con David en varias ocasiones. Después de una larga conversación con él, llegué a la conclusión de que utilizaba el mecanismo de defensa llamado proyección. Es decir, David proyectaba sus propios sentimientos de hostilidad y rivalidad sobre VJ.

—Entonces, ¿no hubo una amenaza concreta?

—No es eso lo que dije. Aparentemente, sí hubo una amenaza concreta.

—¿Qué fue?

—Cosas de varoncitos. Parece que VJ tenía un escondite y David lo había descubierto, o algo así. No tenía importancia.

—¿Puede haber sido un laboratorio en lugar de un escondite?

—Es posible —asintió la psicóloga—. Tal vez dijo que era

un laboratorio, pero en la historia clínica escribí escondite.

—¿Habló alguna vez con VJ?

—Una vez —dijo Madeline—. Se me ocurrió que sería conveniente conocer la verdadera relación. VJ se mostró sumamente franco. Dijo que su hermano David sentía celos de él desde el día que lo llevaron a casa desde el hospital. —La psicóloga rió: —VJ me dijo que recordaba cuando lo llevaron a casa después de su nacimiento. Me causó mucha gracia.

—¿David no le dijo en qué consistía la amenaza?

—Claro que sí. David dijo que VJ había amenazado con matarlo.

De la academia Pendleton, Marsha se dirigió a Boston. Por un lado se resistía a unir las piezas, pero por el otro no podía dejar de hacerlo. Trataba de convencerse de que eran todos hechos circunstanciales, fruto de la casualidad, o bien carentes de importancia. Había perdido ya un hijo. Pero a pesar de todo sabía que no se detendría hasta descubrir la verdad.

Marsha había realizado su residencia psiquiátrica en el hospital general de Massachusetts, que durante un par de años había sido su segundo hogar. Pero no fue al departamento de psiquiatría sino a patología. La recibió un jefe de residentes, el doctor Preston Gordon.

—Claro que sí —dijo el patólogo—. No será fácil, ya que desconoce la fecha de nacimiento, pero hoy no tengo nada que hacer.

Fueron a una oficina del departamento de patología y se sentaron frente a una terminal de la computadora del hospital. Había varios Cavendish en el archivo, pero por medio del año de deceso averiguaron el número de la historia clínica de Raymond Cavendish, de Boxford, Massachusetts.

—Acá está la historia —dijo Preston. Hizo correr varias páginas. —Bien, aquí tenemos la biopsia y el diagnóstico. Cáncer hepático de las células de Kupffer, de origen retículoendotelial. Eso sí que está bueno. Jamás había visto algo semejante.

—¿Puede averiguar si hubo otros casos en el hospital?

Preston apretó una serie de teclas en el tablero, y minutos más tarde obtuvo la respuesta. Apareció un solo nombre en la pantalla.

—En este hospital hubo un solo caso más —dijo—. Una tal Janice Fay.

Victor sintonizó la radio del auto en una emisora que transmitía música nostálgica y acompañó feliz una serie de canciones de finales de los años 50, cuando él era estudiante secundario. Se sentía excitado y feliz después de haber pasado el día en el laboratorio oculto de su hijo, donde se había enterado de sus prodigiosos descubrimientos. Tal como decía VJ, era algo que superaba toda fantasía.

Enfiló hacia la casa cantando a todo pulmón *Dulce Carolina* junto con Neil Diamond. Abrió la puerta de la cochera, introdujo el auto, esperó que terminara la canción antes de apagar el motor y finalmente salió, bordeando el auto de Marsha.

—¡Marsha! —gritó al entrar. Debía de estar en casa, ya que su auto estaba en la cochera, pero las luces estaban apagadas.

Iba a llamarla otra vez, pero entonces la vio, sentada en la penumbra de la sala.

—Ahí estás —dijo.

—¿Y VJ? —preguntó ella con voz cansada.

—Quiso ir en bicicleta —dijo Victor—. Pero no te preocupes. Pedro está con él.

—En todo caso, no estoy preocupada por VJ. Después de todo lo que averigüé, me preocupa más el guardaespaldas.

Victor encendió la luz, pero Marsha se tapó los ojos.

"Por favor, no la enciendas todavía.

Apagó la luz y se sentó. Esperaba encontrarla de mejor humor que en la víspera, pero parecía que no era así. De todas maneras, inició un largo panegírico de la obra de VJ y sus asombrosos descubrimientos. Dijo que la proteína de implantación era efectiva. Las pruebas eran irrefutables. Luego le habló de lo más importante: la solución del problema de la implantación contenía la clave de todo el proceso de diferenciación.

—Si no lo obsesionara tanto la necesidad de mantener todo en secreto, podría postularse para el premio Nobel —dijo en conclusión—. Estoy convencido. Pero quiere que el mérito sea para mí y el beneficio económico para la empresa. ¿Qué te parece? ¿Crees que esto obedece a un trastorno de la personalidad? Yo diría, por el contrario, que es una muestra de gran generosidad.

Marsha no respondió, y Victor ya no sabía qué decir. Después de unos minutos, ella rompió el silencio.

—Lamento decirte esto después de este gran día, pero he averiguado cosas aterradoras sobre VJ.

Victor alzó los ojos al cielo y se alisó el cabello con los dedos. No era esa la respuesta que esperaba.

"Había un profesor en la academia Pendleton que hacía grandes esfuerzos por ganarse la confianza de VJ. Murió hace algunos años.

—Lo lamento mucho.

—Murió de cáncer.

—Bueno murió de cáncer —dijo Victor. Su pulso se aceleraba.

—Cáncer hepático.

—Ah, ¿sí? —No le gustaba el cariz de la conversación.

—Del mismo tipo tan raro que mató a David y Janice.

Se hizo un silencio tenso, en medio del cual el ruido del motor de la heladera parecía atronador. Victor no quería escuchar más. Quería hablar sobre la tecnología de la implantación y cómo beneficiaría a esas parejas que eran infértiles porque sus cigotas no se implantaban.

—Es una incidencia muy alta por tratarse de un tipo de cáncer tan raro, ¿no te parece? —dijo Marsha—. Lo contraen las personas que se cruzan en el camino de VJ. Hablé con la esposa del señor Cavendish. Mejor dicho, su viuda. Una excelente persona. Es profesora en Pendleton. Y también con un profesor llamado Arnold. Resulta que era muy amigo de David. VJ había amenazado a David, Victor. ¿Lo sabías?

—¡Por Dios, Marsha! Es cosa de chicos. Si supieras lo que le dije a mi hermano mayor el día que derribó una casa de nieve que yo había construido.

—VJ dijo que lo iba a matar, Victor. Y no fue en medio de una discusión. —Ya estaba al borde del llanto. —¡Abre los ojos de una vez, Victor!

—Bueno basta, no quiero escuchar una palabra más —replicó él, furioso—. Por ahora, no.

Aún seguía excitado por lo que había visto en el laboratorio, pero no conseguía liberarse de la idea de que el genio de su hijo tenía una cara oculta. En el pasado había tenido sus sospechas, pero las justificaba con facilidad. VJ era un niño perfecto. Y ahora Marsha expresaba las mismas sospechas y las fundamentaba con argumentos que en conjunto configuraban un cuadro espantoso. El muchachito que había montado ese laboratorio, el genio que había desentrañado el proceso de implantación, ¿era también el autor de hechos inconfesables? ¿Del asesinato de los dos bebés, de Janice Fay y de su propio hermano? Victor no podía afrontar semejante horror. Se negaba a considerarlo. Era imposible. Algún empleado del laboratorio había matado a los bebés. Las demás muertes eran pura coincidencia. Marsha exageraba. Se había mostrado histérica desde la muerte de esos bebés. Pero si sus temores eran justificados, ¿qué habría que hacer? ¿Podría seguir respaldando las experiencias científicas de VJ sin pensar en las consecuencias? Y si en verdad VJ era un prodigio y a la vez un monstruo, ¿qué decir de su creador?

Marsha iba a proseguir la discusión, pero en ese momento llegó VJ. Entró como lo había hecho el domingo anterior, con las alforjas sobre el hombro. Mirándolos como si supiera de qué estaban hablando, con esos ojos azules, más fríos que nunca. Marsha se estremeció. No podía sostener esa mirada. Le daba miedo.

Victor se paseaba por su cuarto de trabajo, mordisqueando la punta de su lapicera. Reinaba el silencio en la casa. Todos dormían desde hacía varias horas. La velada había sido tensa, y Marsha se había encerrado temprano en el dormitorio, furiosa porque Victor se negaba a seguir discutiendo el tema de VJ.

Tenía la intención de preparar un informe sobre el nuevo método de implantación para presentarlo en la reunión de directorio del miércoles, pero no se podía concentrar en su tarea. Las palabras de Marsha lo habían perturbado. No podía dejar de pensar en ello. ¿Qué importancia tenía que VJ amenazara a David? Era cosa de chicos.

Para colmo, había habido un caso adicional de ese extraño cáncer de hígado, y por otra parte no conseguía explicar lo de la porción adicional de DNA en los tumores de David y Janice. Le había ocultado su descubrimiento a Marsha. Bastante sufría él. Si no podía ahorrarle el dolor de la espantosa verdad, al menos le ocultaría las pequeñas pruebas que se iban acumulando.

Por otra parte, Marsha preguntó qué sucedía en la parte del laboratorio que VJ aún no le había mostrado. El chico era muy hábil y contaba con el instrumental necesario para realizar casi cualquier experimento biológico que quisiera. ¿Qué experimento estaba realizando, aparte del de la implantación? La visita al laboratorio había sido extensa y exhaustiva, pero Victor tenía la sensación de que VJ no le había revelado todo.

—Tal vez podría investigar por mi cuenta —dijo Victor en voz alta, arrojando la pluma sobre el escritorio. Eran las dos menos cuarto de la mañana: ¡qué más daba!

Dejó una breve esquela por si acaso Marsha o VJ bajaban a buscarlo. Tomó su abrigo y una linterna, sacó su auto de la cochera y cerró la puerta con el control remoto. Al llegar a la calle se detuvo y miró hacia atrás: no había luces encendidas, nadie se había despertado.

En el portón de Chimera, el guardia salió de su oficina y apuntó su linterna a la cara de Victor.

—Discúlpeme, doctor Frank —dijo, y corrió a abrir.

Victor lo felicitó por su actitud y se dirigió al edificio de su laboratorio, donde estacionó. Tras asegurarse de que no lo seguían, enfiló hacia el río. A pesar de la oscuridad no encendió la linterna por temor a que lo vieran.

Cerca del río, el estruendo de la catarata era aún más ensordecedor que durante el día. Las ráfagas de viento en los callejones alzaban nubes de polvo y escombros que lo obligaban a agachar la cabeza. Finalmente llegó al edificio del reloj.

Vaciló en la entrada. No tenía miedo a los fantasmas, pero la oscuridad y la desolación lo atemorizaron. Resistió nuevamente la tentación de encender la linterna para evitar que el resplandor lo delatara.

Avanzó al tanteo, midiendo cada paso. Cuando ya estaba cerca de la trampa sintió un revoloteo de alas frente a su cara y soltó una exclamación, pero inmediatamente advirtió que se trataba sólo de unas palomas que anidaban en el lugar.

Tomó aliento y siguió avanzando. Sintió alivio al pisar la trampa, pero a continuación cayó en la cuenta de que no sabía abrirla. Buscó una ranura donde introducir los dedos, pero no la halló.

No quedaba alternativa: encendió la linterna en busca de algún objeto que sirviera de palanca. Entre los escombros halló una varilla de hierro. La recogió, volvió a la trampa y pudo entornarla un poco, hasta que se alzó.

Bajó rápidamente unos escalones hasta que pudo cerrar la trampa, luego encendió la linterna porque reinaba una oscuridad total. Buscó las llaves de iluminación y las halló al pie de la escalera. Cuando la luz fluorescente bañó el salón, soltó un suspiro de alivio.

Decidió explorar la parte del laboratorio que VJ no le había mostrado y sobre la que había respondido a sus preguntas con evasivas.

Pero no llegó a la puerta. Cuando se hallaba a unos cinco metros, se abrió la puerta del dormitorio y un perro guardián se abalanzó sobre él. Victor dio un salto atrás y alzó las manos para protegerse la cara. Cerró los ojos a la espera del choque.

Que no se produjo. Abrió los ojos con cautela. El perro feroz estaba sujeto a una traílla sostenida por un guardia de seguridad de Chimera.

—¡Gracias a Dios! —exclamó—. ¡Benditos los ojos que lo ven!

—¿Quién es usted? —preguntó el hombre con fuerte acento español.

—Victor Frank. Soy uno de los directivos de la empresa. Me sorprende que no me haya reconocido. Además, soy el padre de VJ.

—Está bien —dijo el guardia, y el perro soltó un gruñido.

—¿Su nombre?

—Ramírez.

—No lo recuerdo. Pero créame que me alegro de verlo.

Victor se dirigió a la puerta, pero Ramírez lo tomó del brazo. Sorprendido, miró la mano que lo retenía. Luego miró al guardia a los ojos:

—Ya le dije quién soy. Ahora, si me hace el favor de soltarme. —Trató de mostrarse severo, pero era evidente que Ramírez dominaba la situación.

El perro gruñó, mostró los dientes y avanzó hacia él.

—Lo lamento —dijo Ramírez, aunque evidentemente no lo lamentaba—. Nadie puede pasar esa puerta sin autorización de VJ.

Indudablemente, el hombre hablaba en serio. Victor se preguntó cómo haría para poner fin a esa situación ridícula.

—Tal vez deberíamos llamar a su supervisor, señor Ramírez —dijo.

—Este es el turno de medianoche —contestó Ramírez—. Yo soy el supervisor.

Se miraron a los ojos un instante, pero no había duda de que el hombre no cedería, y además tenía el perro.

—¡Está bien! —exclamó, y Ramírez lo soltó. —Me voy —dijo Victor, sin perder de vista el perro. Se ocuparía de Ramírez a la mañana. Hablaría con VJ.

Volvió directamente a su auto y se fue. Pero antes se detuvo en el portón y llamó al guardia:

—¿Desde cuándo trabaja aquí Ramírez?

—¿Ramírez? —preguntó el guardia—. No hay nadie llamado así en seguridad.

Capítulo 13

Lunes a la mañana

El clima familiar a la hora del desayuno no era precisamente normal. Mientras se duchaba, Marsha tomó la resolución de actuar como si todo estuviera bien, pero en la práctica resultó imposible. Cuando VJ bajó a desayunar quince minutos más tarde de lo habitual, le dijo que se diera prisa porque llegaría tarde al colegio. Sabía que era una provocación, pero no podía contenerse.

—Ahora que están al tanto de mis secretos —dijo VJ—, me parece absurdo ir a la escuela y fingir interés por las tareas de quinto grado.

—¿Pero no es importante conservar tu anonimato? —insistió Marsha.

VJ miró a su padre en busca de apoyo, pero Victor sorbía serenamente su café. No quería meterse.

—A esta altura, ir o dejar de ir a la escuela no va a afectar mi anonimato —dijo fríamente.

—La ley dice que debes ir a la escuela.

—Existen leyes más importantes.

Marsha no estaba dispuesta a enfrentarlo sola:

—Bueno, aceptaré lo que decidan tú y Victor —dijo, y se

259

fue a su trabajo sin esperar a conocer la decisión.

—Nos va a causar problemas —dijo VJ, una vez que salió.

—Debes darle tiempo —respondió Victor—. Tal vez debas hacer una concesión con respecto al colegio.

—No me parece necesario. No me va a ayudar en mi trabajo. Al contrario, me va a retrasar. ¿No es importante obtener resultados?

—Sí, lo es, pero no es lo único que importa. Bueno, ¿cómo irás a Chimera hoy? ¿Quieres que te lleve?

—No, prefiero ir en bicicleta. ¿Le prestas la tuya a Philip?

—Cómo no. Iré a tu laboratorio a media mañana. Me faltan algunos detalles de la proteína de implantación para que nuestro departamento legal inicie los trámites de patentamiento. Además, quiero conocer el resto del laboratorio y las nuevas instalaciones. —No mencionó el incidente con Ramírez de esa mañana.

—Perfecto —dijo VJ—. Pero ten mucho cuidado. No quiero visitas indeseadas.

Quince minutos más tarde, VJ se lanzaba a la carrera por la calle Stanhope, con el cabello agitado por el viento. Lo seguía Philip en la bicicleta de Victor y Pedro en su Taunus.

Dijo que lo esperaran afuera mientras entraba en el Banco con sus alforjas. Afortunadamente, el señor Scott estaba ocupado con otro cliente, de manera que pudo bajar a la caja de seguridad a dejar el dinero sin tener que soportar un sermón.

El viaje de Victor hasta su trabajo no fue tan alegre. Por más que tratara de pensar en otras cosas, una y otra vez volvían a su mente las palabras de Marsha: "Es una incidencia muy alta por tratarse de un cáncer tan raro. Lo contraen las personas que se cruzan en el camino de VJ". ¿Qué sucedería si Marsha se enfermara? ¿Qué pensaría hacer VJ si ella le causara problemas?

A pesar de sus temores, el proyecto de la proteína de implantación despertaba su entusiasmo. Abordó las engorrosas tareas administrativas que se acumulaban todos los lunes con mayor buena voluntad que de costumbre. El trabajo rutinario le venía bien para evitar los pensamientos molestos. Colleen entró en su oficina con la habitual pila de mensajes y situaciones que requerían su atención. Victor las estudió rápidamente, con la esperanza de que de algún mensaje surgiera la existencia de una conspiración contra el proyecto FDN, pero no hubo nada por el estilo.

Una de las cuestiones a resolver, para su satisfacción, era la de los cargos contra Sharon Carver. Dijo a Colleen que informara a las partes que desistiría de presentarlos a cambio de que ella desistiera de su absurdo juicio por discriminación sexual.

Finalmente, le pidió que le concertara una reunión con Ronald Beekman a fin de afrontar los problemas relacionados con el FDN. Si la reunión resultara tan estéril como él anticipaba, hablaría con Hurst. Él era con toda seguridad el culpable; al menos, Victor rogaba que así fuera. Sobre todo, quería reunir pruebas concretas e irrefutables que le permitieran decirle a Marsha: "Lo ves, VJ no tuvo nada que ver".

Marsha no podía trabajar. Por más que se esforzara, no podía mantener el nivel de concentración que requerían las sesiones de terapia. Bruscamente y sin la menor explicación, le dijo a Jean que anulara el resto de los turnos de la mañana. La secretaria accedió con evidente desagrado.

Atendió a los pacientes que ya se encontraban en la sala de espera, luego salió por la puerta de atrás y fue a buscar su auto. Tomó la ruta 495 hasta la 93 y enfiló hacia Boston. Pero no se detuvo allí. Tomó el acceso sudeste hasta Neponset y de allí siguió a Mattapan.

Puso el papel en que había anotado la dirección sobre el asiento y buscó la empresa Martínez. No era un barrio atractivo. La mayoría de los edificios eran desvencijadas estructuras de madera de tres pisos; algunos eran cascos vacíos.

La dirección de Martínez resultó ser un gran depósito sin ventanas. Marsha se detuvo junto a la acera y bajó del auto. No había timbre en la puerta. Golpeó tímidamente y, al no obtener respuesta, lo hizo con más fuerza, pero fue en vano.

Dio un paso atrás para estudiar la puerta y luego la fachada del edificio, pero entonces advirtió que alguien la miraba: un hombre de traje oscuro con corbata blanca, apoyado contra la esquina a su izquierda. Sostenía un cigarrillo entre sus dedos y la miraba con aire divertido. Al ver que ella lo había descubierto, le habló en español.

—*I don't speak Spanish* —dijo Marsha.

El hombre le preguntó qué quería, en buen inglés pero con fuerte acento español.

Marsha dijo que buscaba a Orlando Martínez. Al principio el hombre no respondió. Chupó de su cigarrillo, luego lo arrojó a un charco y le indicó que lo siguiera.

Marsha llegó a la esquina del edificio y echó una mirada al callejón lleno de desperdicios. Vaciló y estuvo a punto de correr a su auto, pero finalmente el anhelo de saber pudo más. Siguió al hombre hasta una puerta situada a media cuadra de la esquina. Estaba entreabierta.

El interior del edificio era tan ruinoso como el exterior. El aire era húmedo y mohoso. Las paredes eran de hormigón sin revoque. Del cielo colgaban lámparas desnudas. Cerca del fondo del sombrío depósito había un escritorio rodeado de varios sillones desvencijados. Había unos diez hombres en el lugar, todos en distintas actitudes de reposo, todos de traje oscuro como el hombre de la calle. El único que vestía distinto era el que ocupaba el escritorio. Llevaba una camisa blanca con adornos de encaje que colgaba por fuera del pantalón.

—¿Qué quiere? —preguntó el hombre del escritorio. Su acento también era español, pero no tan marcado como el de los otros.

—Quiero hablar con Orlando Martínez —dijo Marsha, acercándose al escritorio.

—¿Por qué?

—Estoy preocupada por mi hijo. Se llama VJ, y me he enterado de que tiene tratos con Orlando Martínez, de Mattapan.

Marsha escuchó un murmullo de voces a su espalda. Echó una mirada rápida a los hombres sentados en los sillones y se volvió nuevamente hacia el hombre del escritorio.

—¿Es usted Orlando Martínez?

—Tal vez.

Marsha lo estudió cuidadosamente. Tenía algo menos de cincuenta años, era de tez morena, ojos negros y cabello muy oscuro. Sus manos estaban cargadas de anillos y pulseras de oro y llevaba gemelos de diamante.

—Quiero saber qué clase de tratos tiene con mi hijo.

—Señora, escuche mi consejo. Si yo fuera usted, me iría a casa a disfrutar de la vida, en lugar de meterme en lo que no me importa. Así se evitan los problemas. —Alzó una mano para señalar a uno de los hombres: —José, acompaña a la señora hasta la puerta antes de que le pase algo malo.

José la tomó suavemente del brazo y la llevó hacia la puerta. Ella volvía la cabeza hacia Martínez, tratando de pensar en alguna respuesta, pero en todo caso hubiera sido inútil. Alcanzó a ver la cara de un hombre moreno sentado en el sofá: tenía un párpado caído. Sí, lo reconocía. Estaba en el laboratorio de VJ cuando ella lo visitó con Victor.

José no dijo nada. La llevó a la puerta, que luego le cerró en la cara. Marsha miró la puerta unos instantes, con una mezcla de desconcierto y alivio.

En la calle, subió a su auto y encendió el motor. A media cuadra vio a un policía. Detuvo el auto y bajó la ventanilla.

—Discúlpeme —dijo, y señaló el depósito: —¿Tiene alguna idea de lo que hay en ese edificio?

El agente se inclinó para ver adónde apuntaba el dedo de Marsha.

—Ah, ahí —dijo al enderezarse—. No estoy seguro, pero me han dicho que unos colombianos están instalando una mueblería.

A la primera oportunidad, Victor llamó a Chad Newhouse, director de seguridad, para preguntar quién era Ramírez.

—Es de nuestra fuerza de seguridad —dijo Chad—. Lo empleamos hace varios años. ¿Hubo algún problema con él?

—¿Lo emplearon por las vías habituales?

—¿Es una broma, doctor Frank? —rió Chad—. Usted mismo lo contrató para ese grupo especial de espionaje industrial. Responde directamente a usted.

Victor cortó. No dejaría de hablar con VJ sobre Ramírez.

Concluidas las tareas administrativas y habiendo concertado la cita con Ronald para las once y cuarto, se dirigió al laboratorio de VJ. Antes de llegar se ocultó en la sombra de uno de los edificios abandonados para cerciorarse de que no lo seguían. Entonces cruzó al edificio del reloj.

Bastó un golpe para que le abrieran la trampa. Bajó rápidamente. Había varios guardias con uniforme de la empresa, leyendo revistas o jugando a los naipes. VJ entró por la puerta que Victor había tratado de abrir la noche anterior, secándose las manos con una toalla. Su mirada era más intensa que de costumbre.

—¿Viniste anoche al laboratorio? —preguntó en tono perentorio.

—Así es...

—No vuelvas a hacerlo —dijo VJ severamente—. No lo hagas sin mi autorización. ¿Entendido? Merezco que se respete mi intimidad.

Victor lo miró, desconcertado. Había venido con la intención de regañarlo por el incidente, pero resultaba que debía disculparse.

—Perdóname —dijo por fin—. No tenía intención de

causar problemas. Sólo sentí curiosidad por recorrer el resto de las instalaciones.

—Ya las conocerás —dijo VJ en tono más cordial—. Pero antes quiero que veas el laboratorio nuevo.

—Perfecto —dijo Victor, aliviado porque el mal momento había pasado rápidamente.

Fueron al auto de Victor, salieron de Chimera y cruzaron el puente sobre el Merrimack. En el camino, le preguntó quién era Ramírez.

—Introduje varios nombres en la nómina de la empresa —dijo VJ—. Si te preocupa el gasto, piensa en los enormes beneficios que va a obtener Chimera con una pequeña inversión.

—No me importa el gasto —contestó Victor. Lo que lo inquietaba aunque no lo dijo, era la facilidad con que VJ lograba sus propósitos.

VJ le indicó que se detuviera frente a una de las fábricas abandonadas junto al río. Bajó rápidamente del auto, ansioso por mostrarle sus creaciones a su padre.

El edificio se encontraba directamente sobre la orilla. Desde allí se veía claramente la torre del reloj. Pero a diferencia de las otras, estas instalaciones eran ultramodernas en todo sentido, incluida la decoración. Ocupaban tres pisos y causaron a Victor una profunda impresión. En el sótano se hallaban las jaulas de los animales, los quirófanos, enormes fermentadores de acero inoxidable y un ciclotrón para la fabricación de sustancias radiactivas. En la planta baja había un rastreador NMR, un rastreador PET y un laboratorio de microbiología. El primer piso estaba ocupado por los laboratorios y los instrumentos necesarios para la manipulación y fabricación de genes. Finalmente, en el tercer piso se hallaban la computadora central, la biblioteca y las oficinas administrativas.

—¿Qué te parece? —preguntó VJ con orgullo. Estaban en el salón de la planta superior. Una multitud de obreros instalaba equipos, pintaba paredes, colocaba puertas y ventanas.

—Es tan asombroso como todo lo demás —dijo Victor—. Pero todo esto costó una fortuna. ¿De dónde sacaste el dinero?

—Uno de mis proyectos colaterales es la fabricación de un producto de fácil comercialización, por medio de la tecnología del DNA recombinante. Como vez, es un éxito.

—¿Qué producto es? —preguntó Victor con ansiedad.

—¡Secreto comercial! —rió VJ.

Fue a una puerta cerrada, la entornó, echó una mirada al interior de la oficina y se volvió:

— Y ahora, la última sorpresa del día. Quiero presentarte a alguien.

Abrió la puerta y lo invitó a pasar. Una mujer joven, sentada a un escritorio, se enderezó al verlo:

—¡Doctor Frank! ¡Qué agradable sorpresa!

Por un instante, Victor no supo qué decir. Jamás se le había ocurrido que volvería a ver a Mary Millman, la madre sustituta que había llevado a VJ en su vientre.

El desconcierto de Victor evidentemente divertía a VJ.

—Me hacía falta una secretaria eficiente —explicó—, de manera que la traje de Detroit. Además, sentía curiosidad por conocer a la mujer que me dio a luz.

Victor le estrechó la mano: —Encantado de verla —dijo sin salir de su asombro.

—Igualmente —dijo Mary.

—Bueno, es hora de volver a mi laboratorio —rió VJ.

—Yo también tengo prisa —dijo Victor, mirando su reloj.

La reunión con Ronald Beekman fue una pérdida de tiempo. Victor lo provocó para averiguar qué sabía sobre el proyecto FDN, pero Ronald advirtió que podría sacar ventaja de la situación y respondió con evasivas. Cuando Victor le recordó sus amenazas de venganza de unos días atrás, Beekman dijo que era sólo una expresión de ira y que no tenía importancia. De manera que, al salir de la oficina, seguía tan confundido como al llegar.

En todo caso, Ronald había expresado gran interés por el proyecto de implantación y Victor prometió que le presentaría un informe escrito lo antes posible.

Volvió a su oficina con la intención de concretar una reunión con Hurst, aunque la perspectiva no era agradable.

—Robert Grimes llamó desde el laboratorio —dijo Colleen al verlo—. Dice que tiene algo muy interesante que comunicarle. Quiere que lo llame inmediatamente.

Victor se sentó pesadamente detrás de su escritorio. En otras circunstancias, ese mensaje del jefe de laboratorio le habría despertado entusiasmo, porque significaría un descubrimiento importante. Pero ahora tenía que ser algo muy distinto, relacionado con el trabajo especial que Victor le había asignado, y la expresión "muy interesante" tenía otra connotación.

Tomó coraje, llamó al laboratorio y, mientras esperaba que Robert tomara la llamada, pensó en sus experimentos y el escaso interés que tenían para él. VJ había resuelto casi todos los problemas. Se sentía humillado al pensar en la ventaja que le llevaba su hijo de diez años. Pero lo que harían juntos era otra cosa, pensó con emoción.

—¡Doctor Frank! —La voz de Robert en el teléfono lo despertó de su ensoñación—. Por fin lo encuentro. Bueno, terminé de analizar las secuencias del fragmento de DNA de los dos tumores y quiero consultarlo antes de reproducir la secuencia por medio de la recombinación. Me va a llevar mucho tiempo, pero es la única manera de determinar con exactitud qué es lo que codifica.

—¿Pero tiene alguna idea de lo que codifica? —preguntó Victor con temor.

—Ah, sí. Sin duda, es una especie de polipéptido que actúa como factor de proliferación.

—Entonces no es un retrovirus —dijo Victor con cierto alivio, pensando que con ello descartaba la posibilidad de que fuera una partícula infecciosa, diseminada de manera artificial.

—No, estoy seguro de que no es un retrovirus —dijo Robert—. En realidad, es una especie de gen artificial. Un gen Chimera —rió—. La secuencia incluye un agente promotor interno que yo mismo he usado en varias ocasiones; se toma del virus simiesco SV40. Pero el resto del gen proviene de otro microorganismo, una bacteria o un virus.

Victor no respondió.

"Hola, doctor Frank —dijo Robert, pensando que se había interrumpido la comunicación.

—Sí, escucho —dijo Victor—. ¿Está seguro de que es así como dice? —preguntó con voz temblorosa. Las implicaciones eran demasiado claras.

—Totalmente seguro. A mí también me sorprendió. Jamás había visto nada parecido. Lo primero que se me ocurrió fue que una especie de vector de DNA se había introducido en el torrente sanguíneo de estas personas. Pero era un mecanismo tan extraño, que me puse a pensar más. La única posibilidad, en mi opinión, es que aparecieron membranas de glóbulos rojos en la sangre llenas de ese gen infeccioso. Al ser recogidas por las células de Kuppfer, las partículas infecciosas se introdujeron en el genoma. Los nuevos genes transformaron los protooncogenes en oncogenes y listo: cáncer de hígado. Pero esta hipótesis presenta un problema. ¿Sabe cuál?

—No, dígame.

—Hay un solo medio por el cual esas membranas de eritrocitos pudieron introducirse en el torrente sanguíneo —dijo Robert, inconsciente de la reacción que sus palabras producían en Victor—. Las inyectaron. Yo sé que...

No pudo terminar la frase porque Victor cortó la comunicación.

Las pruebas se acumulaban y eran irrefutables. No podía negar que David y Janice habían muerto de cáncer de hígado provocado por un fragmento extraño de DNA que se había introducido en sus cromosomas. Lo mismo le había sucedido al profesor de la academia Pendleton. Las tres personas tenían una relación estrecha con VJ. Y VJ era un genio de la ciencia que contaba con un laboratorio ultramoderno y de lo más complejo.

Colleen se asomó por la puerta:

—Esperaba que terminara de hablar —dijo con una sonrisa—. Su esposa está aquí. ¿La hago pasar?

Victor asintió. Se sentía abatido.

Marsha entró y cerró la puerta con fuerza. El viento agitó los papeles sobre el escritorio. Fue directamente hacia él, se inclinó sobre el escritorio y lo miró a los ojos:

—Sé que preferirías no hacer nada —dijo—. Sé que no quieres contrariar a VJ y que estás emocionado por sus descubrimientos, pero llegó la hora de afrontar los hechos. Acá hay un juego muy sucio. Escucha lo que acabo de descubrir. VJ tiene tratos con un grupo de colombianos que supuestamente están instalando una mueblería en Mattapan. Fui a conocerlos, y la verdad es que parecen cualquier cosa menos muebleros.

Interrumpió la frase bruscamnete. Victor no reaccionaba. "¿Victor, me estás escuchando?" Su mirada parecía extraviada.

—Siéntate, Marsha. —Meneó la cabeza lentamente, con mucha tristeza, luego la tomó entre sus manos y apoyó los codos sobre el escritorio. Después se alisó el pelo con los dedos, se frotó la nuca y finalmente la miró. Marsha se sentó y lo miró fijamente. Su pulso se aceleraba.

—Yo he descubierto algo mucho peor. Hace unos días conseguí muestras de los tumores de David y Janice y los hice analizar por Robert. Acaba de avisarme que esos cánceres fueron provocados de manera artificial, por un gen cancerígeno inyectado en el torrente sanguíneo.

Marsha se llevó las manos a la boca, pero no pudo reprimir un grito de horror. Aunque no hacía más que confirmar sus sospechas, el efecto era igualmente espantoso. Sobre todo porque la noticia venía de Victor, que se había resistido con todas sus fuerzas cada vez que ella le comunicaba sus temores. Se mordió el labio inferior, agitada por la furia, la tristeza y el miedo.

—¡Sólo pudo ser VJ! —susurró.

—¡Todavía no lo hemos confirmado! —exclamó Victor con un violento puñetazo sobre el escritorio que hizo volar varios papeles.

—Todas estas personas tenían una relación estrecha con VJ —dijo Marsha como si leyera sus pensamientos de unos momentos antes—, y él quiso deshacerse de ellas.

Victor meneó la cabeza con resignación y tristeza. La culpa no era sólo de VJ, sino también suya. Gracias a sus manipulaciones, había producido un genio. Pero en ningún momento se había detenido a pensar qué consecuencias tendría su acto, además de la inteligencia. Si VJ había causado las muertes de David, Janice y el profesor, también Victor tendría que responder a su conciencia.

Marsha vaciló antes de hablar, pero se sentía fortalecida por su propia convicción:

—Antes que nada, tenemos que averiguar qué hace VJ en ese laboratorio que no te mostró.

Victor dejó caer los brazos y se volvió hacia la ventana. Contempló el edificio del reloj, sabiendo que allí se encontraba VJ. Se volvió hacia Marsha:

—Vamos a averiguarlo ya.

270

Capítulo 14

Lunes a la mañana

Marsha tuvo que correr para alcanzar a Victor. La parte habitada del complejo quedó rápidamente atrás. A la luz del día los edificios abandonados perdían su aspecto siniestro.

Victor entró en el edificio, fue derecho a la trampa, se inclinó y la golpeó varias veces con fuerza.

Poco después se abrió la trampa. Un hombre uniformado se asomó, los miró con suspicacia y luego les indicó que pasaran.

Victor la precedió. Cuando Marsha llegó hasta abajo, él ya bordeaba la rueda y se dirigía resueltamente a la gran puerta metálica que cerraba el acceso a la parte inexplorada del laboratorio de VJ. A ella el ambiente le parecía tan amenazante como en su visita anterior. Sabía que los frutos de la investigación científica se podían usar para hacer el bien o el mal, pero el clima sobrecogedor del lugar creaba la sensación de que lo realizado allí obedecía a fines inconfesables.

—¡Oiga! —exclamó uno de los guardias al ver que Victor se acercaba a la puerta prohibida. Se paró de un salto, cruzó el salón a la carrera y tomó a Victor de la manga, obligándo-

271

lo a girar: —Nadie puede pasar —dijo con su fuerte acento español.

Ante la sorpresa de Marsha, Victor puso su mano abierta sobre la cara del hombre y dio un fuerte empujón. Sorprendido, el guardia se tambaleó, pero sin soltar la manga. Victor se liberó de un tirón y nuevamente trató de abrir la puerta.

El guardia sacó una sevillana de su bota y la abrió. La hoja lanzó un destello.

—¡Victor! —gritó Marsha, y él giró rápidamente. El hombre avanzó hacia él sosteniendo el arma como si fuera un minúsculo florete. Victor esquivó la puñalada, pero su contrincante le aferró la manga y alzó la navaja.

—¡Basta! —chilló VJ al irrumpir en la sala por la puerta que Victor había querido abrir. Los otros dos guardias separaron a los contrincantes, uno tomó a Victor por los brazos y el otro trató de alejar al hombre de la navaja.

—Suéltelo, es mi padre —ordenó VJ.

—Iba a entrar —exclamó el guardia de la navaja.

—He dicho que lo suelte —repitió VJ con firmeza.

Lo soltaron con un empujón. Victor se tambaleó y nuevamente dio un paso hacia la puerta, pero VJ lo tomó del brazo:

—¿Estás seguro de que quieres saber?

—Quiero saber todo.

—¿Recuerdas el Árbol de la Ciencia?

—De la Ciencia del Bien y el Mal —replicó Victor—. No me convencerás.

—Como quieras —dijo VJ, y lo soltó: —Tal vez no te agraden las consecuencias.

Victor miró a Marsha, quien le indicó con un gesto que estaba dispuesta. Se volvió y abrió la puerta. Lo bañó la luz azulada. Cruzó el umbral seguido por Marsha. VJ los siguió y cerró la puerta.

La sala medía algo menos de veinte metros de largo y era más bien estrecha. Sobre una mesa larga, de madera sin cepillar, había cuatro tanques de vidrio de doscientos litros cada uno, con los bordes sellados con silicona. Cada uno estaba iluminado por una lámpara calorífica, y la luz refractada a través del líquido contenido en los tanques adquiría ese extraño tinte azulado.

Marsha abrió la boca, horrorizada por el contenido de los tanques. En cada uno, envuelto en membranas transparentes, había un feto de unos ocho meses, nadando en su matriz artificial. Sus ojos azules, muy abiertos, contemplaban a Marsha. Gesticulaban, sonreían e inclusive bostezaban.

Con un aire indiferente que no alcanzaba a ocultar su soberbia, VJ les dio una explicación superficial del sistema. En cada tanque la placenta estaba sujeta por intermedio de una grilla de plexiglás a una bolsa membranosa que contenía el aparato de respiración y circulación. Cada aparato estaba provisto de su propia computadora, conectada a su vez a un sintetizador de proteínas. La superficie líquida de cada tanque estaba cubierta por unas bolas de plástico que demoraban la evaporación.

Anonadados por la vista de esos niños en gestación, ni Marsha ni Victor respondieron. Habían tratado de prepararse para lo peor, pero eso superaba todo lo concebible.

"Me imagino que querrán saber de qué se trata —dijo VJ. Se acercó a uno de los tanques y verificó los indicadores. Golpeó uno con la mano, la aguja atascada saltó y luego apuntó a la escala normal, de color verde. —En mis primeros estudios de implantación, hice modelos de úteros con tejidos cultivados. Al resolver el problema de la implantación también descubrí por qué era necesario el útero.

—¿En qué mes están estos niños? —preguntó Marsha.

—Ocho y medio —dijo VJ, confirmando la impresión inicial de Marsha—. Voy a prolongar la gestación mucho más que los habituales nueve meses. Cuanto más la prolongue, más fácil será criarlos.

—¿Cómo obtuviste las cigotas? —preguntó Victor, aunque conocía la respuesta.

—Tengo el placer de anunciar que son todos hermanos y hermanas míos.

La mirada incrédula de Marsha saltó de los tanques a VJ, quien rió.

"Vamos, no es para sorprenderse. Saqué las cigotas del congelador del laboratorio de papá. No tenía sentido desperdiciarlas ni permitir que las implantaran en otras personas.

—Había cinco —dijo Victor—. ¿Dónde está la que falta?

—Te felicito por la memoria —replicó VJ—. Desgraciadamente, perdí una en uno de los primeros protocolos de implantación. Pero cuatro son suficientes para una extrapolación estadística, al menos para la primera camada.

Marsha contempló otra vez los niños en gestación. ¡Eran sus hijos!

"No es para sorprenderse tanto —repitió VJ—. Ustedes sabían que esta tecnología estaba en marcha. Yo no hice más que acelerar el proceso.

Victor se acercó a una computadora que se había encendido automáticamente e impreso una hoja de datos. Finalizada la impresión, el sintetizador se encendió y empezó a producir una proteína.

—El sistema siente la falta de algún factor de crecimiento —explicó VJ.

Victor leyó la hoja impresa. Los datos eran los signos vitales del feto, análisis clínicos y recuento de glóbulos sanguíneos. La complejidad del dispositivo era asombrosa. VJ había reproducido en condiciones artificiales la interrelación extraordinariamente compleja de las fuerzas necesarias para producir un organismo entero a partir de un huevo fecundado. Eso representaba un salto cualitativo en la biotecnología, infinitamente superior inclusive a la tecnología de la implantación, de por sí importante. Victor se estremeció al pensar en las posibilidades diabólicas de los descubrimientos de su criatura.

Marsha se acercó tímidamente a uno de los tanques y observó el feto —un varón— más de cerca. El bebé la miraba como si quisiera tocarla; apoyó su diminuta palma contra el vidrio. Marsha posó la suya sobre la del feto, separadas ambas sólo por el grosor de la tapa de vidrio. Pero la apartó bruscamente con una mirada de asco:

—¡La cabeza! —exclamó.

Victor se acercó y se inclinó sobre el tanque:

—¿Qué pasa con la cabeza?

—Mira las cejas. La cabeza nace directamente ahí. No tiene frente.

—Son mutantes —dijo VJ con indiferencia—. Eliminé el segmento que había agregado Victor y luego destruí algunos puntos de FDN normal. Quiero lograr un nivel de inteligencia similar al de Philip. Él me ha sido más útil que nadie en mi trabajo.

Marsha se estremeció y aferró la mano de Victor, tratando de que VJ no advirtiera el gesto. Victor no le hizo caso. Señaló el otro extremo del salón:

—¿Qué hay más allá de esa puerta?

—¿No te parece suficiente por hoy?

—Quiero ver todo. —Dejó a Marsha y se dirigió a la puerta. Marsha contempló un instante al varoncito de cejas prominentes y cabeza aplastada. Un ejemplar humano involucionado en quinientos mil años. VJ había hecho de sus propios hermanos retrasados mentales, siguiendo una lógica maquiavélica inconcebible.

Se apartó de los tanques de gestación y siguió a Victor, dispuesta como él a verlo todo. En todo caso, nada podía ser peor que lo que acababa de ver.

En el salón siguiente había unos enormes tanques de acero inoxidable montados en hilera. Marsha recordó los hervideros gigantescos de la fábrica de cerveza que había visitado cuando era estudiante secundaria. El ambiente era cálido y húmedo. Varios hombres vestidos sólo con pantalones introducían sustancias en uno de los contenedores. Interrumpieron su labor al ver a Victor y Marsha.

—¿Qué es esto? —preguntó ella.

Fue Victor quien respondió: —Fermentadores para el cultivo de microorcanismos, como bacterias o levadura. —Se volvió hacia VJ: —¿Qué cultivas?

—Bacterias escherichia coli —dijo VJ—. El animal de trabajo de la tecnología del DNA recombinante.

—¿Qué fabrican?

—Prefiero que no lo sepas por ahora. Ya viste las unidades de gestación. ¿No te basta por hoy?

—Quiero saber todo. Quiero ver todas las cartas sobre la mesa.

—Fabrican dinero —sonrió VJ.

—No estoy de humor para adivinanzas —dijo Victor.

—Bueno está bien. El nuevo laboratorio requirió una gran cantidad de capital a corto plazo. Evidentemente, no podía ofrecer mis servicios al público. De manera que hice traer plantas de coca de Sudamérica y extraje los genes apropiados. Luego inserté los genes en una laguna operativa de la E. coli y por medio de un plásmido resistente a la tetraciclina inserté todo de vuelta en la bacteria. El producto es de primera. Las E. coli se vuelven locas por él.

—No entiendo nada —dijo Marsha.

—Yo sí —dijo Victor—. Dice que estos fermentadores producen cocaína.

—Y trabaja en sociedad con Martínez —dijo Marsha, estupefacta.

—Es una línea de producción temporaria —explicó VJ—. Un medio conveniente para reunir capital a corto plazo. Dentro de poco tiempo, el laboratorio se financiará con productos legítimos y prescindirá del contrabando. Y es verdad que Martínez es mi socio. Estamos en condiciones de armar un pequeño ejército en materia de horas. Algunos de los hombres están en la nómina de Chimera.

Victor estudió los fermentadores. Eran de una complejidad asombrosa y muy superiores a los que usaba Chimera. Suspiró y se volvió hacia Marsha y VJ.

—Bueno, ya conocen todo —dijo el muchacho—. Ha llegado el momento de hablar en serio.

Se dirigió nuevamente hacia el salón principal, seguido

por Victor y Marsha. Cuando atravesaron la sala de gestación, los fetos se acercaron nuevamente a la superficie de sus tanques, como si anhelaran el contacto humano. Tal vez VJ no lo advirtió, en todo caso no les prestó la menor atención.

Atravesaron el salón principal hacia el dormitorio sin decir una sola palabra. Había un cuarto adicional, más allá del dormitorio principal, que Victor no había conocido. A juzgar por el decorado y las publicaciones especializadas, debía de ser el cuarto privado de VJ. Había una cama, una mesa pequeña, sillas plegables, una biblioteca de publicaciones especializadas y un sillón. VJ les ofreció asiento y se sentó a la mesa.

Victor y Marsha se sentaron también. VJ apoyó los codos sobre la mesa, juntó las manos y miró a sus padres con ojos fríos y brillantes como zafiros.

—Tengo que conocer sus intenciones. He sido franco con ustedes, ahora les toca ser francos conmigo.

Victor y Marsha se miraron, y fue ella quien abrió el fuego:

—Quiero saber la verdad sobre David, Janice y el profesor Cavendish.

—Por el momento no me interesa tratar las cuestiones subsidiarias, si no mis proyectos en toda su magnitud —dijo VJ—. Quiero creer que son capaces de apreciar lo que está en juego. El valor de mis experimentos trasciende todas las demás cuestiones que de otro modo podrían ser relevantes.

—Eso no podré juzgarlo antes de que contestes a mi pregunta —dijo Marsha con serenidad.

VJ miró a Victor: —¿Compartes esa posición?

Victor asintió.

"Me lo temía —murmuró VJ. Los miró con severidad, como un padre a sus hijos descarriados. —Está bien, les diré todo. Las tres personas en cuestión querían delatarme, lo que en ese momento hubiera sido catastrófico para mi trabajo. Traté de evitar que se enteraran sobre mi laboratorio y mis experimentos, pero eran implacables. Tuve que poner el asunto en manos de la naturaleza.

—¿Qué quieres decir? —preguntó Victor.

—Mis investigaciones sobre los factores de crecimiento que intervienen en la gestación y me sirvieron para resolver el problema del útero artificial me llevaron a descubrir ciertas proteínas que actúan como promotores de los protooncogenes. Las envolví en membranas de glóbulos rojos y dejé actuar a la naturaleza.

—O sea que las inyectaste —dijo Victor.

—¡Por supuesto que las inyecté! —exclamó VJ con fastidio—. Esa clase de sustancias no se puede tomar por vía oral.

Marsha trató de dominarse:

—Quieres decir que mataste a tu hermano. ¿Y no sientes ningún remordimiento?

—Yo fui un intermediario. A David lo mató el cáncer. Le supliqué que me dejara en paz. Pero no, me seguía a todas partes, quería destruir mi trabajo. Sus propios celos lo mataron.

—¿Qué me dices de los dos bebés?

—¡Basta! —exclamó VJ, dando un puñetazo sobre la mesa—. Vamos al grano de una buena vez.

—Preguntaste cuáles eran nuestras intenciones —dijo Marsha—. Bueno, antes tenemos que conocer los hechos. ¿Qué pasó con los niños?

Tamborileó con los dedos sobre la mesa. Su paciencia se agotaba:

—Se habían vuelto demasiado inteligentes. Empezaban a adquirir conciencia de sus posibilidades. Yo no quería tener competidores. Bastó echar un poco de cefaloclor en la leche de la guardería. Estoy seguro de que a los demás chicos les hizo bien.

—¿Y qué sentiste cuando murieron?

—Alivio.

—¿Nada de tristeza ni remordimiento? —insistió Marsha.

278

—Esto no es una sesión de terapia, mamá —dijo VJ bruscamente—. Mis sentimientos no tienen nada que ver. Ya conoces los secretos. Ahora te corresponde a ti ser franca y decirme cuáles son tus intenciones.

Marsha miró a Victor, a la espera de que reprobara las acciones demoníacas de su hijo, pero él miraba a VJ, desconcertado y atónito.

Marsha interpretó su silencio como una muestra de resignación, tal vez inclusive de aprobación. ¿Acaso pensaba que los descubrimientos de VJ justificaban cinco asesinatos, entre ellos el de su hijo? Ella no lo iba a aceptar en silencio. Al diablo con todos ellos.

"¿Y bien? —preguntó VJ.

Marsha lo miró. Sus ojos azules se clavaron en ella, serenos y expectantes. Ella contempló esos ojos, ese rostro angelical con sus rizos rubios, y se sintió embargada por la tristeza. También él era su hijo. ¿Y era verdaderamente responsable de los horribles crímenes que había cometido? Era un monstruo creado por la ciencia. Victor le había dado inteligencia, pero aparentemente lo había despojado de toda conciencia. Era tan culpable como VJ. Marsha sintió lástima por el chico.

—VJ —dijo—, me parece que Victor no comprendió las consecuencias de su experimento...

—Al contrario —interrumpió él: —Victor sabía muy bien a dónde quería llegar. Y al ver lo que soy y lo que he logrado, puede tener la certeza de que su experimento ha sido todo un éxito. Soy lo que él esperaba y anhelaba. Soy un producto acabado de la ciencia. Soy el futuro. —Sonrió: —Tendrás que acostumbrarte a las personas como yo.

—Tal vez seas lo que Victor quería lograr en términos científicos —prosiguió Marsha sin amilanarse—. Pero no pensó en la personalidad que estaba creando. Lo que quiero decir es que si cometiste esos asesinatos, si estás fabricando cocaína, y no comprendes que existen objeciones morales a tus acciones... bueno, no es tu culpa.

279

—Mamá —dijo VJ exasperado—, siempre te dejas llevar por los aspectos secundarios. Sentimientos, síntomas, personalidad. Acabo de revelarte el descubrimiento más grande de la historia de la biología, y lo único que se te ocurre es hacerme otro Rorschach. Es absurdo.

—La ciencia no es la ley suprema. Tiene que estar sometida a la moral. ¿No lo entiendes?

—Te equivocas —dijo VJ—. Al crearme, Victor demostró que, para él, la ciencia está por encima de la moral. De acuerdo con las normas morales convencionales, no debería haber realizado el experimento FDN, pero lo hizo. Es un héroe.

—Tu creación fue un acto de soberbia irresponsable. Victor estaba tan obsesionado por los medios y por el fin puntual, que no pensó en las consecuencias. La ciencia liberada de la moral y de la conciencia de las consecuencias es igual a la locura homicida.

VJ chasqueó la lengua con desdén y sus duros ojos azules se clavaron en Marsha.

—La moral no puede dominar la ciencia porque es relativa, es decir, variable. La ciencia no lo es. La moral corresponde a la sociedad humana, que varía en el curso de los años, de una civilización a otra. Lo que es tabú para una es sagrado para otra. Esos caprichos no tienen cabida aquí. Si hay algo inmutable en este mundo, son las leyes de la naturaleza que rigen el universo actual. El juez supremo es la razón, no los caprichos de la moral.

—No es culpa tuya, VJ. —Marsha meneó la cabeza con pena. No se podía razonar con él. —Tu inteligencia superior te ha aislado de los demás. Careces de las cualidades humanas de compasión, empatía, incluso amor. Crees que no tienes límites. Pero los tienes. No tienes conciencia, pero no lo comprendes. Daría lo mismo explicar el concepto del color a un ciego de nacimiento.

VJ se paró de un salto, el rostro crispado en una mueca de disgusto:

280

—Con el debido respeto —dijo—, estoy harto de sofismas. Tengo mucho que hacer. Quiero conocer sus intenciones.

—Antes, tu padre y yo debemos hablar.

—Bueno, hablen —dijo, con los brazos en jarra.

—No hablaremos de esto en presencia de un niño —dijo Marsha.

VJ apretó los labios, furioso. Su respiración era agitada, sus ojos lanzaban chispas. Giró y salió del cuarto. Cerró la puerta, y luego se oyó un chasquido. Los había encerrado con llave.

Marsha se volvió hacia su esposo, que meneó la cabeza con desaliento e impotencia.

—¿Te queda alguna duda sobre el problema que enfrentamos? —preguntó ella.

Victor meneó la cabeza débilmente.

"Muy bien. ¿Qué estás dispuesto a hacer?

—Jamás pensé que éste sería el resultado —confesó Victor, y miró a su esposa: —Marsha, por favor, tienes que creerme. Si hubiera sabido...

No pudo seguir. Quería que Marsha le diera su apoyo, su comprensión. Pero le era difícil concebir la magnitud de su error. Le parecía imposible volver a estar en paz consigo mismo si alguna vez dejaban todo eso atrás. Entonces, ¿qué podía pedirle a Marsha?

Se cubrió la cara con las manos.

Marsha le tomó el hombro. La situación era espantosa, pero al menos Victor parecía haber adquirido conciencia de ello.

—Tenemos que tomar una resolución —dijo suavemente.

Victor se paró con decisión:

—La responsabilidad es mía. Tienes razón sobre VJ. No sería lo que es si no fuera por mis manipulaciones científicas. —Se volvió hacia ella: —Bueno, lo primero es salir de aquí.

—¿Crees que VJ nos va a dejar salir de aquí? ¡Vamos,

piensa! Recuerda cómo ha resuelto sus problemas. David, Janice, el profesor, los chicos. Y ahora, sus fastidiosos padres.

—¿Cuánto tiempo crees que nos tendrá encerrados aquí?

—No tengo la menor idea sobre sus intenciones. Sólo digo que no va a ser fácil salir de aquí. Creo que no le somos indiferentes. En caso contrario, no se hubiera tomado la molestia de explicar nada ni preguntaría cuáles son nuestras intenciones u opiniones. Pero de lo que sí estoy segura es que no nos dejará salir hasta convencerse de que no le causaremos problemas.

Ensimismados en sus pensamientos, permanecieron en silencio unos minutos, hasta que Marsha dijo:

—Tal vez podríamos llegar a un acuerdo. Uno sale, el otro se queda.

—¿Que uno de nosotros se quede como rehén?

Marsha asintió.

"En ese caso debes salir tú.

—No —dijo Marsha—. Si llegamos a eso, debes salir tú.

—No, me quedaré yo. Creo que puedo controlar a VJ mejor que tú.

—Nadie puede controlar a VJ —dijo Marsha—. Habita un mundo propio, sin límites ni conciencia. Estoy segura de que no me hará daño, al menos mientras piense que no estoy en situación de causarle problemas. Creo que confía en ti más que en mí. En ese sentido, sí estás en mejor posición que yo para tratar con él. Creo que busca tu aprobación. Quiere que te sientas orgulloso de él. En ese sentido, es como cualquier chico de su edad.

—¿Pero qué podemos hacer? —dijo Víctor, paseando por el cuarto—. No creo que la policía pueda ayudarnos. Tal vez podamos recurrir a la dirección de toxicomanía. La droga es su flanco vulnerable.

Marsha asintió en silencio y sus ojos se llenaron de lágrimas. No terminaba de creer en lo que sucedía. A pesar de todo, VJ era su hijito. Pero la manipulación genética había hecho de él un monstruo. No había manera de imponerle límites.

—¿Podríamos internarlo en un hospital psiquiátrico? —preguntó Victor.

—Sería muy difícil lograr que lo aceptaran sin que demostrara una conducta psicótica, o sin que lo declararan culpable de asesinato e inimputable por insania. Pero me parece difícil que podamos llegar a los tribunales. Un crimen de alta tecnología me parece difícil que deje huellas. Tiene un trastorno de la personalidad, pero no está loco. No, tendrás que pensar en algo más viable. Lamentablemente, no sé cómo ayudarte.

—Ya pensaré en algo —dijo Victor. Se acomodó la chaqueta y se alisó el pelo con los dedos. Tomó aliento y fue a la puerta. Estaba trabada. La golpeó con fuerza con el puño.

Después de unos minutos se abrió la puerta y apareció VJ seguido por varios sudamericanos.

—Hablemos —dijo Victor.

VJ lo miró, luego clavó los ojos en Marsha, quien apartó su mirada.

"A solas —dijo Victor.

VJ asintió y se apartó para dejarlo pasar. Victor salió directamente al laboratorio principal y oyó que a su espalda cerraban la puerta del cuarto. Entonces, no cabía duda: Marsha y él eran prisioneros de su propio hijo.

—Está muy alterada —dijo Victor—. Eso de matar a David no tiene perdón.

—No tuve alternativa —dijo VJ.

—Para una madre es difícil de aceptar —dijo Victor. VJ no parpadeó.

—Hicimos mal en traerla al laboratorio —dijo VJ—. No respeta la ciencia como tú y yo.

—Sí, tienes razón —dijo Victor—. Esos úteros artificiales la horrorizaron. Es algo asombroso. Yo sí puedo apreciar la magnitud de la hazaña. Va a tener un impacto increíble sobre la comunidad científica. Y el potencial comercial es incalculable.

—Cuento con esos beneficios comerciales para interrumpir la producción de cocaína.

—Me parece bien. El negocio de la droga representa un peligro muy grave para tu trabajo científico.

—Eso ya se me había ocurrido hace tiempo —dijo VJ—. Tengo varios planes alternativos en caso de que haya problemas.

—Sí, no tengo duda.

VJ lo miró con suspicacia:

—Creo que llegó el momento de que me digas cuáles son tus intenciones con respecto a mi laboratorio y mi trabajo.

—Lo primero es ocuparme de Marsha. Creo que comprenderá, cuando se recupere del shock inicial de lo que vio.

—¿Cómo te ocuparás de ella?

—La convenceré de la importancia de tu trabajo y tus descubrimientos. Cambiará de opinión cuando comprenda que tus descubrimientos no tienen igual en la historia de la biología. Y sólo tienes diez años.

VJ parecía no caber en sí de orgullo. Marsha tenía razón: anhelaba complacer a su padre, en eso era igual a cualquier otro chico. Si lo fuera en todo sentido, pensó Victor con tristeza. Pero no puede ser, gracias a mis experimentos.

"Quisiera ver la lista de factores de crecimiento proteínicos del útero artificial —prosiguió Victor—. Cuanto antes, mejor.

—Son más de quinientos —dijo VJ—. Puedo darte esa lista, pero desde luego que no se puede publicar.

—Comprendo —dijo Victor. Miró a su hijo y sonrió:

—Bueno, tengo que volver a trabajar y Marsha tiene a sus pacientes. Así que nos vamos. Hablaremos luego en casa.

VJ meneó la cabeza: —No me parece bien que se vayan. Será mejor que se queden por unos días. Tengo una línea telefónica, podrás dirigir tus asuntos por teléfono. Mamá tendrá que disculparse con sus pacientes. Verás que estarán muy cómodos.

Victor rió sin convicción:

284

—Es una broma, ¿no? No podemos quedarnos. Tal vez Marsha pueda recibir sus pacientes otro día, pero no puedo atender Chimera por teléfono. Tengo mucho trabajo. Además, todos saben que estoy aquí. Tarde o temprano empezarán a buscarme.

VJ meditó unos instantes. —Está bien —accedió—. Puedes salir. Pero mamá se queda.

Asombrado de que Marsha hubiera previsto la reacción de su hijo con tanta exactitud, Victor aún intentó que los dejara salir a los dos:

—No la perdería de vista en ningún momento.

—Ella o tú —dijo VJ—. No voy a discutir.

—Está bien, ya que insistes —dijo Victor—. Hablaré con Marsha. No me demoro.

Victor volvió al cuarto, y uno de los guardias abrió la puerta.

—Permite que salga uno de los dos —le susurró al oído—. ¿Estás segura de que no quieres salir tú?

—No. Habla con Jean, dile que no volveré hasta nuevo aviso. Que derive las emergencias a la doctora Maddox.

Victor asintió. Besó a Marsha en la mejilla y para su alivio ella aceptó el beso. Luego salió.

En el laboratorio, VJ impartía órdenes a dos de los guardias.

—Te presento a Jorge —dijo, señalando a un sudamericano sonriente. Era el mismo que había tratado de apuñalarlo. Aparentemente, no era hombre rencoroso, porque además de la sonrisa tendió una mano. —Jorge se ofrece para acompañarte.

—No me hace falta una niñera —dijo Victor, tratando de contener la ira.

—Me parece que no comprendes —dijo VJ con una sonrisa siniestra—. No tienes alternativa. La presencia de Jorge te recordará que no debes tratar de hablar con nadie que pudiera causarme problemas. También te recordará que Marsha está aquí, con uno de sus amigos. —La amenaza era tan clara como si la hubiera expresado.

—Pero es innecesario. ¿Y cómo explicaré su presencia? No esperaba esto, VJ.

—Tengo plena confianza en que hallarás la manera de explicar su presencia. Gracias a Jorge, todos dormiremos más tranquilos. Y te lo advierto: la intervención de la policía o de cualquier otra autoridad demoraría mis proyectos, pero no los detendría. No me decepciones, papá. Juntos revolucionaremos la industria de la biotecnología.

Víctor tragó con dificultad. Su boca estaba reseca.

Capítulo 15

Lunes a la tarde

El tiempo se había vuelto nublado y ventoso cuando Victor salió del edificio del reloj y se dirigió a su oficina. Jorge lo seguía, luego de haberle mostrado la navaja que llevaba oculta en la bota derecha. El gesto había sido eficaz. Victor sabía que su acompañante estaba acostumbrado a matar.

Le había dicho a Marsha que se le ocurriría un plan, pero no tenía la menor idea. Cuando llegó a la oficina, estaba sumido en la confusión. Atravesó la administración con paso vacilante, seguido muy de cerca por Jorge.

—¡Espere un momento! —dijo Colleen cuando él pasó sin detenerse. Se paró y tomó una pila de mensajes. Victor había llegado a la puerta de su oficina y se volvió hacia el sudamericano:

—Espere aquí —dijo.

Jorge pasó como si Victor no hubiera hablado. Colleen lo miró azorada, sobre todo porque el sudamericano vestía el uniforme de Chimera.

—¿Quiere que llame a seguridad? —susurró.

Victor dijo que no era necesario. Colleen se encogió de hombros y se dispuso a trabajar: —Hay una pila de mensajes

—dijo—. Hace rato que trato de ubicarlo. Necesito...

Victor la tomó del brazo y la obligó a salir:

—Enseguida la llamo —dijo.

—Pero... —empezó a decir Colleen cuando él le cerró la puerta en la cara.

Victor puso llave a la puerta. Jorge se había acomodado en el sofá del fondo de la oficina y se cortaba las uñas.

Victor se sentó detrás del escritorio. Sonó el teléfono, pero no lo atendió. Sabía que eran Colleen. Miró a Jorge, quien agitó el cortaúñas y mostró los dientes en una sonrisa.

Victor se tomó la cabeza con las manos. Tenía que elaborar un plan. Jorge lo distraía. Se mostraba insolente y confiado, como si dijera: "Soy un asesino, estoy aquí en tu oficina y no puedes echarme." No se podía concentrar bajo la mirada del sudamericano.

—No veo que tenga mucho que hacer —dijo entonces Jorge—. VJ dijo que lo dejaba salir porque tenía mucho trabajo. Hágalo de una vez, salvo que prefiera que llame a VJ y le diga que no hace más que tomarse la cabeza con las manos.

—Estaba pensando un poco —dijo Victor. Apretó el botón del intercomunicador y le dijo a Colleen: —Venga con los mensajes y pongámonos a trabajar.

Durante una hora, Marsha trató de entretenerse con las publicaciones especializadas que halló en las estanterías. Pero eran demasiado técnicas, explicaban teorías y experimentos relacionados con los últimos descubrimientos de la biología, y la física y la química. No los entendía. Se paseó por el cuarto y trató de abrir la puerta, pero estaba cerrada con llave.

Se sentó a la mesa y se preguntó qué haría Victor. Tendría que emplear toda su inteligencia, porque VJ era un adversario excepcional. Además, debería mostrar un gran temple moral, lo que a la luz de sus experimentos con el FDN parecía dudoso.

En ese momento se corrió el cerrojo y entró VJ:

—Pensé que te gustaría estar acompañada —sonrió—. Quiero presentarte a una persona. —Se apartó y dejó pasar a Mary Millman, quien entró y le tendió la mano.

Marsha se paró sin saber qué decir.

—¡Señora Frank! —exclamó Mary, estrechándole la mano con entusiasmo—. Tenía tantas ganas de verla, pero pensaba que tendría que esperar un año más. ¿Cómo está?

—Bastante bien, gracias.

—Bueno, señoras, disfruten de su charla —dijo VJ—. Dejaré la puerta entornada. Si tienen hambre o sed, avisen a los guardias.

—Gracias —dijo Mary. Esperó a que saliera y le dijo a Marsha: —Qué chico extraordinario, ¿no?

—Un caso único. ¿Cómo vino a parar aquí?

—Qué sorpresa, ¿no? A mí también me sorprendió. Bueno, fue así...

—¿Qué más? —preguntó Victor. Colleen ocupaba su asiento habitual, frente a él. Jorge seguía tendido en el sofá. La secretaria echó un último vistazo a sus papeles.

—Creo que por ahora no hay nada más. Salvo que tenga algún encargo —añadió, guiñando un ojo con aire conspirativo.

—No, nada —dijo Victor, entregándole los documentos firmados—. Me voy a casa. Si surge algún problema, que me llamen allá.

Colleen echó una rápida mirada a su reloj y nuevamente a Victor. Su conducta era muy extraña desde que había aparecido con ese guardia de seguridad.

—¿Hay algún problema? —preguntó.

—Pero no, todo marcha a pedir de boca.

Colleen lo miró sorprendida. Hacía siete años que trabajaba con él, y jamás había utilizado esa expresión. Se paró, miró a Jorge con furia y salió.

—Bueno, vamos —dijo Victor.

Jorge se paró: —¿Al laboratorio? —preguntó con su fuerte acento español.

—Yo me voy a casa —dijo Victor mientras se ponía el abrigo—. Usted, vaya adonde quiera.

—Voy con usted, viejo.

Victor se preguntó si habría algún problema al salir de la empresa, pero el guardia del portón lo saludó como siempre. El hecho de que lo acompañara un hombre uniformado aparentemente no le mereció ningún comentario.

Cuando cruzaban el Merrimack, Jorge encendió la radio, buscó una emisora de música latina y elevó el volumen a un nivel ensordecedor.

Era evidente que Jorge constituía el primer obstáculo a superar. Cuando se acercaba a la casa empezó a barajar las distintas alternativas. Debajo de la cochera había un sótano con una puerta gruesa que se podría asegurar. El problema era cómo atraer a Jorge hasta el lugar.

Cuando bajaban del auto, se preguntó si podría sorprenderlo con un golpe por la espalda, tal como le había sucedido cuando descubrió el laboratorio secreto. Abrió la puerta de la sala e invitó a Jorge a pasar, pero él insistió en seguirlo.

Victor echó el abrigo sobre el sofá. Era realista, sabía que no podría golpearlo. El golpe sería demasiado débil o demasiado fuerte, y en cualquier caso sería un desastre. Tendría que buscar otra alternativa, ¿pero cuál?

No se le ocurrió nada hasta que fue al baño y vio un frasco de aspirinas en el botiquín. Entonces recordó el viejo maletín de médico que le habían regalado en cuarto año de la facultad. Lo había utilizado durante sus años de residente y, si no recordaba mal, debía de contener una gran cantidad de muestras de medicamentos.

Cuando salió del baño, vio que Jorge había encendido el televisor de la sala y pasaba los canales distraídamente. Victor subió a la planta alta, y desgraciadamente el otro lo siguió. Pero nuevamente encendió el televisor, esta vez el del escri-

torio. Victor halló el maletín en el armario, tomó un puñado
de píldoras de Valium y cápsulas Seconal y Dalmane y las deslizó en su bolsillo. Jorge había hallado el canal de televisión
por cable en español y estaba absorto.

—Siempre bebo una copa cuando llego a casa —dijo Victor—. ¿Puedo servirle un trago?

—¿Qué tiene? —preguntó Jorge sin apartar la vista del
televisor.

—Lo que quiera —dijo Victor—. ¿Le gustaría un cóctel
margarita?

—¿Qué es eso?

La pregunta sorprendió a Victor. Creía que el cóctel margarita era común en Sudamérica, pero tal vez sólo lo bebían
en México. Le explicó qué contenía.

—Beberé lo mismo que usted —dijo Jorge.

Victor bajó a la cocina. Jorge lo siguió y nuevamente encendió el televisor. Victor juntó todos los ingredientes, incluida la sal. Preparó la bebida en una jarra de vidrio y, luego de asegurarse de que Jorge no le prestaba atención, abrió
las cápsulas una por una y vació su contenido en la jarra, luego echó las píldoras de Valium. Revolvió la mezcla con fuerza, pero quedaba un sedimento, de manera que la pasó por
la licuadora. Alzó la jarra a la luz. El aspecto era normal, pero tenía suficiente poder somnífero como para que un paciente soportara una intervención de cirugía mayor.

Bebió un sorbo de la mezcla. El sabor era un poco amar-
go, pero si Jorge nunca había bebido un margarita, no se daría
cuenta de nada. Frotó los bordes de los dos vasos altos con sal
y llenó el suyo con puro jugo de limón. Luego llevó el jarro y
los dos vasos llenos a la mesita ratona.

Jorge tomó su vaso sin apartar la vista de la pantalla. Victor también se sentó a mirar. La escena parecía un teleteatro
sentimental. Victor no sabía español, pero no era difícil comprender de qué se trataba.

Miró a Jorge de reojo: el sudamericano había vaciado su
vaso y se servía otro trago. Aparentemente le gustaba. No

tardó en acusar los primeros síntomas: empezó a parpadear con rapidez. No conseguía ver bien. Luego se volvió hacia Victor, pero no consiguió enfocarlo. El alcohol había introducido la droga en su organismo con toda eficiencia. Aún no había bebido la segunda copa, pero sus ojos ya se cerraban.

Bruscamente se paró. Había comprendido la situación, porque arrojó el vaso al otro lado del cuarto y se abalanzó sobre el teléfono. Victor dejó su vaso y le aferró la mano. Jorge trató de sacar su navaja, pero sus movimientos se habían vuelto lentos y torpes. Victor lo desarmó fácilmente y poco después, el hombre cayó redondo. Victor lo tendió sobre el sofá. Fue a su botiquín, donde guardaba algunas ampollas de Valium parenteral, y le inyectó diez miligramos como refuerzo. Arrastró el cuerpo al patio y de ahí a la cochera. Lo bajó al sótano y lo cubrió con mantas y trapos para mantener su temperatura en un nivel adecuado. Luego cerró la puerta con un candado viejo.

Al volver a la casa, disfrutando de la sensación de haber superado el primer obstáculo, pensó que podía darse el lujo de sentarse a pensar, pero sonó el teléfono. Al oírlo, cayó en la cuenta de que tal vez Jorge tenía instrucciones de llamar a alguien para asegurar que no había problemas. No tomó la llamada. Se puso el abrigo y salió. Decidió acudir a la policía.

La comisaría ocupaba una esquina frente a la plaza del municipio. Era un edificio de dos pisos, de ladrillos a la vista con dos esferas de vidrio azul montadas sobre sendos postes a cada lado de la entrada. Detuvo el auto en la playa de estacionamiento. Al salir de la casa, se había sentido satisfecho de su decisión: por fin podría dejar todo el embrollo en manos de otro. Pero al subir los escalones de la entrada y pasar entre las esferas, se sintió menos seguro.

Vaciló ante la puerta. La situación de Marsha era su mayor preocupación, pero no la única. Tal como había dicho VJ, la policía no podría hacer gran cosa y lo dejaría en libertad. Si el sistema no era capaz de sacar de la calle a unos infelices *punks*, ¿qué haría con un chico de diez años cuya inteligencia era superior a la de Einstein?

Aún se preguntaba si valía la pena entrar, cuando se abrió la puerta, el sargento Cerullo salió y chocó con él.

Se enderezó la gorra y se disculpó con vehemencia antes de reconocer a Victor.

—¡Doctor Frank! —exclamó, y se disculpó otra vez—. ¿Qué lo trae por aquí?

Victor trató de pensar en alguna explicación razonable, pero no pudo. La verdad ocupaba todos sus pensamientos.

—Tengo un problema. ¿Puede atenderme?

—Vea, lo lamento mucho —dijo Cerullo—. Tengo un descanso y quiero aprovecharlo para comer. Después no podré. Pero le diré a Murphy que lo atienda. Cuando vuelva de cenar, me aseguraré de que lo trataron bien. No se preocupe.

Cerullo le dio una palmada amistosa en el hombro, abrió la puerta y lo hizo pasar.

"¡Oye, Murphy! —exclamó sin soltar la puerta—. Este señor es el doctor Frank. Es amigo mío. Atiéndelo bien, ¿quieres?

Murphy era un policía irlandés gordo, de cara roja y pecosa. Su padre había sido policía, lo mismo que el padre de su padre. Entrecerró los ojos detrás de sus gruesos anteojos bifocales y miró a Victor:

—Enseguida lo atiendo —dijo, y señaló un banco con el lápiz: —Tome asiento. —Se concentró nuevamente en llenar un formulario.

Victor se sentó donde le habían indicado —un viejo banco de roble, lleno de marcas y manchas— y repasó mentalmente la conversación que tendría con el agente Murphy: vea, señor policía, mi hijo es un genio increíble, está criando una raza de esclavos retardados en unos frascos de vidrio y ha asesinado a varias personas para proteger un laboratorio secreto construido con fondos extorsionados a unos estafadores que trabajaban en la empresa de su papá.

Le bastó expresarlo con palabras para comprender que

nadie le creería. Y si le creyeran, ¿qué? No había manera de acusar a VJ de haber cometido los crímenes. Las pruebas eran circunstanciales. En el laboratorio no había un solo objeto robado, al menos por VJ. En cuanto a la cocaína, el pobre chico había caído bajo el poder de un gran narcotraficante extranjero.

Victor se mordió el labio. Murphy seguía llenando penosamente el formulario, aferrando el lápiz con su mano sudorosa. Su lengua asomaba entre los dientes. Como no alzó la mirada, Victor se perdió otra vez en sus pensamientos. Era fácil deducir que VJ entraría en el tribunal por una puerta y saldría por la otra sin problemas. Tendría su laboratorio ultramoderno y haría casi todo lo que se propusiera. Ya había demostrado que estaba dispuesto a eliminar a quien se le cruzara en el camino. ¿Cuánto tiempo de vida tendrían Marsha y él en esas circunstancias?

Deprimido y casi al borde del llanto, Victor tuvo que reconocer que su experimento había tenido éxito y algo más. Como decía Marsha, no se había detenido a pensar en las consecuencias y las ramificaciones. La emoción de lo que estaba a punto de realizar había borrado cualquier otro pensamiento de su mente. El resultado superaba todas sus previsiones. Y con los límites que la constitución imponía a las fuerzas represivas, el sistema social no contaba con defensas adecuadas contra un ser como VJ, que parecía venir de otro planeta.

—Bueno, ya está —dijo Murphy, y dejó el formulario en una bandeja sobre el escritorio—. ¿En qué puedo servir, doctor? —Hizo crujir los nudillos, entumecidos tras el esfuerzo de aferrar el lápiz.

Victor se paró sin mucha convicción y fue al escritorio. Murphy clavó en él sus ojillos azules. El cuello de su camisa era demasiado estrecho, y la papada lo cubría en parte.

"Y bien, ¿qué nos trae, doctor? —preguntó Murphy, acomodándose en el asiento. Sus brazos eran gruesos y fuertes. Parecía la clase de tipo que a uno le gustaría ver llegar en el momento en que unos chieos trataban de robar las tazas o el estéreo del auto.

—Tengo un problema con mi hijo —dijo Victor—. Nos hemos enterado de que se hace la rabona del colegio para...

—Disculpe, doctor —interrumpió Murphy—. ¿No le parece mejor consultar a un asistente social o alguien por el estilo?

—Me parece que la situación está fuera del alcance de un asistente social —dijo Victor—. Mi hijo se junta con elementos criminales...

—Perdone que lo interrumpa otra vez, doctor. Tal vez debería haber dicho que consultara a un psicólogo. ¿Cuanto años tiene su hijo?

—Diez. Pero es...

—Nunca hemos recibido una denuncia en su contra. ¿Cómo se llama?

—VJ. Yo sé que...

—Antes de decir nada, escúcheme. Tenemos bastantes problemas con los juveniles. Quiero ayudarle. Si su hijo hizo realmente algo muy feo, como exhibirse en un parque o meterse en una casa a robar, tal vez valga la pena denunciarlo. Si no, me parece que le hará mucho mejor un psicólogo y un poco de disciplina a la antigua. ¿Entiende lo que le quiero decir?

—Perfectamente —dijo Victor—. Me parece que tiene razón. Gracias por atenderme.

—Por nada, doctor. Quiero ser franco con usted, ya que es amigo de Cerullo.

—Se lo agradezco —dijo Victor. Se alejó del escritorio y al salir corrió a su auto. Estaba embargado por el pánico. Bruscamente comprendió que sólo él podía enfrentar a VJ: padre contra hijo, el creador contra su criatura. Sintió una ola de náusea y abrió la portezuela del auto, pero al estremecerse la disipó sin vomitar. Cerró el auto y apoyó la frente sobre el volante. Estaba empapado en sudor.

Cuando era niño había estudiado religión, y bruscamente recordó el dilema de Abraham. Pero había dos diferencias siderales con su caso. Dios no iba a intervenir, y Victor se sabía incapaz de matar con sus manos. Con todo, estaba claro que uno de los dos no sobreviviría.

Además tenía que pensar en Marsha, en cómo sacarla del laboratorio. Nuevamente se sintió invadido por el pánico. Tenía que actuar rápidamente, antes de que VJ empezara a sospechar. Y antes de que le fallaran los nervios y la resolución.

Encendió el motor y enfiló hacia su casa sin pensarlo, mientras su mente trataba de elaborar un plan. Al llegar, echó una mirada al sótano. Jorge dormía, sereno como un bebé y bien abrigado bajo las mantas y los trapos. Llenó una botella con agua y la dejó al alcance de su mano.

Al entrar en la casa lo sobresaltó el teléfono. Lo miró sin saber qué hacer. ¿Y si era Marsha? Finalmente lo tomó. Dijo un tímido "hola".

Una voz gruesa, con fuerte acento español, preguntó por Jorge.

Victor no supo qué responder. La voz preguntó por Jorge, esta vez en un tono más impaciente.

—Está en el baño —dijo Victor.

Aunque no sabía español, se dio cuenta de que el otro no había comprendido.

—¡Baño! —exclamó Victor—. Jorge fue al baño.

—*Okay* —dijo la voz, y cortó.

Esta vez el pánico fue como una corriente eléctrica. El tiempo lo apremiaba, era como un tren fuera de control que corría hacia un precipicio. Si jorge no salía rápido del baño, la casa recibiría una visita similar a la de Gephardt.

Victor golpeó la mesa con violencia, tratando de dominarse para poder pensar. Tenía que elaborar un plan.

Se le ocurrió que podría iniciar un incendio. El edificio era viejo y la madera estaba reseca. Además, le gustaba la idea de un cataclismo que borrara todo el laboratorio de la faz de la Tierra. El problema era que el fuego se podía apagar. Hacerlo a medias sería peor que nada, porque entonces enfrentaría la furia de VJ respaldada por la fuerza de Martínez.

Mejor sería una explosión. ¿Pero cómo llevarla a cabo? Seguramente podría armar un artefacto explosivo pequeño, pero no tan potente como para demoler la estructura.

Ya se le ocurriría algo, pero lo primero era sacar a Marsha de ahí. Fue al escritorio y sacó las fotocopias que había tomado cuando buscaba la entrada al sótano. Tal vez podrían escapar por lo túneles. Pero el estudio de los planos reveló que los túneles estaban muy lejos del cuarto donde ella estaba presa. Plegó las hojas y las guardó en el bolsillo.

El teléfono sonó otra vez y lo sobresaltó. No contestó. Tenía que salir de la casa antes de que la ausencia de Jorge alertara a VJ o Martínez. Tal vez mandarían a sus hombres a averiguar qué sucedía.

Ya era casi de noche cuando Victor salió de la cochera. Encendió los faros y al enfilar hacia Chimera rogó a Dios que le diera alguna idea para salvar a Marsha y librar al mundo de esa caja de Pandora que él mismo había creado.

Bruscamente apretó los frenos y el auto se detuvo con un chirrido de neumáticos. Milagrosamente se le había ocurrido una idea. Los detalles empezaron a encajar como piezas de un rompecabezas. "Es posible", murmuró entre dientes. Levantó el pie del freno y apretó el acelerador a fondo.

Casi no podía contenerse mientras seguía el protocolo de ingreso a la empresa. Fue directamente al laboratorio y estacionó frente a la puerta. El edificio estaba desierto y cerrado con llave. Abrió la puerta con manos temblorosas. En el laboratorio, se sentó un instante para serenarse. Cerró los ojos y trató de relajar sus músculos uno por uno. Paulatinamente el ritmo cardíaco se normalizó. Sabía que para cumplir la primera parte de su plan debía estar muy sereno y tener el pulso firme.

En el laboratorio tenía todos los elementos necesarios. Tenía glicerina, ácido nítrico y ácido sulfúrico. También tenía un recipiente cerrado con orificios de refrigeración. Por primera vez en su vida pudo poner en práctica lo aprendido en tantas horas de laboratorio químico. Montó un sistema para la nitrificación de la glicerina. Mientras se realizaba ese proceso, preparó la cuba de neutralización. La fase más crítica la realizó con un aparato de secado eléctrico montado bajo un alero de ventilación.

Antes de completar el secado, tomó un dispositivo de tiempo del laboratorio y una batería y conectó un filamento de combustión. El paso siguiente era el más arduo. Tomó una pequeña cantidad de fulminato de mercurio —toda la que pudo hallar en el laboratorio— y con gran cuidado la introdujo en un envase plástico. Sumergió el filamento de combustión en el fulminato y cerró la tapa.

La nitroglicerina ya estaba lo suficientemente seca para envasarla en una lata vacía que había encontrado en la bolsa de residuos. La llenó hasta un cuarto de su capacidad, luego introdujo cuidadosamente el envase que contenía el fulminante, agregó el resto de la nitroglicerina y selló la lata con parafina.

A continuación buscó algo en qué envasar el dispositivo. Vio un maletín de símil cuero sobre uno de los escritorios. Lo vació sin miramientos y lo llevó a su oficina.

Abrió el maletín sobre su escritorio y formó en su interior un colchón mullido con toallas de papel. Colocó sobre éste la lata, la batería y el dispositivo de tiempo, luego agregó más toallas hasta llenar totalmente el maletín y lo cerró con gran cuidado.

Tomó una linterna del laboratorio y estudió los planos de la red de túneles. Advirtió que uno de los túneles principales iba desde la torre del reloj hasta el edificio de la cafetería. Y para su satisfacción vio que otro túnel partía en dirección al oeste.

Alzó el maletín con todo cuidado y fue a la cafetería. Una escalera central bajaba al sótano. Allí, Victor encontró la pesada puerta que daba acceso al túnel.

Encendió la linterna para iluminar su paso. La estructura de piedra le recordó una antigua tumba egipcia. A unos quince metros de la entrada, el túnel giraba a la izquierda en ángulo muy cerrado. El piso estaba cubierto de escombros y un hilo de agua que corría en dirección al río, formaba de paso algunos charcos.

Tomó aliento para darse ánimos. Entró en el túnel húmedo y frío y cerró la puerta a su espalda. No había otra luz que la de su linterna.

Se puso a caminar, resueltamente pero con cautela. Era tanto lo que estaba en juego, que no podía darse el lujo de fallar. A la distancia escuchaba ruidos de agua corriente. A poco andar había pasado media docena de entradas de túneles secundarios. A medida que se acercaba al río, crecía el estruendo de la catarata y también la vibración del piso.

Algo rozó sus piernas, y aterrado, saltó hacia atrás. Estuvo a punto de soltar el maletín. Se dominó y enfocó la linterna hacia atrás. Un par de ojillos brilló a la luz de la linterna: era una rata de albañal, grande como un gatito. Victor se estremeció, trató de dominarse y siguió su camino.

Pocos metros más adelante, resbaló sobre el piso húmedo. Hizo un gran esfuerzo por mantener el equilibrio y a la vez apretó el maletín contra su cuerpo. No cayó, y afortunadamente fue su codo y no el maletín lo que golpeó la pared de piedra. En caso contrario, se hubiera producido la explosión.

Nuevamente retomó su exasperante caminata a través de la pista de obstáculos subterránea. Finalmente, llegó al camino que salía del túnel principal en el ángulo adecuado, hacia el oeste. Victor lo recorrió, confiado, hasta el sótano del edificio contiguo al de la torre.

Una vez que halló la escalera, apagó la linterna. No podía arriesgarse a que vieran el resplandor desde la torre.

El siguiente tramo de quince metros fue el más penoso. Avanzó paso a paso, primero un pie, después el otro, esquivando los escombros y tratando de evitar la caída.

Por fin llegó a la escalera y empezó a subir. Cuando llegó a la planta baja, fue a la ventana y echó una mirada a la torre. La luna menguante salía por el este y se encontraba a la altura del Big Ben. Victor contempló la mole durante varios minutos, pero no advirtió movimientos.

Se volvió hacia el río, bajó la vista y descubrió lo que buscaba. A unos quince metros de distancia se hallaba el lugar del río donde nacía el antiguo desagüe, que conducía el agua al túnel de la torre.

Echó una última mirada al edificio de la torre para asegurarse de que no aparecería ningún guardia, salió y se dirigió rápidamente al desagüe. Corría agazapado, consciente de que esa era la parte más peligrosa de la travesía.

Al llegar, bajó rápidamente la empinada escalera detrás de las compuertas, apretado contra el muro de granito para evitar que lo vieran. Al llegar al fondo del desagüe advirtió que sólo se veía la cima de la torre. Por consiguiente, nadie lo vería desde la planta baja.

Sin perder tiempo, fue a las oxidadas compuertas metálicas que contenían el agua del embalse. Había una pequeña pérdida, un hilillo de agua que bajaba por el desagüe. Aparte de eso, las compuertas eran herméticas.

Se inclinó y dejó el maletín con gran cuidado sobre el piso del desagüe. Con el mismo cuidado lo abrió. El artefacto había sobrevivido a la travesía, ahora tenía que montarlo.

La falta de tiempo provocaría un desastre, pero el exceso de tiempo también. Su ventaja radicaba en la sorpresa. Pero no había manera de calcular cuánto tiempo necesitaría. Decidió arbitrariamente que le daría media hora. Quitó el vidrio del dispositivo de tiempo. Se arrodilló para ocultar la luz con su cuerpo, encendió la linterna y corrió el minutero.

Apagó la luz y cerró el maletín. Tomó aliento, lo llevó hasta la compuerta izquierda y lo colocó entre ésta y la barra de hierro que la sostenía. La barra estaba sujeta por un solo perno, el que debía ser el talón de Aquiles de todo el mecanismo. Puso el maletín lo más cerca posible del perno. Luego volvió a la escalera de granito.

Echó una rápida mirada sobre el borde del desagüe, en busca de alguna señal de vida en el edificio de la torre. Todo

300

estaba sereno. Nuevamente corrió agazapado al edificio contiguo, bajó al túnel y volvió lo más rápido que pudo a la cafetería. Ahora comprendía que treinta minutos era muy poco.

Cuando salió al aire libre, corrió hacia el río, pero demoró el paso al aparecer la torre. Si había un guardia, no quería parecer sigiloso ni ansioso.

Cuando llegó a la escalera, le faltaba el aliento. Echó una mirada al reloj y comprobó con horror que sólo quedaban dieciséis minutos. "Dios mío", susurró al entrar.

Victor corrió a la trampa y dio tres golpes. No hubo respuesta. Dio otro golpe, luego se agachó en busca de la varilla metálica que había utilizado antes, pero en ese momento se abrió la trampa y se asomó uno de los hombres de Martínez.

Victor bajó a la carrera, preguntando dónde estaba VJ. El guardia señaló la puerta de la sala de gestación. Se dirigió hacia allá, pero en ese momento salió VJ.

—Papá —exclamó, sorprendido—. No te esperaba hasta mañana.

—Es la impaciencia —rió Victor—. Terminé mi trabajo lo más rápido que pude. Ahora deja salir a tu madre. Tiene que visitar algunos pacientes en el hospital.

Los ojos de Victor se apartaron de VJ y recorrieron la sala una vez más. Quería determinar dónde estaría a la hora cero. Debía situarse lo más cerca posible de la escalera. El aparato más cercano era la gigantesca unidad de cromatografía a gas. Llegado el momento, fingiría estudiarlo. En medio de la pared frente al río estaba la salida del desagüe con su puerta improvisada de maderas toscas. Victor trató de calcular mentalmente la fuerza del agua que irrumpiría al estallar la compuerta. La onda de choque, combinada con la fuerza del agua, conmovería los cimientos y toda la estructura se vendría abajo. Calculó que pasarían unos veinte segundos entre la explosión y la irrupción de la onda.

—No me parece oportuno dejarla salir —dijo VJ—. Y sería muy incómodo que Jorge estuviera constantemente con ella. —VJ clavó los ojos en su padre: —¿Dónde está Jorge?

—Arriba —dijo Victor. Sentía miedo. A VJ no se le escapaba nada. —Me acompañó hasta la trampa y se quedó arriba a fumar.

VJ miró a los guardias que leían revistas: —¡Juan! Suba y dígale a Jorge que baje.

Victor quiso tragar, pero tenía la garganta reseca.

—Marsha no causará problemas. Te lo aseguro.

—No ha cambiado de opinión. Traje a Mary Millman para que tratara de convencerla, pero se aferra a su posición moralista.

Victor miró el reloj. ¡Nueve minutos! Debería haberse tomado más tiempo.

—Marsha es realista —dijo—. También es obstinada. Los dos lo sabemos. Pero yo estaré aquí. No intentará nada sabiendo que yo estoy acá abajo. Y aunque quisiera hacer algo, no sabría qué hacer.

—Estás nervioso —dijo VJ.

—Claro que estoy nervioso —dijo Victor bruscamente—. Cualquiera lo estaría. —Trató de sonreír y mostrarse sereno: —Sobre todo estoy excitado por todo esto. Quisiera ver la lista de factores de crecimiento de los úteros artificiales.

—Me encantaría mostrártela —dijo VJ.

Victor se dirigió a la puerta del dormitorio y la abrió:

—Bueno, qué bien —dijo, mirando a VJ—. Me alegro de que no la tengas bajo llave. Es un gran progreso.

VJ alzó los ojos con aire resignado.

Victor fue a la salita, donde encontró a Marsha con Mary.

—Victor, mira quién vino —dijo Marsha.

—Sí, ya nos vimos.

VJ apareció en la puerta y sonrió:

—No cualquiera tiene tres padres biológicos legítimos —dijo Victor, tratando de aliviar la tensión. Miró su reloj: seis minutos.

—Mary me ha contado algunas cosas de lo más interesantes sobre el laboratorio nuevo —dijo Marsha, con una ironía sutil que sólo Victor podía captar.

302

—Qué bien —dijo Victor—. Me parece muy bien. Pero tienes que irte, Marsha. Hay varios pacientes que te necesitan. Jean está desesperada. Me llamó tres veces. Yo ya arreglé mis asuntos, así que vete.

Marsha miró a VJ, luego a Victor:

—Pensé que te ocuparías de todo —dijo con fastidio—. Valerie Maddox se encargará de cualquier emergencia. Lo tuyo es más importante.

Victor estaba desesperado. ¿Por qué no se iba? ¿No confiaba en él? ¿Creía realmente que él dejaría todo como estaba? Victor comprendió con tristeza que en los últimos años no le había dado motivos para esperar otra cosa de él. Sin embargo, la solución era cuestión de minutos.

—Marsha, quiero que vayas al hospital. ¡Ya!

Pero Marsha no se movió.

—Parece que le gusta mi laboratorio —rió VJ. Entonces lo llamó uno de los guardias, y salió.

Enloquecido de miedo, Victor se inclinó hacia Marsha, olvidado de la presencia de Mary y susurró: —Tienes que salir de aquí ahora mismo. Confía en mí.

Marsha lo miró a los ojos y Victor asintió: —Por favor —gimió—. Vete de aquí.

—¿Va a pasar algo? —preguntó Marsha.

—Sí, vete por amor de Dios.

—¿Qué pasa? —preguntó Mary, mirando nerviosa a uno y otro.

—¿Y tú? —preguntó Marsha, sin mirar a Mary.

—No te preocupes por mí.

—¿No vas a cometer una tontería? —preguntó Marsha.

Victor se tapó la cara con las manos. La tensión era insoportable. Quedaban menos de tres minutos.

VJ apareció en la puerta: —Jorge no está arriba.

—¡Algo va a pasar! —exclamó Mary.

—¿Cómo?

—Él lo dijo. Tiene un plan, no sé qué piensa hacer.

Victor miró su reloj: dos minutos.

VJ llamó a los guardias, luego aferró el brazo de Victor y lo sacudió:

—¿Qué hiciste?

Victor perdió el dominio de sí. Agobiado por la tensión y el miedo, sus ojos se llenaron de lágrimas. Por un instante no pudo hablar. Había fracasado. No había estado a la altura de la tarea.

—¿Qué hiciste? —le gritó VJ en la cara, sacudiéndolo con fuerza. Victor no se resistió.

—Tenemos que salir inmediatamente —dijo entre sus lágrimas.

—¿Por qué?

—Porque se va a abrir la compuerta.

Hubo una pausa mientras la mente de VJ analizaba la información.

—¿Cuándo? —preguntó, sacudiéndolo otra vez.

Victor miró su reloj: quedaba menos de un minuto:

—¡Ahora!

Miró a su padre con el rostro desfigurado por el odio y la furia:

—Confiaba en ti. Creía que eras un verdadero científico. Ya no me causarás problemas.

Victor lo derribó de un empujón, aferró la mano de Marsha y la obligó a pararse. Juntos atravesaron el dormitorio y salieron al laboratorio principal.

VJ se había parado de un salto y los seguía. A la vez llamaba a los gritos a los guardias para que los detuvieran.

Los dos matones se levantaron de su banco y le aferraron los brazos, pero Victor alcanzó a empujar a Marsha hacia la escalera. Ella subió unos escalones y se detuvo a mirar atrás.

—¡Fuera! —gritó Victor. Luego miró a los guardias: —El laboratorio se va a desintegrar en cuestión de segundos. Créanme.

Los guardias vieron su expresión y le creyeron. Lo soltaron y se lanzaron a la escalera, dejando atrás a Marsha.

—¡Esperen! —gritó VJ desde el centro del laboratorio.

Pero la estampida había comenzado. Mary casi tropezó con él en su apuro por salir.

—Confié en ti —dijo VJ, alterado por la furia—. Creí que eras un hombre de ciencia. Quería ser como tú. ¡Guardias! —gritó—. ¡Guardias!

Pero todos habían huido con las mujeres.

VJ giró, miró el laboratorio principal y la sala de gestación.

En ese momento se oyó el ruido sordo de una explosión y todo el sótano se estremeció. Se alzó un rugido atronador y las paredes empezaron a vibrar. VJ comprendió lo que sucedía y se lanzó hacia la escalera. Victor extendió los brazos y lo aferró.

—¿Qué estás haciendo? —gritó VJ—. Suéltame. Tenemos que salir.

—No —dijo Victor alzando la voz sobre el rugido—. Tú y yo nos quedaremos.

VJ trató de librarse de los brazos que lo sujetaban, pero Victor lo aferró con fuerza. Pensó irónicamente que a pesar de su incalculable poder mental, su hijo tenía el físico y la fuerza de un chico de diez años.

VJ trató de patearlo, pero Victor lo tomó de las rodillas con una mano y lo hizo caer.

—¡Socorro! —gritó VJ—. ¡Guardias!

Su voz fue ahogada por un ruido sordo y creciente que empezó a estremecer los objetos de vidrio. Era como el comienzo de un terremoto.

Victor fue hacia la tosca puerta que cubría la boca del desagüe. Se detuvo a menos de dos metros de distancia, luego se volvió hacia su hijo, cuyos fríos ojos azules lo miraban desafiantes.

—Perdóname, VJ. —No le pedía perdón por lo que sucedía en ese momento. No era eso lo que lamentaba, sino un experimento realizado en un laboratorio diez años atrás, y en el que había creado un ser dotado de enorme inteligencia pero desprovisto de conciencia. —Adiós, Isaac.

En ese momento, centenares de toneladas de agua incomprimible irrumpieron en el salón por la boca del desagüe. La vieja rueda de paletas del centro de la sala giró enloquecida y por primera vez en muchos años giraron los engranajes y accionaron las bielas. Por un instante sonaron las campanas del gran reloj de la torre. Pero el agua en su avance enloquecido e incontrolado destruyó rápidamente todo lo que halló a su paso. En pocos minutos empezó a socavar los bloques de granito de los cimientos, y algunas de las vigas que sostenían el piso de la planta baja cayeron al sótano. Diez minutos después de la explosión, la torre del reloj se inclinó y luego se derrumbó como en cámara lenta. Finalmente, el edificio y el laboratorio secreto quedaron reducidos a una masa de escombros sepultados bajo el agua.

Epílogo

Un año después

—Queda un paciente y después puede retirarse —dijo Jean, asomando la cabeza por la puerta.

—¿Lo agregaron a último momento? —preguntó Marsha, molesta. Quería irse a las cuatro. El paciente adicional la tendría ocupada hasta las cinco. En otra ocasión no le hubiera molestado, pero tenía una cita con Joe Arnold, el profesor de historia de David, a las seis. Irían a una veterinaria del centro a buscar el cachorro que ella había comprado a instancias de él. "Le hará bien —le había dicho—. No hay mejor terapia que un perrito. Si todo el mundo lo supiera, ustedes los psiquiatras quedarían en la calle."

Poco después de haber leído las noticias de la tragedia en el diario, él la había llamado para expresar su pésame y para decirle que siempre había lamentado no haberla llamado cuando murió David. Paulatinamente se habían hecho amigos. Joe quería sacarla de la soledad que se había impuesto.

—La mujer insistió —dijo Jean—. Si no, no podría recibirla hasta la semana que viene. Dice que es una emergencia.

—¡Una emergencia! —murmuró. En psiquiatría afortunadamente había pocas emergencias. —Está bien —suspiró.

—Usted es un amor —dijo Jean, y cerró la puerta.

Marsha se sentó otra vez. Dictó sus apuntes sobre la sesión que había concluido. Luego giró la silla para mirar por la ventana. Ya se acercaba la primavera, el césped estaba más verde y el azafrán no tardaría en brotar. Los árboles lucían sus primeros brotes.

Marsha tomó aliento. Había pasado mucho tiempo, poco más de un año desde la noche fatal en que perdió a su esposo y su hijo menor en un suceso que los diarios calificaban de accidental. Inclusive habían publicado fotos del perno oxidado de una compuerta que había cedido cuando el Merrimack alcanzó su máximo caudal durante el deshielo de primavera. Marsha no había revelado la verdad: había permitido que la tragedia aparentemente accidental pusiera fin a la pesadilla. La verdad era mucho más compleja.

No había sido fácil afrontar su dolor. Había vendido la gran casa donde vivía con Victor y también sus acciones en Chimera. Se había comprado una casa pequeña frente a una entrada del mar en Ipswich, a corta distancia de la playa, con sus hermosos médanos. Pasaba muchos fines de semana a solas, sin escuchar otro ruido que el de las olas y los gritos de las gaviotas. Desde que era niña siempre encontraba consuelo en la naturaleza.

Los cadáveres de Victor y VJ no habían aparecido. Sólo Dios sabía adónde los había arrastrado el agua con su tremenda fuerza. Pero la desaparición de los cadáveres dificultó aún más el proceso de ajuste, aunque no por los motivos conocidos por la psiquiatría. Jean le sugirió que hiciera un poco de terapia, pero Marsha se negó ¿A quién le diría que la desaparición de los restos generaba en ella la horrible sensación de que la pesadilla aún no había concluido? Tampoco se habían hallado los de los cuatro fetos, y en realidad nadie sabía de su existencia. Pero durante varios meses Marsha tuvo pesadillas en las que hallaba un dedo o un brazo en la playa por donde paseaba.

Su gran salvación fue el trabajo. Pasados los primeros días de shock y dolor, se había puesto a trabajar con ansiedad, e inclusive pasaba largas horas en distintas organizaciones comunitarias. Valerie Maddox también le ayudó mucho y con frecuencia pasaba el fin de semana con Marsha en su casa sobre la playa. Tenía una gran deuda con su colega.

Marsha se volvió hacia el escritorio. Eran casi las cuatro, la hora de recibir al último paciente y luego ir a la veterinaria. Tocó el timbre para indicar que podían pasar, luego fue a la puerta. Tomó el legajo nuevo que le dio Jean y vio a una mujer de unos cuarenta y cinco años. La mujer sonrió, Marsha le devolvió la sonrisa y le hizo un gesto para que la siguiera. Dejó entornada la puerta y fue a la silla que ocupaba durante las sesiones, junto a una mesita donde había pañuelos de papel para los pacientes que no podían dominar el llanto. Frente a la mesita había otras dos sillas.

Se volvió para recibir a la mujer. Pero no estaba sola. La seguía una adolescente muy delgada, de tez amarillenta y demacrada. Su largo pelo rubio estaba desgreñado y muy sucio. En sus brazos llevaba un bebé rubio de unos dieciocho meses que aferraba una revista.

Marsha se preguntó quién de las dos era la paciente, porque la otra tendría que salir. Por el momento dijo "siéntense, por favor" y esperó que le explicaran el motivo de la visita. La experiencia indicaba que ese método era mucho más eficaz para obtener información que el de las preguntas y respuestas.

La mujer mayor tomó al niño mientras la joven se sentaba frente a Marsha y luego lo puso sobre su regazo. El bebé parecía absorto en las ilustraciones de la revista. Marsha se preguntó por qué lo habían traído. No era tan difícil conseguir una *baby sitter*.

La salud física de la adolescente evidentemente no era buena. Parecía débil, y su palidez indicaba un estado de depresión, además de una posible desnutrición.

—Me llamo Josephine Steinburger y ella es mi hija Judith

—dijo la mujer—. Gracias por recibirnos. Estamos desesperadas.

Marsha asintió para alentarla.

La señora Steinburger se inclinó hacia ella como si quisiera decirle algo en confianza, pero no bajó la voz:

—Mi hija no es demasiado despierta, ¿entiende? Tiene muchos problemas. Drogas, huidas del hogar, peleas con el hermano, malas compañías, usted sabe.

Marsha asintió otra vez y miró a la muchacha para ver cómo reaccionaba ante las críticas, pero Judith tenía la mirada perdida.

"Usted sabe cómo son los chicos de hoy en día —prosiguió Josephine—. El sexo y todo lo demás. Nada que ver con mi propia juventud. No conocí el sexo hasta que era grande y nunca pude disfrutarlo, ¿entiende?

Marsha asintió otra vez. Esperaba que la hija hablara, pero no había caso. Tal vez estuviera drogada en ese momento, pensó Marsha.

"Bueno, pero Judith dice que tampoco conoce el sexo y resulta que, para mi gran sorpresa, hace cosa de un año y medio me trajo esta pequeña alegría del hogar. —Rió con sorna.

Marsha no se sorprendió. La negativa era el mecanismo de defensa más frecuente. Muchos adolescentes negaban que tenían contactos sexuales, hasta cuando las pruebas eran concluyentes.

"Judith dice que el padre es un jovencito que le ofreció plata para meterle el tubito —dijo Josephine, guiñando el ojo—. Sé que lo llaman de muchas maneras, pero nunca había oído la palabra tubito. De todas maneras...

Marsha no tenía la costumbre de interrumpir a los pacientes, pero en este caso la joven no había tenido oportunidad de hablar.

—Tal vez sería mejor que la paciente me explicara todo con sus palabras.

—¿Sus palabras? —preguntó Josephine, perpleja.

—Sí, sus palabras —insistió Marsha—. Es el paciente el

que debe explicar su problema. Al menos, debe tener la oportunidad de participar.

Josephine soltó una carcajada, pero luego se dominó:

—Perdóneme, me hizo reír. Judith está muy bien. Inclusive se ha vuelto un poco más responsable, ahora que tiene un hijo. El que tiene problemas es el chico. Él es el paciente.

—Ah, claro —dijo Marsha, perpleja. Había tratado algunos niños, pero no tan chicos.

—Este chico es un monstruito —prosiguió Josephine—. No podemos controlarlo.

Eso no significaba nada. Muchos padres decían que sus bebés eran unos monstruitos. Había que conocer los síntomas concretos.

—¿Qué clase de problemas les causa? —preguntó.

—Ah, de todo. Lo que usted quiera. Nos vuelve locas. —Se volvió hacia el niño: —¡Mira a la señora, Jason!

Pero Jason estaba concentrado en su lectura.

"¡Jason —exclamó la mujer. Le quitó la revista con violencia y la arrojó sobre el escritorio. Marsha vio que era una revista especializada en biología celular.

"El chico ya lee mejor que su madre. Nos pidió un juego de química.

Marsha sintió la primera punzada de miedo en la garganta, y alzó los ojos lentamente.

"Tengo miedo de comprarle eso. Tiene apenas un año y medio. No es normal. A ver si incendia la casa.

Marsha miró al bebé sentado sobre el regazo de Judith. El niño le devolvió la mirada con sus penetrantes ojos azules. Tenía una mirada inteligente que no se correspondía con sus dieciocho meses de edad. Marsha retrocedió en el tiempo. El chico era la viva imagen de VJ.

Supo inmediatamente quién era: el producto de la quinta cigota. La que según VJ se había perdido en el inicio de sus trabajos sobre implantación. Su sexto hijo.

Estaba paralizada, y no pudo reprimir un grito al comprender la espantosa verdad: la pesadilla no había terminado.

Josephine se paró y se inclinó sobre ella, asustada:

—Doctora Frank. ¿Se siente mal, doctora?

—No... sí, estoy bien —dijo Marsha—. Perdóneme. De veras, estoy bien. —No podía apartar la mirada del chico.

—Entonces, como le decía —prosiguió Josephine—, este chico nos vuelve locas. El otro día...

—Señora Steinburger —interrumpió Marsha, tratando de reprimir el temblor de la voz—, quiero hacer una cita para Jason. Tendré que hablar con él a solas. Pero hoy no puedo.

—Bueno, lo que sea —suspiró Josephine—. Usted es la que sabe. Supongo que podemos esperar unos días. Espero que pueda ayudarnos.

Marsha la acompañó a la puerta, la cerró, se apoyó contra ella y suspiró en voz alta, "yo también lo espero".

Tenía que hacer algo para detener al niño, un prodigio cuya maldad tal vez superaría la de VJ. Pero ¿qué se podía hacer?

Tomó el teléfono para avisarle a Joe Arnold que llegaría tarde. Al oír su voz se serenó.

—Me alegro de que no trate de dejarme plantado, porque no lo voy a permitir —dijo con su voz risueña y cordial—. Pensé que podríamos comer en casa hoy. No se puede dejar solo a un cachorro la primera noche en su nuevo hogar. Espero que pueda afrontar mi salsa, que es bastante picante. Ya la estoy preparando.

En realidad era mucho más grave lo que tenía que afrontar. Por empezar, la verdad misma. Y de todas sus amistades —Valerie, Joe, Jean—, él parecía la persona en quién más podía confiar.

—Me gusta la salsa picante —dijo—. Y sí, me parece mejor comer en casa.

Estuvo a punto de hablarle de Jason, pero decidió que esperaría. No quería decir nada por teléfono.

—Perfecto. Ya empezaba a creer que tendría que pedir hora en su consultorio para hablar a solas. ¿Nos vemos en la veterinaria a las siete? Creo que atienden hasta las ocho.

—Sí, a las siete está bien. Gracias, Joe.

Cortó y fue a buscar su abrigo.

Buscó su auto y enfiló hacia la veterinaria. Se sentía mejor al pensar que diría la verdad sobre la muerte de Victor y VJ. Se había contenido tanto tiempo, que sería un gran alivio poder descargarse. Suerte que tenía un amigo como Joe. La había ayudado muchísimo.

Estacionó el auto cerca de la veterinaria y apagó el motor. Aferró el volante y estalló en llanto. Tenía que afrontar al último demonio y, con ayuda de Joe, poner fin a la pesadilla iniciada por su esposo.